Ciudades del Caribe en el umbral del nuevo siglo

Alejandro Portes
Carlos Dore Cabral
(coordinadores)

FLACSO-República Dominicana
PDIC-Universidad de Johns Hopkins
Editorial Nueva Sociedad

Primera edición: 1996

La posición de los autores de este libro no refleja necesariamente los puntos de vista oficiales de las instituciones que han auspiciado su publicación.

Apartado 61.712 Caracas, 1060-A, Venezuela
Telfs.: (058-2) 265.18.49, 265.53.21, 265.99.75
Fax: (058-2) 267.33.97, Télex: 25163 ildis-vc

Edición al cuidado de Eufemia Hernández
Diseño de portada: Javier Ferrini

Composición electrónica: Cecilia Zuvic
Impreso en Venezuela
ISBN: 980-317-096-1

Indice

A la memoria
de Derek Gordon

Reconocimientos

El proyecto de investigación que dio origen a este libro tuvo como base los aportes de las fundaciones Andrew W. Mellon y Ford. Como se describe en el capítulo introductorio, la donación de Mellon cubrió el proceso de recopilación de datos completos en los cinco países donde se llevó a cabo. El aporte de la Fundación Ford financió el análisis de los datos y permitió que coinvestigadores de las cinco naciones caribeñas viajaran a Johns Hopkins University para participar en dicho proceso y preparar los informes finales para sus respectivos países. Tanto Stephanie Bell-Rose de la Fundación Mellon como Joan Dassin y Barbara Lynch de la Fundación Ford merecen nuestro agradecimiento por el apoyo constante que brindaron a este complejo proyecto durante varios años. Sin su interés y comprensión tanto la investigación como este libro no se hubieran podido materializar.

Muchas personas más colaboraron con el proyecto completo o con los segmentos locales en sus diversas fases; aunque son muy numerosas para mencionarlas, todas ellas tienen nuestro agradecimiento. Entre las instituciones que colaboraron con el estudio distinguimos al Centro de Estudios Latinoamericanos y del Caribe (LACC) de Florida International University, el cual fue anfitrión del seminario que dio culminación a la primera fase del proyecto; y a la Facultad Latinoamericana de Ciencias Sociales (FLACSO) en República Dominicana, que hizo lo mismo para la segunda fase. Durante la celebración del seminario, los profesores Mark Rosenberg y A. Douglas Kincaid, director y director asociado de LACC, no sólo fueron excelentes anfitriones sino también valiosos colaboradores para el vivificante intercambio intelectual realizado durante dicho encuentro. El personal y el cuerpo docente de FLACSO-Dominicana logró que el segundo seminario caribeño que concluyó la fase de recopilación de datos resultara igualmente una ocasión memorable.

Durante este último seminario, el lugar del profesor Derek Gordon, director del estudio en Jamaica, cuya prematura muerte fue grandemente lamentada por sus colegas y amigos, fue ocupado por la profesora Patricia Anderson de la Universidad de West Indies. Patricia, en colaboración con su colega Don Robotham, completó el trabajo que Derek Gordon tan acertadamente había iniciado. En este volumen se presenta la versión final de dicho estudio.

El libro está dedicado a la memoria de Derek con la profunda gratitud de los editores y de sus colegas investigadores.

Prólogo

Bryan Roberts

Este volumen marca la conclusión exitosa de un proyecto multinacional inusual e innovador. Alejandro Portes, con el apoyo de la Fundación Mellon y la Fundación Ford, reunió investigadores de cinco países de la cuenca del Caribe para planificar un estudio conjunto de urbanización en la región. Disfruté mucho participando en la evolución del proyecto a través de invitaciones a reuniones cargadas de agudos debates sobre interrogantes y métodos investigativos. El resultado final fue fraguar una metodología común extraordinariamente sensible a las diferencias locales en un contexto cultural y político. Este logro metodológico por sí solo lo convertiría en una valiosa contribución para los estudios comparativos de desarrollo. En vista de que las generalizaciones sobre urbanización en América Latina y el Caribe han estado basadas principalmente en la experiencia de los países grandes, este libro constituye un importante y significativo aporte porque se concentra en algunos de los países pequeños de la región. Aparte de su tamaño relativamente pequeño, los países de la cuenca del Caribe tienen ciertas similitudes geopolíticas y económicas que le dan a su estudio comparativo un significado especial. Históricamente, éstos han sido económicamente dependientes de la exportación de productos primarios, están geográficamente cerca de Estados Unidos y, con la excepción parcial de Jamaica, su principal mercado, tanto para exportaciones como para la migración internacional, lo realizan con Estados Unidos.

Sin embargo, los cinco países son diferentes en sus sistemas políticos, estructuras económicas y cultura. Esta diversidad es la que sirve de fundamento a los métodos comparativos de números pequeños y diferencias máximas, los cuales se destacan en el primer capítulo y son hábilmente utilizados en todo el volumen. De esta forma, los autores utilizan las grandes diferencias entre los cinco países para ayudar a diferenciar las tendencias generales de urbanización de las de contexto específico. Este análisis, que aparece en el capítulo dos, identifica las tendencias que son similares en los cinco países relacionadas con la polarización espacial de las clases sociales urbanas y la economía informal. Otras tendencias, tales como la primacía del sistema urbano, son más inconsistentes y de contexto específico, y los datos comparables recopilados para cada caso permiten al grupo sopesar los factores económicos, políticos y geográficos que conducen a una primacía declinante en un país y no en otro.

El trabajo de campo y la recopilación de datos de los estudios de casos se llevaron a cabo durante un tiempo de relativa crisis económica. Sin embargo, los autores hacen hincapié en que estos años de crisis significan una reestructuración básica de las economías urbanas de la región. Aquí, como en cualquier otro lugar de América Latina y el Caribe, los años ochenta marcaron el cambio definitivo fuera de los regímenes económicos basados en la industrialización por sustitución de importaciones (ISI) hacia los basados en la reducción de tarifas, con menos control estatal directo de la economía interna y énfasis en la industrialización orientada a la exportación (EOI). Este cambio tiene implicaciones de largo alcance tanto para las políticas y el bienestar social, como para el empleo, lo que puede resumirse como sigue. La capacidad del Estado para ampliar la protección y el bienestar social disminuye a medida que declina el empleo estatal en términos relativos y se retiran los subsidios a los consumidores urbanos. La cada vez mayor competencia de las importaciones en el mercado interno y las emergentes oportunidades en el mercado exportador reestructuran geográficamente los mercados laborales y en términos de oferta y demanda. Las industrias de exportación, incluyendo el turismo, están frecuentemente ubicadas lejos de los centros urbanos previamente dominantes. Las nuevas industrias de exportación demandan una mezcla de trabajadores que son por lo general diferentes de los de las industrias tradicionales en términos de género y capacidades. Por ejemplo, muchas de las plantas ensambladoras para exportación utilizan una alta proporción de mujeres y un mercado laboral interno polarizado entre una pequeña proporción de trabajadores altamente especializados y una masa de trabajadores semi o no especializados (Fernández Kelly/Sassen, 1993; Standing, 1989; Shaiken, 1990). El movimiento hacia mercados más abiertos cambia también dramáticamente la situación de las compañías locales, tanto en manufactura como en servicios. Las importaciones de bienes para el consumidor, la llegada de firmas extranjeras detallistas, o las cadenas de comida rápida pueden sacar del negocio hasta a las grandes empresas locales, o lograr que éstas aumenten su productividad despidiendo trabajadores o subcontratando los renglones menos productivos de sus negocios, con empresas que operan por lo general de manera informal.

Uno de los grandes valores que le atribuimos a los trabajos que se reúnen en este volumen es el de analizar sistemáticamente y con datos empíricos las consecuencias de la urbanización de este nuevo contexto económico internacional, lo que se manifiesta particularmente en la discusión sobre economía informal del capítulo dos y en los estudios de casos siguientes. El tema del sector informal adquiere una nueva característica en el período contemporáneo debido a los dramáticos cambios en el contexto macroeconómico provocados por el cambio de los regímenes ISI a los EOI. Consideramos, por tanto, que la economía informal en América Latina y el Caribe se deriva principalmente de estudios realizados bajo los regímenes ISI. Bajo esos regímenes, las grandes empresas nacionales tenían posiciones oligopólicas en el mercado interno que les permitieron concentrarse en la venta de bienes y servicios de altos costos. Las pequeñas empresas manejadas informalmente fueron dejadas con las posiciones más desventajosas, tales como proporcionar bienes y servicios a la población de bajos ingresos. Estas pequeñas empresas podrían explotar estos nichos productivos evitando principalmente los gastos de la regulación estatal.

Los estudios de casos por país ponen en escena muchos de los factores que crean un nuevo contexto para la economía informal. En los nuevos regímenes orientados hacia la exportación, las importaciones baratas de productos básicos amenazan la viabilidad de las pequeñas empresas informales cuyos precios no pueden equipararse a los de calzados, ropa y otros artículos básicos importados desde Asia que son producidos en masa. Al mismo tiempo, al reducir la protección al trabajador de grandes empresas por medio del retiro de las regulaciones, se disminuyen las ventajas que las pequeñas empresas obtenían previamente evadiendo la regulación estatal. En esta situación, es probable que la economía informal pierda dinamismo y su capacidad de actuar contra-cíclicamente. Esta se torna aun más verticalmente dependiente de las empresas de la economía formal a través de subcontratos o se convierte más claramente en una economía de subsistencia que permite que las personas sobrevivan sin los empleos del sector formal. Aun en este último caso, la capacidad de la economía informal para absorber trabajadores depende del poder de compra generado por la economía formal, ya que son los trabajadores del sector informal que viven en sectores de bajos ingresos y adquieren sus bienes y servicios en las calles, los vendedores callejeros, o los trabajadores de la construcción, quienes constituyen el principal mercado del sector informal.

Este volumen contribuye también en gran medida con los debates actuales sobre política social y ciudadanía, al hacer análisis comparativos de la participación comunitaria y de las percepciones de la provisión estatal de servicios. El período actual es un punto crítico en estos debates a medida que surgen nuevas necesidades sociales, mientras los cambios económicos y políticos cuestionan antiguas aseveraciones, creando una urgente necesidad de ampliar el nivel de las alternativas de políticas. Aunque los países difieren considerablemente en cuanto a la extensión y el tiempo de los programas de seguridad social, la provisión y el manejo del bienestar social centralizados, con una seguridad social ligada al empleo formal, ha sido una parte relativamente no cuestionada de las políticas de desarrollo en la mayoría de los gobiernos latinoamericanos a partir de 1940 (Mesa Lago, 1978, 1991). Actualmente, varias tendencias están en contra de estos enfoques de la política social. Es poco probable que los gobiernos continúen ampliando la centralización de la seguridad social, en vista de las dificultades fiscales que enfrentan muchos gobiernos latinoamericanos y las necesidades que éstos confrontan para reducir los gastos estatales. En algunos países, principalmente los del Cono Sur, la carga fiscal de las obligaciones actuales de seguridad social es causa de serias preocupaciones de parte de los gobiernos y las agencias internacionales de desarrollo. Las actuales políticas de liberalización económica debilitan la atención que brinda el Estado al bienestar social. Por lo tanto, varios gobiernos latinoamericanos han adoptado políticas de desregulación laboral para estimular un movimiento más libre de capital y productos. Muchas empresas a pequeña y mediana escala son amenazadas por la competencia de las importaciones, creando pérdidas de empleos que no son compensadas con puestos de trabajo en las grandes corporaciones y que se suman a las formas laborales informales y desprotegidas. Al mismo tiempo, es probable que tendencias no económicas hagan que los derechos sociales, particularmente los relativos a salud y condiciones de vida adecuadas, sean un asunto de creciente importancia pública. Como se sugiere en los capítulos de este volumen, el caos de las ciudades, yuxtaponiendo ricos y pobres y áreas de infraestructura adecuada con las que no los tienen, acentúa para todos la necesidad de encontrar soluciones colectivas. La creciente presencia de organizaciones no gubernamentales en toda América Latina, tanto religiosas como seglares, que trabajan para ayudar las poblaciones locales a demandar sus derechos, aumenta inevitablemente las demandas desde abajo. Esta presencia reduce también la capacidad del Estado para cooptar poblaciones locales o suprimir sus demandas.

En esta situación, la política social urbana necesita observar las limitaciones y posibilidades que enfrenta la comunidad urbana contemporánea como fuente de atención informal y como unidad de participación política. La comunidad residencial local es, después de todo, el lugar que determina la calidad del acceso a múltiples derechos sociales, ya sean los cuidados de salud, la educación o un medio ambiente apropiado. Sabemos, a través de múltiples estudios urbanos, que las cadenas familiares y comunitarias de ayuda mutua convirtieron el vecindario en una fuente de apoyo y bienestar social durante el período de rápida urbanización de América Latina y el Caribe desde los años cincuenta hasta principio de los ochenta. El vecindario también representa la unidad de participación política más accesible. Esta era también la base de la movilización colectiva aun cuando dicha movilización fuera de duración limitada, como se evidencia en la literatura sobre los movimientos sociales urbanos (Blondet, 1991; Castells, 1983; Touraine, 1987). Esta es una pregunta abierta acerca de si la comunidad urbana continúa funcionando de esta forma en vista de los cambios contemporáneos en la estructura de las economías urbanas, en la organización espacial urbana, y en los patrones migratorios. Por lo tanto, hace falta más estudios como los del presente volumen, con miras al impacto del nuevo contexto de urbanización sobre la capacidad de atención de la comunidad local y el nivel local de participación política. El espacio urbano disponible para la invasión y autoconstrucción de viviendas está menos disponible ahora que anteriormente y los problemas para proporcionar la infraestructura son más complejos y menos fáciles de resolver a través de la iniciativa de individuos, o hasta de comunidades individuales.

Los cinco casos analizados en este libro nos presentan un contraste interesante tanto en política social como en ciudadanía. En un extremo, están los casos de Haití y Guatemala en los cuales tanto los derechos políticos como sociales de la población han sido debatidos mínima y amargamente por las élites. En el otro extremo, están los casos de Costa Rica y, en menor medida, Jamaica, donde históricamente los derechos políticos y sociales han sido relativamente amplios. República Dominicana es el caso intermedio. Los estudios de casos ponen en claro cómo estas diferencias en la constitución histórica de la ciudadanía ayudan a explicar tanto la configuración espacial como la social de las cinco ciudades, afectando la provisión de vivienda y la segregación espacial, la estructura del empleo y, por supuesto, la naturaleza de la participación política. Sin embargo, estos cinco países están actualmente confrontando dificultades para conseguir recursos fiscales para expandir los derechos sociales. Todos ellos, aunque a diferentes niveles, experimentaron inestabilidad económica y aumento de la tasa de desempleo, al momento del estudio. En esta situación, los efectos destructores de la pobreza sobre la cohesión familiar y las cadenas informales de apoyo socavan la capacidad de atención de la familia y la comunidad. Los capítulos reportan algunas de las consecuencias de la liberalización económica para el acceso a los servicios sociales y también para la evaluación de la participación política como un medio de mejorar la situación social.

Un cambio importante en el significado de la comunidad local, que está documentado en varios de los estudios de caso, es la importancia que tienen las remesas de los migrantes internacionales para el bienestar de muchos habitantes urbanos. Ahora es claramente transnacional la capacidad de ayuda mutua de los barrios tanto en Santo Domingo como en Haití. De acuerdo con Robert Smith (1994), en su estudio sobre mexicanos en Nueva York, los migrantes internacionales pueden a veces organizarse para influir en las políticas de sus comunidades de origen, de manera más efectiva que los que permanecen en sus países de origen. Los estudios de casos de este volumen ponen en claro que el vecindario urbano mantiene las bases de participación política preferidas. A pesar de las diferencias de las ciudades en organización espacial, estructura económica, y número de migrantes rurales, las organizaciones comunitarias locales y no los partidos políticos nacionales, son las formas más confiables de participación política. Sin embargo, los niveles de participación están determinados por el contexto político nacional, y dicho contexto permite o no espacio para la participación popular.

Este libro es un estímulo para que otros esfuerzos de colaboración proyecten las rutas tomadas por los diferentes caminos tomados por los países de América Latina y el Caribe a medida que buscan acomodarse al nuevo contexto global político y económico. El mensaje es convincente. Existen similitudes en las tendencias que afectan los países de la región y los debates de políticas. Cada país puede beneficiarse de las experiencias de los demás. Sin embargo, las diferencias en estructura política y naturaleza de la ciudadanía significa que los debates de política económica tienen que tomar en cuenta el contexto nacional.

Bibliografía

Blondet, Cecilia (1991) *Las mujeres y el poder*. Instituto de Estudios Peruanos. Lima.

Castells, Manuel (1983) *The City and the Grassroots*. Edward Arnold. Londres.

Fernández Kelly, M./Sassen, Patricia y Saskia (1993) Recasting Women in the Global Economy: Internationalization and Changing Definitions of Gender. Russell Sage Foundation. Working Paper nº 36, Fundación Russell Sage, New York.

Mesa Lago, Carmelo (1991) Social Security and Prospects for Equity in Latin America. Discussion Paper nº 140 del Banco Mundial, El Banco Mundial. Washington, D.C.

Mesa Lago, Carmelo (1978) *Social Security in Latin America: Pressure Groups, Stratification and Inequalify*. Imprenta de la Universidad de Pittsburgh. Pittsburgh.

Shaiken, Harley (1990) *Mexico in the Global Economy: High Technology and Work Organization in Export Industries*. Centro de Estudios para U.S.-Mexico Studies. Universidad de California. San Diego, CA.

Smith, Robert C. (1994) Los ausentes siempre presentes: the imagining, making and

politics of a transnational community between New York City and Ticuani, Puebla. Disertación de Ph.D., Universidad de Columbia, New York.
Standing, Guy (1989) Global feminization through Flexible Labor. *World Development,* 17(7): 1077, 1097.
Touraine, Alain (1987) Actores sociales y sistemas políticos en América Latina. PREALC. Santiago.

Tendencias urbanas en el Caribe

Alejandro Portes
Carlos Dore Cabral

El proyecto cuyos resultados están expuestos en este libro representa un intento por estudiar de manera novedosa un sujeto clave en el campo de los estudios de desarrollo. Su tema central es la urbanización, cuya importancia crece sistemáticamente en la medida en que las poblaciones del Tercer Mundo tienden cada vez más a vivir en las ciudades. El método se basa en el diseño comparativo de Pequeños-Números, donde el mismo tema es examinado en detalle en un número limitado de lugares, lo que permite la contrastación rigurosa de unos con otros. La mayor parte de la literatura de investigación sobre el campo de la urbanización en el Tercer Mundo –o cualesquiera otro de los tópicos de desarrollo– ha hecho uso de dos diseños metodológicos alternativos. El primero es el estudio de caso intensivo, conducido a través de técnicas cualitativas o cuantitativas. El segundo es el de la comparación de Grandes-Números donde los datos de cierto número de países son reunidos y discutidos sistemáticamente (Kohn, 1987; Bollen/Entwisle/Alderson, 1993). El estudio de caso usualmente descansa en datos primarios y es el diseño de investigación que generalmente seleccionan científicos sociales locales interesados en temas específicos de sus propias sociedades. El método de Grandes-N casi siempre descansa en datos secundarios analizados cuantitativamente. Este último tiende a ser el método preferido de las agencias internacionales de desarrollo y de los economistas y sociólogos del Primer Mundo especializados en materias internacionales. Las ventajas y las limitaciones de estos procedimientos han sido discutidas ampliamente en la literatura metodológica (Ragin, 1987; Bollen/Entwisle/Alderson, 1993). Frente a ellos, el diseño comparativo de Pequeños-N tiene ventajas y desventajas: en comparación con el estudio de caso, el procedimiento de Pequeños-N es más representativo (mayor validez externa) y más efectivo para evitar explicaciones espurias (mayor validez interna). Sin embargo, sacrifica los detalles de riqueza histórica y los matices culturales encontrados en muchas etnografías. En contraste con el análisis cuantitativo de Grandes-N, el diseño de Pequeños-N provee un mejor entendimiento de las características específicas de cada caso y de las diferencias sutiles entre ellos. Estas ventajas (que otra vez hablan de una mayor validez interna) se consiguen a costa de una menor representatividad de los resultados.

En el área de la cuenca del Caribe, la urbanización ha sido estudiada inicialmente sobre la base de encuestas y etnografías llevadas a cabo en un solo país o incluyendo esos países en un gran paquete de datos transnacionales (1). Aunque

1. La cuenca del Caribe fue definida para los fines del proyecto como los países del istmo centroamericano y las islas-naciones del mar Caribe.

estas aproximaciones son legítimas, ninguna hace uso de todo el potencial explicativo que crea el análisis de la experiencia de cada país bajo el prisma de los otros. Una excepción parcial son las frecuentes comparaciones entre países del istmo centroamericano (Torres-Rivas, 1981; Kincaid, 1987; Pérez-Sáinz/Menjívar, 1991), pero las historias de esos países están tan entrelazadas que los eventos que en ellos ocurren a menudo no son independientes y por lo tanto no proveen las bases para generalizaciones teóricas.

El área de la cuenca del Caribe representa un lugar ideal para instrumentar un diseño de Pequeños-N porque contiene, en un espacio geográfico restringido, una amplia variedad de situaciones históricas, lingüísticas y sociopolíticas. Como una de las áreas claves en la cual la lucha europea por la hegemonía tuvo lugar entre los siglos XVI y XIX, el Caribe fue testigo de los esfuerzos de colonización española, británica, francesa y holandesa, cada una dejando tras de sí una herencia cultural distintiva (Knight/Palmer, 1989). Las subsecuentes luchas por la independencia y la trayectoria histórica de cada antigua colonia explican sus diferencias y su perfil nacional único. Hoy, la región alberga algunos de los más retrógrados e inestables regímenes políticos del hemisferio, junto a democracias consolidadas de carácter presidencialista o parlamentario (Trouillot, 1990; Torres-Rivas, 1981; Gordon/Dixon, 1991). Es posible también encontrar una gran variedad de mezclas raciales y de prácticas religiosas y culturales, todas ellas remontándose a la rica historia de la región.

Desde un punto de vista metodológico, esas diferencias crean la oportunidad de formular o poner a prueba teorías a un alto nivel de generalización. Przeworski y Teune (1970), siguiendo el análisis clásico de la lógica de demostración causal de John Stuart Mill, proponen el método de «máximas diferencias», de acuerdo al cual las hipótesis que se cumplen en contextos sociopolíticos muy variados tienen mayor alcance e importancia teórica que aquellas limitadas a unidades de análisis similares. Por ejemplo, hallazgos provenientes de las realidades comunes de los países del istmo centroamericano, serían difíciles de generalizar a otros espacios nacionales por la proximidad histórica y la similitud cultural de esos países. Por otro lado, tendencias urbanas descubiertas en países tan disímiles como Jamaica, Haití y Costa Rica tendrían mayor significado teórico porque ellas indicarían procesos que se cumplen en una amplia variedad de condiciones políticas y económicas.

En consecuencia, un diseño de Pequeños-N, que en otras áreas del mundo no produciría más que hallazgos de importancia regional pueden, por las grandes disimilitudes de contextos nacionales en el área del Caribe, acercarse al criterio de «diferencias máximas» y producir por lo tanto avances conceptuales de un alto nivel de generalización.

Nuestro proyecto comparativo tuvo un objetivo doble: primero, examinar propuestas teóricas generales acerca de la urbanización en el Tercer Mundo en el contexto de las pequeñas naciones de la cuenca del Caribe; segundo, ganar mayor entendimiento sobre el desarrollo específico de cada país, usando como punto de referencia procesos similares en los otros. Para cumplir con esos propósitos, el estudio seleccionó Estados-naciones que, en primer lugar, representaran casos muy diferentes respecto a sus respectivas historias y su actual situación económica y política y, segundo, que fuesen suficientemente grandes para poseer al menos un sistema urbano rudimentario que permitiera el análisis de su evolución.

El cuadro 1 presenta el universo de Estados caribeños y las características relevantes de su sistema urbano. Todos los países tienen en común su inserción dependiente en la economía global como proveedores de materias primas, productos agrícolas de consumo y servicios turísticos. Comparten también una fuerte tendencia hacia la primacía, definida como la situación en la cual la ciudad más grande domina por entero el sistema urbano. En las islas más pequeñas, este fenómeno no puede ser de otra manera ya que sus dimensiones impiden la existencia de ciudades secundarias y, en consecuencia, el desarrollo de un sistema urbano incluso rudimentario. Estas islas-naciones fueron por tanto excluidas del proyecto ya que uno de los tópicos de la investigación es el carácter de tales sistemas y la evolución de la primacía urbana.

La mayoría de las propuestas teóricas sobre la urbanización en el Tercer Mundo se refieren a sociedades capitalistas periféricas. Esto nos condujo a excluir del estudio tanto a Puerto Rico, sociedad política y económicamente integrada a Estados Unidos, como a Cuba, país socialista con una economía planificada. Las características de ambas islas desbordan el ámbito de las propuestas teóricas que el proyecto se proponía investigar. El universo restante se compone por lo tanto de las más grandes naciones capitalistas del mar Caribe y Centroamérica. De éstas, elegimos a Costa Rica, la República Dominicana, Guatemala, Haití y Jamaica. Estos países son representativos del amplio espectro de características culturales, lingüísticas, raciales y políticas que se encuentran en la región. Incluyen, por ejemplo, países de habla inglesa, francesa, creole y español. Sus poblaciones van desde las predominantemente negras (Haití y Jamaica), pasando por las predominantemente mulatas y mestizas (la República Dominicana y Guatemala) hasta las predominantemente blancas (Costa Rica). Política y económicamente difieren en multitud de características descritas en los próximos capítulos. La ciudad capital y los sistemas urbanos de estos países son lo suficientemente complejos como para permitirnos poner a prueba proposiciones teóricas acerca de diferentes aspectos de la urbanización, tales como la primacía y la polarización espacial de clases, así como facilitar una descripción detallada de estos aspectos en cada uno de ellos.

Diseño del estudio

En cada país seleccionado fue creado un equipo de investigación bajo la dirección de un académico de experiencia. Estas personas tuvieron el rango de coinvestigadores y junto con el investigador principal (Portes) desarrollaron todas las fases del estudio. Desde el principio, nos empeñamos en no imponer procedimientos metodológicos y conceptuales que pudieran violentar las prioridades y características específicas de alguno de los países. El equipo formado por los seis investigadores gradualmente desarrolló los tópicos de común acuerdo y los diseños de investigación apropiados a cada medio nacional.

Cuadro 1

Urbanización en la cuenca del Caribe, 1960-1990

País	Población en 1990 (miles)	Crecimiento de la PEA[1] 1980-1985	Población en ciudades de 20.000 o más			Area Metropolitana principal	Población en el Area Metropolitana principal				Crecimiento del Area Metropolitana principal		
			1960 %	1970 %	1980 %		1960 %	1970 %	1980 %	1990 %	1960/70 %	1970/80 %	1980/90 %
Antigua y Barbados	66	–	38,9	34,2	–	St. Johns	–	38,9	34,2	–	0,3	–	–
Bahamas	264	–	62,1	60,1	64,6	Nassau	62,1	60,1	64,6	–	3	5	2,9
Barbados	258	–	46,2	47,0	46,6	Bridgetown	46,2	47,0	46,6	–	0,3	0,3	–
Belice	197	–	44,3	36,2	27,9	Cd. de Belice	44,3	36,2	27,9	–	-0,3	0,0	–
Costa Rica	3.191	3,1	22,8	30,8	33,6	San José	19,4	21,8	25,1	26,9	4,5	3,9	3,3
Cuba	10.808	2,3	38,3	43,8	47,9	Habana	21,0	20,8	19,8	20,2	2,1	0,7	0,9
El Salvador	5.395	2,9	19,1	21,6	–	San Salvador	12,6	13,9	–	12,2	4,4	–	2,9
Granada	91	–	30,3	31,9	33,0	St. George	30,3	31,9	33,0	–	1,1	-0,1	–
Guatemala	9.745	2,8	19,3	22,1	22,6	Cd. de Guatemala	17,2	19,6	19,9	18,1	3,6	2,2	4,7
Guyana	808	–	–	–	–	Georgetown	26,5	23,4	24,0	–	1,0	0,2	–
Haití	6.754	2,0	–	13,7	17,4	Puerto Príncipe	7,1	11,5	14,3	15,4	–	3,4	5,4
Honduras	5.463	3,9	11,5	21,2	–	Tegucigalpa	5,3	7,1	10,3	10,1	5,5	–	3,4
Jamaica	2.469	2,9	24,9	32,1	38,0	Kingston	23,4	26,1	24,0	22,6	-1,0	–	0,9
Nicaragua	3.985	3,8	23,0	31,5	–	Managua	15,3	21,2	–	26,1	6,8	–	4,7
Panamá	2.514	3,0	34,6	39,1	43,0	Ciudad de Panamá	26,9	31,7	33,3	18,9	4,8	3,0	1,6
Rep. Dominicana	7.471	3,5	18,7	30,5	41,9	Santo Domingo	12,1	16,7	23,3	30,7	6,3	6,1	4,5
Santa Lucía	137	–	37,6	40,5	37,9	Castries	37,6	40,5	37,9	–	2,2	0,6	–
San Vicente y Granadinas	109	–	25,6	27,0	25,7	Kingstown	25,6	27,0	25,7	–	1,3	0,7	–
Suriname	438	–	–	–	–	Paramaribo	40,5	34,2	27,3	–	-0,9	–	–
Trinidad y Tobago	1.265	2,5	36,8	37,4	40,8	Puerto España	30,2	30,4	32,2	–	-0,8	–	–

1. La edad de la población económicamente activa es entre 15 y 64 años.

Fuente: Comisión Económica para América Latina y el Caribe. *Libro de Estadísticas del Año de América Latina y el Caribe.* 1992, Naciones Unidas, Tabla 103. Wilkie/Perkal 1985, Tabla 646. Naciones Unidas, «Prospects of World Urbanization», 1992 Nueva York, Tablas del País.

Como resultado de ese proceso, el proyecto evolucionó como una secuencia de dos fases interrelacionadas: primero, un análisis macrosocial de los elementos comunes de la urbanización en cada país y, segundo, un estudio microsocial de las condiciones y de los puntos de vista de los sectores populares urbanos y del carácter del sector informal urbano. Los tópicos cubiertos en cada fase, así como las principales metodologías empleadas se presentan en el cuadro 2. La primera fase duró un año, al final de la cual cada coinvestigador presentó un informe resumen de su país en un seminario que tuvo lugar en la Universidad Internacional de la Florida en Miami. Estos informes forman la base del capítulo 2, donde se resumen las tendencias más importantes en la evolución de los sistemas urbanos y el carácter de la principal área metropolitana en cada país.

La segunda etapa del estudio se extendió aproximadamente durante 18 meses, y en ella se realizaron encuestas en dos o más barrios populares en cada ciudad capital, seguido por un estudio cualitativo de ciertos sectores microempresariales. Los detalles de diseño muestral y de equivalencia conceptual de las preguntas se discuten en la próxima sección. El análisis de los resultados de esta fase se llevó a cabo conjuntamente por un equipo de investigación en Johns Hopkins en Baltimore y por los coinvestigadores de cada país. Con la excepción de Derek Gordon de Jamaica, cuya muerte prematura lo hizo imposible, los demás coinvestigadores estuvieron dos meses en Hopkins reanalizando los resultados de las encuestas y preparando el informe final de sus respectivos países. Versiones editadas de esos informes aparecen en los capítulos 3 a 7 (2). El capítulo ocho concluye con un resumen de los determinantes de la participación política popular en las cinco capitales, así como con un análisis del carácter y el potencial de crecimiento de sus sectores informales.

Los resultados finales de este proyecto se presentaron en el curso de una serie de seminarios abiertos a académicos y a planificadores urbanos. Los resultados iniciales de la segunda fase fueron presentados y discutidos en el Seminario sobre Ciudades de la Cuenca del Caribe celebrado en Santo Domingo en el verano de 1992. Los comentarios y críticas de los informes iniciales formaron la base para las versiones finales incluidas en este libro. Dos seminarios regionales se realizaron con el propósito de enfatizar la importancia de los estudios nacionales y sus implicaciones para las respectivas políticas urbanas. El primero tuvo lugar en San José, en julio de 1994, donde los estudios de Ciudad de Guatemala (capítulo 5) y San José (capítulo 3) fueron presentados y analizados. El segundo se realizó en Santo Domingo en octubre del mismo año, basado en los informes finales sobre Puerto Príncipe (capítulo 6), Kingston (capítulo 7) y Santo Domingo (capítulo 4). Estas reuniones ofrecieron la oportunidad de difundir entre las autoridades gubernamentales y el público en general los hallazgos claves del proyecto y las lecciones sobre políticas públicas aprendidas en el curso de su extenso trabajo de campo.

2. Los profesores Patricia Anderson y Don Robotham de la Universidad de las Indias Occidentales llevaron adelante el proyecto en Jamaica después de la muerte de Derek Gordon. Anderson y Robotham analizaron los resultados de la encuesta hecha bajo la dirección de Gordon y completaron el estudio del sector microempresarial en Kingston. El esfuerzo de estos dos investigadores permitió la inclusión en este volumen de un informe sobre ese país.

Cuadro 2

Urbanización en el Caribe: diseño de investigación del proyecto comparado

Fase	Tópico	Unidad de Análisis	Metodología
I.	*Macrosocial:*	*Agregados sociales:*	
	Sistema de ciudades y primacía urbana.	Ciudades	
	Distribución espacial de las clases en el área metropolitana.	Estrato socioeconómico	Análisis secundario de datos oficiales publicados y estudios anteriores.
	Empleo urbano informal y desempleo	Categorías ocupacionales en el mercado de trabajo	
II.	*Microsocial:*		
	Situación socio-económica de los sectores populares urbanos.		
	Su percepción del cambio en la ciudad en la última década.		
	Su conocimiento de las autoridades urbanas.		
	Su participación en los partidos políticos y en organizaciones comunitarias.	Individuo y vivienda	Encuesta probabilística.
	Su conocimiento de la distribución espacial de las clases sociales en la ciudad.		
	Su opinión sobre quién es culpable de la pobreza.		
	Características de las microempresas en los sectores seleccionados.	Firmas	Trabajo de campo etnográfico.

La identidad fenomenológica y la equivalencia conceptual

Un punto central de la investigación comparativa con base en el diseño de Pequeños-N consiste en establecer hasta qué punto los resultados son comparables en términos de las unidades de análisis seleccionadas. La cuestión tiene dos aspectos: primero, las poblaciones específicas seleccionadas para el estudio y, segundo, los elementos usados para obtener la información acerca de tópicos diferentes. Frecuentemente pasa que la «identidad fenomenológica» en la selección de la muestra y la redacción de las preguntas ocultan diferencias sustantivas en su significado real (Strauss, 1966). Esto ocurre especialmente cuando las unidades de análisis son países y cuando ellos han sido seleccionados, como en este caso, de acuerdo al método de las diferencias máximas.

Con relación al diseño de la muestra, definimos el universo relevante para la encuesta de cada país como barrios habitados por sectores populares. Estos últimos fueron definidos como grupos que reciben ingresos por debajo del ingreso familiar promedio para la ciudad respectiva. Los barrios incluyen proyectos gubernamentales para empleados públicos, área de clase trabajadora estable y asentamientos irregulares en la periferia urbana. Los equipos de investigación en cada país procuraron incrementar la diversidad de la muestra incluyendo una variedad de niveles socioeconómicos tanto al interior de cada barrio como entre ellos. En vez de utilizar rígidos criterios de selección muestral, la comparabilidad de éstos en cada ciudad se consiguió, primero, a través de las discusiones del equipo de los seis coinvestigadores sobre aquellas áreas seleccionadas preliminarmente y, segundo, por visitas de campo del investigador principal a todos los barrios. Al menos dos áreas populares fueron seleccionadas en cada ciudad y, en cada una, se diseñó una muestra probabilística de unidades familiares. Los jefes de familia fueron entrevistados acerca de sus propias situaciones y experiencias como también las de otros miembros de su familia. Detalles acerca de la información recogida en cada país se presentan en los respectivos capítulos.

Existen varias técnicas para establecer la equivalencia conceptual de las preguntas utilizadas en encuestas transnacionales. Tales técnicas incluyen retraducciones al idioma original de preguntas traducidas a otro lenguaje, evaluaciones por informantes expertos y pruebas preliminares (Bollen/Entwisle/Alderson, 1993). En este proyecto, se le dedicó una extraordinaria atención al problema de la equivalencia conceptual de preguntas debido a que el cuestionario tuvo que aplicarse en tres lenguas diferentes: inglés, creole francés y español. En Jamaica, algunos elementos originalmente traducidos del español fueron retraducidos al español a partir de la traducción inglesa para establecer su equivalencia en ambos idiomas. En todos los países se aplicaron pruebas preliminares del cuestionario (originalmente escrito en español), y los resultados fueron utilizados para modificar la versión final.

Además, los coinvestigadores locales y sus equipos de investigación sirvieron como informantes expertos expresando sus reacciones sobre los matices y sutilezas del lenguaje y sobre las sensibilidades de los respectivos universos. Por ejemplo, en Costa Rica, preguntas acerca de la afiliación política partidaria tuvieron que ser eliminadas porque la encuesta coincidió con una fuerte campaña electoral y las preguntas podían sugerir que la entrevista estaba siendo conducida por uno de los partidos involucrados. Igualmente en Jamaica, las preguntas acerca de preferencias políticas tuvieron que ser trasladadas al final del cuestionario por la gran sensibilidad local respecto a estos temas.

La combinación de las distintas técnicas utilizadas produjo resultados que parecen ser confiables y comparables para la mayoría de las preguntas y para todos los países. Un método para establecer la calidad relativa de los datos de una encuesta comparativa es el análisis de validez conceptual basado en las correlaciones entre variables que teóricamente se espera que estén relacionadas (Cronbach, 1960; pp. 120-123). Por ejemplo, despertarán sospechas correlaciones bajas entre la educación y la ocupación ya que estas variables se asocian consistentemente a un nivel moderado en la mayoría de los estudios previos en países de distinto nivel de desarrollo. Idéntico es el caso para las correlaciones entre educación e ingresos y entre ocupación e identificación de clase.

El cuadro 3 presenta 12 correlaciones que ponen a prueba la validez conceptual para la muestra completa y para cada uno de los países. Aunque las correlaciones son débiles, la mayoría son estadísticamente significativas y son del signo esperado. La educación y los ingresos se correlacionan entre 0,22 y 0,37 en los cinco países; la educación y la ocupación entre 0,13 y 0,43; y los ingresos y una medida de satisfacción con los ingresos entre 0,25 y 0,41. En forma similar la identificación de clase refleja los niveles de educación, ingresos y ocupación como se esperaba. La única excepción a este patrón es la asociación entre ingresos y propiedad inmobiliaria la cual es insignificante en la mayoría de los países. Esto puede ser el resultado de programas gubernamentales de vivienda o probablemente de invasiones previas de terrenos posteriormente legalizadas por las autoridades. Estos eventos convierten en propietarias a familias pobres negando la relación esperada entre ingresos y acceso a la vivienda (Portes/Walton, 1976; cap. 3).

Conclusión: el carácter y el futuro de la informalidad

Como se indicó en el cuadro 2, la tarea final del proyecto consistió en indagar sobre el carácter de las pequeñas empresas informales urbanas, centrándose en sus orígenes y en sus capacidades para el crecimiento autónomo. Esta fase del trabajo de campo no buscó equivalencia conceptual sino más bien trató de intensificar la diversidad de los sectores estudiados en los cinco países. La razón es su carácter exploratorio ya que esta fase persiguió identificar pequeñas empresas con potencial para la acumulación de capital dondequiera que ellas se encontrasen.

Una extensa literatura ha documentado el carácter de «sobrevivencia» del sector informal en las ciudades del Tercer Mundo. No valdría la pena, entonces, llevar a cabo otro estudio para demostrar el mismo punto. En otro sentido, las agencias internacionales de desarrollo, inspiradas por los escritos del economista peruano Hernando de Soto (1989), han escogido el sector de las pequeñas empresas como un recurso de dinamismo empresarial y un pilar potencial de futuras

Cuadro 3

Prueba de construcción de validez de los resultados de la encuesta a través de correlaciones seleccionadas. Proyecto: Urbanización del Caribe

Variables[1]	Costa Rica	Rep. Dominicana	Guatemala	Haití	Jamaica	Total
Educación/ingreso	0,323[2]	0,289	0,367	0,294	0,219	0,298
	(0,001)	(0,001)	(0,001)	(0,001)	(0,001)	(0,001)
Educación/ocupación	0,132	0,429	0,329	0,397	0,326	0,322
	(0,01)	(0,001)	(0,001)	(0,001)	(0,001)	(0,001)
Educación/identificación de clase	0,178	0,202	0,277	0,331	0,218	0,258
	(0,001)	(0,001)	(0,001)	(0,001)	(0,001)	(0,001)
Educación/empleo formal	0,196	0,245	0,388	0,159	0,315	0,213
	(0,001)	(0,001)	(0,001)	(0,001)	(0,001)	(0,001)
Ocupación/ingreso	0,112	0,225	0,248	0,201	0,271	0,193
	(	(0,001)	(0,001)	(0,001)	(0,001)	(0,001)
Ocupación/identificación de clase	0,186	0,200	0,132	0,104	0,158	0,143
	(0,001)	(0,001)	(0,001)	(0,001)	(0,001)	(0,001)
Ocupación/autoempleo	-0,066	-0,144	-0,202	-0,344	-0,233	-0,198
	(n.s)[3]	(0,01)	(0,001)	(0,001)	(0,001)	(0,001)
Ingreso/identificación de clase	0,239	0,252	0,235	0,335	0,189	0,208
	(0,001)	(0,001)	(0,001)	(0,001)	(0,001)	(0,001)
Ingreso/desempleo	-0,263	-0,288	-0,129	-0,168	-0,193	-0,162
	(0,001)	(0,001)	(0,001)	(0,001)	(0,001)	(0,001)
Ingreso/satisfacción del ingreso	0,412	0,311	0,282	0,392	0,248	0,275
	(0,001)	(0,001)	(0,001)	(0,001)	(0,001)	(0,001)
Ingreso/ingreso propiedad de la vivienda	0,041	0,019	0,149	0,221	0,053	0,026
	(n.s.)	(n.s.)	(0,01)	(0,001)	(n.s.)	(n.s.)
Identificación de clase/satisfacción del ingreso	0,410	0,381	0,195	0,500	0,189	0,217
	(0,001)	(0,001)	(0,001)	(0,001)	(0,001)	(0,001)

1. Variables: Educación = Años completados. Ingreso = Ingreso mensual en dólares de 1992. Ocupación = Escala del Treiman International Ocupational Status. Identificación de Clase = Escala de tres puntos de «pobre» a «clase media». Empleo formal = 1 si el empleo es cubierto por las ley, 0 si no. Autoempleo = 1 si trabaja por su cuenta, 0 si no. Desempleo = 1 si se encontraba desempleado en el momento de la entrevista, 0 si no. Satisfacción del Ingreso = Escala de cuatro puntos de «mala» situación del ingreso hasta «buena». Propiedad de la vivienda = 1 si es propietario, 0 si no.
2. Correlación producto-momento de Pearson. Grado de significatividad entre paréntesis.
3. n.s.= no significativa.

estrategias de desarrollo (Sabel, 1986). Esta posición ha sido reforzada por las experiencias europeas, como por ejemplo la región italiana de Emilia Romagna, que ha demostrado la capacidad de las firmas informales para absorber tecnología y competir exitosamente con la producción formal (Capecchi, 1989).

Estas experiencias documentan una informalidad de «crecimiento autónomo» diferente de la informalidad de «sobrevivencia» común en la literatura latinoamericana (Portes/Schauffler, 1993; pp. 33-66). Desgraciadamente, esos alentadores casos no han encontrado réplica ni en el Caribe ni en América Latina en su conjunto, dando lugar a serias dudas sobre el optimismo expresado por de Soto y sus seguidores. La serie de estudios de campo que completan este proyecto persigue llenar este vacío mediante el estudio de sectores y firmas que podrían corresponder, aún en forma rudimentaria, al dinamismo empresarial italiano. El foco específico de cada estudio de este sector fue establecer la medida en que los empresarios informales poseen suficiente calificación y se encuentran integrados en redes sociales de cooperación que otorguen un potencial de desarrollo autónomo. Los estudios de casos llevados a cabo en cada país se presentan en los capítulos respectivos. Un resumen de los resultados y de sus implicaciones para políticas sobre el sector se presenta en el capítulo 8.

Aunque el proyecto en su totalidad representa un esfuerzo cooperativo, los capítulos que siguen son de la exclusiva responsabilidad de sus autores. En consecuencia, el lector puede encontrar diferencias de matices y, en ocasiones, interpretaciones contrarias del mismo proceso en informes individuales de los países y en los capítulos sintéticos. Todo esto refleja el resultado de un esfuerzo genuino de colaboración, donde los puntos de vista de todos los participantes jugaron un rol en cada etapa del estudio. Por lo demás, sin embargo, las principales tendencias halladas en las dos fases del proyecto están reflejadas en los reportes individuales por países y en los resúmenes analíticos.

Bibliografía

Bollen, Kenneth A./Entwisle, Barbara/Alderson, Arthur S. (1993) Macrocomparative Research Methods, en *Annual Reviews of Sociology* 19:321-351.

Capecchi, Vittorio (1989) The Informal Economy and the Development of Flexible Specialization, en A. Portes, M.Castells y L.A. Benton (eds.), *The Informal Economy: Studies in Advanced and Less Developed Countries.* Johns Hopkins University Press. Baltimore.

Cronbach, Lee (1960) *Essential of Psychological Testing.* 2a. edición. Harper and Row. New York.

De Soto, Hernando (1989) *The Other Path.* Traducido por June Abbot. Harper and Row. New York.

Gordon, Derek/Dixon, Cheryl (1991) La urbanización en Kingston Jamaica, en A. Portes y M. Lungo (eds.), *Urbanización en el Caribe*, FLACSO. San José.

Kincaid, A. Douglas (1987) «Agrarian Development, Peasant Mobilization, and Social

Change in Central America: A Comparative Study». Disertación doctoral. Departamento de Sociología, The Johns Hopkins University.
Knight, Franklin W./Palmer, Colin A. (1989) A Regional Overview, en F.W. Knight y C.A. Palmer (eds.), *The Modern Caribbean*. University of North Carolina Press, Chapel Hill.
Kohn, Melvin L. (1987) Cross-National Research as an Analytic Strategy, en *American Sociological Review* 52 (diciembre): 713-731.
Pérez-Sáinz, Juan Pablo/Menjívar, Rafael (1991) *Informalidad urbana en Centro América*. FLACSO, San José.
Portes, Alejandro/Schauffler, Richard (1993) The Informal Economy in Latin American: Definition, Measurement, and Politics, en Population and Development Review 19, nº 1 (mayo).
Portes, Alejandro/Walton, John (1976) *Urban Latin America, the Political Condition from Above and Below*. University of Texas Press, Austin.
Przeworski, Adam/Teune, Henry (1970) *The Logic of Comparative Social Inquiry*. Robert E. Krieger, Malabar, Florida.
Ragin, Charles (1987) *The Comparative Method, Moving Beyond Quantitative and Qualitative Strategies*. University of California Press, Berkeley.
Sabel, Charles F. (1986) Changing Modes of Economica Efficiency and their Implications for Industrialization in the Third World, en A. Foxley, M.S. McPherson and G.O. Donnell (eds.) *Development, Democracy, and Trespassing. Essays in Honor of Albert O. Hirschman*. Notre Dame University Press. Notre Dame, Ind.
Torres-Rivas, Edelberto (1981) *Crisis del poder en Centroamérica*. EDUCA, San José.
Trouillot, Michel-Rolph (1990) *Haiti, State Against Nation*. Monthly Review Press. New York.

La urbanización en la cuenca del Caribe: el proceso de cambio durante los años de la crisis

Alejandro Portes
José Itzigsohn
Carlos Dore Cabral

En este capítulo revisamos las principales perspectivas teóricas que en el pasado dominaron el estudio de la urbanización en América Latina, basándonos en los materiales empíricos más recientes, y relacionándolas con la evolución de las ciudades del Caribe en las últimas dos décadas. Usamos los materiales de la primera fase del proyecto descrito en el capítulo 1 para examinar aspectos fundamentales del desarrollo urbano en la región. El telón de fondo de esta labor son las transformaciones ocurridas en las economías de esos pequeños países durante este período y cómo ellas afectaron a la sociedad civil. Una cuestión teórica fundamental que se busca contestar es hasta dónde tales cambios son un reflejo de la nueva inserción de estos países en la economía internacional y en qué medida obedecen a las políticas y economías domésticas. Este análisis constituye al mismo tiempo el contexto global en el cual se enmarcan los capítulos siguientes basados en la segunda fase de la investigación.

Revisión teórica

La abundante literatura existente sobre la urbanización en América Latina hasta fines de los setenta pintó un cuadro de su evolución en extremo coherente, haciendo énfasis en la uniformidad que el proceso adquirió a través de todo el subcontinente. Primero, la población latinoamericana se urbanizó rápidamente, pero en un proceso distorsionado por el subdesarrollo de la región. La migración de la población rural hacia las ciudades no ocurrió de manera gradual, sino como un flujo incesante hacia unos pocos centros receptores. En la mayoría de los países, una sola ciudad jugó simultáneamente el rol de capital política, de principal centro industrial y comercial y de lugar de residencia de las clases dominantes. La primacía urbana –cabezas gigantes de cuerpos enclenques– no era nueva para América Latina, pero los flujos de migrantes rurales de mediado del siglo XX la aceleraron, lo que sugirió un incremento inexorable en la diferencia entre las aglomeraciones metropolitanas más grandes y el resto del sistema urbano (Breese, 1966; Beyer, 1967; Hardoy, 1975; Portes/Johns, 1989).

Segundo, en las ciudades más grandes, el rápido crecimiento demográfico combinado con la alta desigualdad en la distribución del ingreso produjo otras distorsiones. La llegada del automóvil permitió que los sectores acomodados escaparan de las masas de migrantes campesinos mudándose a zonas suburbanas lejanas, a la vez que con su poder político presionaban a los gobiernos locales para que extendieran los servicios a esas áreas. En el extremo opuesto, la escasez de viviendas y el incremento de los alquileres llevó a los pobres a crear sus propias soluciones habitacionales en asentamientos irregulares. Estos también fueron construidos en la periferia urbana, pero en dirección opuesta a los construidos por los grupos de altos ingresos. El resultado de estas fuerzas centrífugas fue una creciente polarización espacial de las clases: ricos y pobres vivían en mundos urbanos cada vez más diferentes aun y cuando aparentemente compartieran la misma ciudad (Amato, 1969; Hardoy/Basaldúa/Moreno, 1968; Portes/Walton, 1976).

Tercero, la desintegración de la agricultura tradicional en América Latina se produjo sin que se creara la capacidad suficiente para absorber la fuerza de trabajo expulsada ni en la agricultura modernizada ni en la industria urbana. El primer tipo de escasez causó la emigración rural y el segundo dio lugar al crecimiento de una enorme «masa marginal» en las ciudades, la cual sobrevive inventando trabajos al margen de la economía urbana (Nun, 1969; García, 1982). El desempleo se mantiene bajo porque los pobres no pueden permitirse no trabajar dada la ausencia de asistencia social. El perfil típico de las ciudades de América Latina combina por lo tanto bajos índices de desempleo con altos índices de empleo informal, el cual frecuentemente absorbe la mitad o más de la fuerza de trabajo urbana (Tokman, 1982). El trabajo informal ha sido definido por muchos analistas como un mecanismo contracíclico. Este punto de vista se asocia principalmente con economistas de la Oficina Internacional del Trabajo (OIT) y su filial latinoamericana y caribeña, el Programa Regional de Empleo para América Latina y el Caribe (PREALC) (Bairoch, 1973; Lagos/Tokman, 1983; PREALC, 1982; Marshall, 1987).

Por tanto, la creciente primacía urbana, la polarización espacial de las clases y el empleo informal constituyeron los elementos centrales de la urbanización latinoamericana durante los primeros tres cuartos de este siglo. Las investigaciones que describieron estos aspectos también proveyeron explicaciones coherentes de sus causas sobre la base de una dependencia externa común. La industrialización sustitutiva en América Latina fue altamente centrípeta pues las industrias más grandes, muchas de ellas subsidiarias de corporaciones transnacionales, se concentraron en los principales centros urbanos. Unido a la declinación de la agricultura tradicional, esta concentración naturalmente dio lugar a una rápida emigración rural hacia los pocos lugares donde existía empleo industrial. Pero la industrialización bajo control externo creó un creciente desajuste entre la dotación de recursos de esos países, fuerza de trabajo abundante y poco capital, y el carácter ahorrador de mano de obra de la tecnología importada (Eckstein, 1977; Tokman, 1982). La incapacidad de la industria urbana para absorber la masa de migrantes rurales trajo como consecuencia la creciente segmentación entre un sector «moderno» protegido y de trabajadores relativamente bien pagados, y una vasta economía informal donde la mayoría de los migrantes sobrevivían inventando trabajos de productividad mínima (PREALC, 1981; Marshall, 1987; Portes/Johns, 1989).

La pobreza de la mayoría de los migrantes rurales debido a la falta de empleos adecuados les impidió tener acceso al mercado regular de vivienda, lo cual creó las condiciones para el surgimiento de numerosos barrios marginados en la periferia de las ciudades más grandes. Esto llevó a las élites urbanas a escapar de la ciudad hacia zonas suburbanas más atractivas. Estos procesos paralelos aceleraron la polarización espacial de las clases, repetida con una regularidad monótona en la mayoría de las metrópolis del área (Leeds, 1969; Goldrich, 1970; Cornelius, 1975; Eckstein, 1977).

Durante la mitad de los ochenta, llevamos a cabo una investigación sobre las tendencias urbanas recientes en América Latina, basada en estudios intensivos de tres capitales sudamericanas y materiales secundarios para las restantes (Portes, 1989). Este estudio encontró clara evidencia de primacía urbana, de polarización espacial y de vastas economías informales, pero a la par también descubrió elementos importantes que se alejaban de las nociones convencionales al respecto. Primero, el aparentemente inexorable crecimiento de la primacía no sólo se desaceleró, sino que incluso retrocedió en algunos países durante la década de los ochenta; segundo, la enorme distancia física que separa ricos, clases medias y pobres en la mayoría de las áreas metropolitanas parece haber disminuido significativamente en algunas ciudades como resultado de nuevos reordenamientos de la población urbana; tercero, muchos mercados de trabajo urbanos registraron un vasto incremento del desempleo abierto, cuestionando el rol contracíclico atribuido al sector informal durante los momentos de crisis. El desempleo abierto, en mayor medida que el empleo informal, emergió como el mecanismo clave de ajuste en los peores momentos de la crisis económica, contradiciendo el supuesto que señala que, en ausencia de asistencia social, los pobres forzosamente encontrarán alguna forma de empleo.

Estas tendencias representan no solamente puntos de partida empíricos para repensar las teorías anteriores, sino que contienen importantes lecciones para su revisión. Cada tendencia refleja, en su forma particular, el rápido ajuste de los países de América Latina frente a la crisis económica que la deuda externa generó a partir de mediados de los setenta y su cambiante inserción en la economía global. A continuación resumimos las formas específicas en la cual este ajuste social afectó cada aspecto del desarrollo urbano y formalizamos las proposiciones teóricas alternativas que ellas sugieren.

Con la caída económica precipitada por el incremento de los precios del petróleo en 1973, los países de América Latina se dirigieron de manera progresiva a promover las exportaciones como una manera de aliviar los déficit en la balanza de pagos y de servicios de una deuda externa creciente. El proceso se aceleró durante el inicio de los ochenta, cuando un segundo importante incremento en los precios del petróleo fue acompañado por la negativa de los bancos internacionales a cubrir los déficit con nuevos préstamos. Después de la moratoria de la deuda mexicana en 1982, los países latinoamericanos tuvieron que embarcarse en un doloroso proceso de ajuste económico bajo la asesoría de organizaciones financieras internacionales. Los detalles son bien conocidos y han sido ampliamente examinados (Massad, 1986; ECLAC, 1988; Inter-American Development Bank, 1990). Menos conocidos han sido los efectos que ha tenido sobre la sociedad civil el rápido cambio del anterior modelo de desarrollo al nuevo modelo exportador.

Una consecuencia no anticipada de este cambio fue la recanalización de los flujos migratorios domésticos hacia nuevas áreas de crecimiento, creadas por la agricultura de exportación, las exportaciones pesqueras, las zonas francas industriales y el turismo. Junto con la declinación en las oportunidades de empleos en las viejas industrias concentradas, los nuevos patrones de migración dieron lugar al rápido crecimiento de muchas ciudades secundarias y la desaceleración del crecimiento en varias áreas metropolitanas. En síntesis, el nuevo modelo exportador puede reducir e incluso detener la primacía urbana en la medida en que las nuevas industrias estén localizadas fuera de las principales ciudades, lo que conlleva un nuevo patrón centrífugo en la migración doméstica. Este argumento puede ser formalizado en la siguiente hipótesis:

I. El cambio de modelo de desarrollo hacia un énfasis en la producción para el mercado externo conlleva una mayor probabilidad de crecimiento de ciudades secundarias ligadas a la exportación y una desaceleración relativa de la primacía.

Los programas de ajuste económico inspirados por las organizaciones financieras internacionales para bregar con la crisis condujeron a la exacerbación de la ya marcada disparidad en los ingresos en los países latinoamericanos (Iglesias, 1985; PREALC, 1987). En las grandes áreas metropolitanas, esta tendencia sugería la aceleración de los patrones de polarización espacial presentes aun antes de la crisis. Los resultados contrarios hallados en nuestro estudio anterior (Portes, 1989) son el producto de dos procesos no previstos.

Primero, algunos grupos de clase media fuertemente presionados por la crisis económica y necesitados de vivienda al alcance de sus ingresos, comenzaron a romper la barrera geográfica que los separaba de las áreas de clase pobre. En Bogotá, este proceso tomó la forma de un desplazamiento masivo de grupos de clase media hacia el sur de la ciudad, área tradicionalmente ocupada por la clase obrera y los grupos marginales (Cartier, 1988). Segundo, se registró un crecimiento acelerado de asentamientos irregulares cada vez más cerca de las áreas residenciales de altos ingresos. Estos desplazamientos perseguían ganar acceso a cierto tipo de empleos, como las ventas informales y el trabajo doméstico, cuyos mejores mercados se encuentran entre los grupos más acomodados. El resultado de estos dos procesos simultáneos fue un ajuste parcial de la distribución espacial de las clases que implicaba una mayor cercanía o vinculación entre éstas. Kowarick, Gambier Campos y de Mello (1990), quienes observaron el mismo fenómeno en São Paulo, lo denominaron «integración perversa» porque la convergencia espacial entre ricos, clases medias y pobres no fue el resultado de una mejor distribución del ingreso, sino, por el contrario, del crecimiento de la pobreza en la población y las soluciones de emergencia adoptadas por diversos sectores.

La constatación de patrones similares en ciudades tan distintas como Montevideo, Lima y Río de Janeiro (Portes, 1989; Kowarick/Gambier Campos/de Mello, 1990) sugiere una tendencia regional resumida en la siguiente proposición:

II. El incremento de la pobreza y de las desigualdades de ingresos producido por los programas de ajuste económico dieron lugar a una reducción de la polarización espacial en las áreas metropolitanas de América Latina como resultado de las estrategias de supervivencia de las clases medias y los sectores marginados.

La crisis de los ochenta también conllevó una contracción del empleo formal y una significativa reducción de los salarios lo cual, de acuerdo con las explicaciones del papel del sector informal sugeridas por los economistas de la OIT y del

PREALC, produciría un incremento importante del empleo informal. Nuestro estudio original encontró que el sector informal urbano se expandió en la mayoría de los países, pero que, en relación con la magnitud de la caída económica, el crecimiento fue modesto. De acuerdo con los estimados del PREALC, el empleo informal promedio creció en 20% para toda América Latina a principios de los ochenta. De acuerdo con la información disponible, el subempleo, otro indicador de informalidad, no creció significativamente en la mayoría de los países (Portes, 1989; pp. 24-27). En contraste, el desempleo abierto aumentó rápidamente alcanzando cifras récords en Colombia, Perú, Honduras, Chile y Venezuela. Para toda América Latina, el desempleo se incrementó de un promedio cercano al 6% de la población urbana económicamente activa en 1974 a 14% en 1984 (ECLAC, 1986; pp. 23).

El crecimiento significativo del desempleo en los momentos más difíciles de la crisis va en contra de las teorías dualistas del mercado de trabajo latinoamericano, las cuales asumen que el sector informal funciona como un mecanismo compensatorio a través de la absorción del excedente laboral. Su incapacidad para hacerlo durante los momentos más difíciles de la crisis da mayor fuerza al argumento de Roberts (1978) y Portes/Walton (1976) sobre la profunda articulación existente entre actividades formales e informales como parte de la misma economía urbana. Los productores y vendedores informales –definidos como aquellos quienes operan al margen de las regulaciones impuestas por el Estado– no viven en un mundo aparte de las empresas formales. Por el contrario, los dos tipos de actividades están estrechamente vinculados a través de una variedad de mecanismos, que proveen bienes y servicios para cada uno de ellos (Benería, 1989; Fortuna/Prates, 1989). Para los negocios informales particularmente, las grandes compañías son fuente clave de demanda a través de la subcontratación, e indirectamente a través del poder adquisitivo de la fuerza de trabajo formal.

Cuando las empresas formales desaparecen, como ocurrió durante la crisis de los ochenta, la demanda de bienes y servicios informales cae. Aunque más trabajadores buscan entonces empleo en actividades informales, su remuneración baja rápidamente. El resultado es el crecimiento observado en el desempleo abierto en la mayoría de los países latinoamericanos durante los años de crisis. El argumento puede ser formalizado en la siguiente proposición:

III. Los sectores formal e informal son partes integrales de una misma economía urbana. El empleo informal funciona sólo imperfectamente como mecanismo contracíclico. Durante recesiones severas, el desempleo abierto crecerá reflejando los límites en la capacidad de absorción de las actividades irregulares.

La urbanización en la cuenca del Caribe

En el resto de este capítulo, examinaremos la validez de estas hipótesis en un contexto subregional diferente a aquel del cual surgieron. En el pasado, las teorías sobre la urbanización de América Latina, basadas en la experiencia de los países más grandes, se aplicaban por extensión a los pequeños, tales como los de la cuenca del Caribe. Nuestro estudio se centra explícitamente en las tendencias urbanas en esta última región, que definimos como las naciones del istmo de América Central y las islas-naciones del mar Caribe. Se excluyen las naciones más grandes de tierra firme como Colombia, Venezuela y México.

Como se señaló en el capítulo 1, los países finalmente seleccionados para el estudio fueron Costa Rica, la República Dominicana, Guatemala, Haití y Jamaica. Aunque no abarcan todo el universo subregional, estos países tienen un importante peso en su población total y son representativos de la gran diversidad de experiencias históricas en el área. Las diferencias entre los países seleccionados están resumidas en el cuadro 1. Los cinco países incluyen el más rico y más estable del área (Costa Rica) y el más pobre e inestable (Haití). Políticamente, incluyen dos democracias estables con diferentes regímenes políticos (Costa Rica y Jamaica); los demás oscilan entre una democracia incipiente con un fuerte presidencialismo (República Dominicana) hasta sistemas políticos frágiles con repetidas intervenciones militares (Guatemala y Haití). En términos de tamaño, incluyen el país más grande de América Central (Guatemala) y, con la excepción de Cuba, el país-isla mayor (República Dominicana). Sus capitales incluyen las aglomeraciones urbanas más grandes en la cuenca del Caribe, de nuevo con la excepción de Cuba.

La población urbanizada va desde menos de un tercio del total en Haití hasta más de la mitad en Costa Rica y Jamaica. Con base en sus muchas diferencias económicas y políticas, es posible esperar que los patrones de urbanización también difieran notablemente en las cinco naciones estudiadas. ¿Cuáles son esas diferencias y cómo encajan dentro de las hipótesis explicadas previamente? El resto del capítulo se propone contestar esta pregunta con base en los datos recopilados durante la primera fase del proyecto comparativo. Las siguientes secciones examinan sucesivamente la evidencia para cada uno de los países sobre las tres hipótesis sobre las cuales se asentó el segmento macrosocial de esta investigación.

Primacía urbana

La evidencia de los cinco países sobre la primera hipótesis es mixta. En algunos países ha habido una desaceleración de la primacía, pero en otros no. Sin embargo, las diferencias intrarregionales observadas tienden a coincidir con la lógica de la hipótesis. El cambio hacia el modelo exportador es claro y está ejemplificado por el rápido crecimiento de las zonas francas a lo largo de toda la cuenca del Caribe. El cuadro 2 presenta datos que ilustran este fenómeno en cuatro de los cinco países estudiados. El crecimiento sostenido de las zonas francas y las plantas de ensamblaje para exportación documentado por esas cifras, es una consecuencia directa de la búsqueda de nuevos mercados externos junto al favorable régimen tarifario norteamericano creado por la Iniciativa para la Cuenca del Caribe (ICC).

No cabe duda de que el estímulo principal para la transferencia de operaciones industriales al Caribe ha sido el bajo costo de la fuerza de trabajo. En 1988 el salario por hora en la industria fue estimado en 1 dólar en Costa Rica, 0,61-0,88 dólares Guatemala, 0,44-0,88 dólares en República Dominicana y 0,36 dólares en Jamaica. Los costos de mano de obra y gastos generales asociados con el ensamblaje de ropa de vestir de mujeres fueron estimados en 4,5 dólares por unidad en

— Cuadro 1

Urbanización en la cuenca del Caribe

País	Población en 1990[1]	Area (Km²)	Población en ciudades de 20.000 o más			Area Metropolitana principal	Población en Area Metropolitana principal		
			1960 %	1970 %	1980 %		1960 %	1970 %	1980 %
Antigua y Barbados	816.000	442	38,9	34,2	—	St. Johns	—	38,9	34,2
Bahamas	261.000	13.939	62,1	60,1	64,6	Nassau	62,1	60,1	64,6
Barbados	258.000	460	46,2	47,0	46,6	Bridgetown	46,2	47,0	46,6
Belice	192.000	22.965	44,3	36,2	27,9	Ciudad de Belice	44,3	36,2	27,9
Costa Rica	3.088.000	51.100	22,8	30,8	33,6	San José	19,4	21,8	25,1
Cuba	10.700.000	114.524	38,3	43,8	47,9	Habana	21,0	20,8	19,8
El Salvador	5.392.000	21.041	19,1	21,6	—	San Salvador	12,6	13,9	—
Granada	96.100	345	30,3	31,9	33,0	St. George	30,3	31,9	33,0
Guatemala	9.177.000	108.889	19,3	22,1	22,6	Ciudad de Guatemala	17,2	9,6	19,9
Haití	6.617.000	27.400	—	13,7	17,4	Puerto Príncipe	7,1	11,5	14,3
Honduras	4.708.000	112.088	11,5	21,2	—	Tegucigalpa	5,3	7,1	10,3
Jamaica	2.420.000	10.991	24,9	32,1	38,0	Kingston	23,4	26,1	24,0
Nicaragua	4.000.000	130.700	23,0	31,5	—	Managua	15,3	21,2	—
Panamá	2.100.000	75.517	34,6	39,1	43,0	Ciudad de Panamá	26,9	31,7	33,3
República Dominicana	7.320.000	48.443	18,7	30,5	41,9	Santo Domingo	12,1	16,7	23,3
Santa Lucía	154.000	617	37,6	40,5	37,9	Castries	37,6	40,5	37,9
San Vicente y Granadinas	118.000	389	25,6	27,0	25,7	Kingstown	25,6	27,0	25,7
Trinidad y Tobago	1.249.000	5.128	36,8	37,4	40,8	Puerto España	30,2	30,4	32,2

1. Estimado.

Fuente: Comisión Económica para América Latina y el Caribe, 1989; Tablas 3, 4, 5, 6. Wilkie/Perkal, 1986; tabla 646. Enciclopedia Británica 1992. Britannica World Data, Nations of the World.

Cuadro 2

Características de países seleccionados para el estudio, 1990

	Población total[1] (miles)	Población urbana[2] %	Producto interno bruto (millones US$)	Producto interno bruto *per capita* (US$)	Total de exportaciones 1989 (millones US$)	Fuentes principales de intercambio externo 1989	Régimen político 1991
Costa Rica	3.088	53,6	4.292,6	1.459	1.841,3	Café (15,5) Bananas (15,4) Turismo (11,5)[3]	Democracia estable
República Dominicana	7.320	40,3	8.237,7	1.173	2.143,3	Turismo (41,7) Ferro níquel (17,3) Azúcar (9,0)	Incipiente democracia estable
Guatemala	9.177	42,0	7.123,0	797	1.423,8	Café (26,7) Turismo (7,6) Azúcar (6,5)	Democracia inestable
Haití	6.617	30,3	1.347,8	211	236,8	Ensamblado de productos (46,2) Turismo (29,5) Café (14,6)	Dictadura militar
Jamaica	2.420	52,3	3.031,3	1.249	1.878,3	Aluminio y bauxita (31,1) Turismo (31,5) Ensamblado de Productos (9,1)	Democracia parlamentaria estable

1. Estimados.
2. La población urbana es definida de acuerdo con criterios nacionales.
3. Turismo es definido como «viaje» en las fuentes. Esto abarca la llegada tanto de extranjeros como de nacionales.

Fuente: Comisión Económica para América Latina y el Caribe 1992. Tablas 5, 103, 239, 243, 246, 248, 254. *Latin America Report* 1991. Enciclopedia Británica 1991. Britannica World Data, Nations of the World.

Estados Unidos, 2,20 dólares en Hong Kong y 1,66 dólares en el Caribe (Schoepfle/Pérez-López, 1989; pp. 135-136). Guatemala, el único país que no aparece en el cuadro por carecer de zonas francas, recientemente ha establecido una gran zona en Puerto Barrios que ha comenzado a fomentar el crecimiento de la industria de la confección sobre la base del extremadamente bajo costo de la fuerza de trabajo (Pérez-Sáinz, 1992).

Los efectos de estas nuevas zonas industriales sobre las áreas metropolitanas no son uniformes porque dependen de tres factores adicionales: 1) la localización física de las zonas francas; 2) su relativa viabilidad; y 3) el crecimiento de otros sectores orientados a la exportación como la agricultura no tradicional y el turismo. Estos factores determinan variaciones en el desarrollo urbano alrededor de un patrón común dominado por la tendencia a recanalizar la migración interna hacia nuevas áreas de industrias de exportación y de turismo (1).

De los cinco países estudiados, Jamaica es el que más claramente ha experimentado una reducción en la primacía. Como muestra el cuadro 3, el índice de primacía declinó de 7,2 en 1960 a sólo 2,2 en 1990. Este resultado está asociado con la expansión de la industria del turismo en la costa nordeste de la isla, la reactivación de la producción de bauxita en el interior y el crecimiento de ciudades satélite en la cercanía del área metropolitana de Kingston. Este último proceso se refleja en el rápido incremento de la población de Spanish Town al noroeste de la capital. Bajo los efectos de la expansión del turismo, ciudades como Montego Bay y Ocho Ríos también crecieron rápidamente en la pasada década.

Con la llegada al poder en 1980 del líder del Partido de los Trabajadores, Edward Seaga, la isla comenzó a transformarse en una economía abierta orientada a la exportación, proceso completado por su sucesor Michael Manley. Esto dio lugar a un crecimiento de las inversiones de capital en turismo y en las zonas francas (Gordon/Dixon, 1991). El potencial descentralizador de las zonas francas fue parcialmente neutralizado por la decisión de localizar el más grande de estos parques industriales en el propio Kingston. Sin embargo, una segunda zona franca fue establecida en Montego Bay, lo cual, unido al fenomenal crecimiento del turismo en ésa y otras ciudades del nordeste, produjo una significativa reducción en la anterior hegemonía de Kingston.

Una expansión similar del turismo y de las industrias para la exportación se ha experimentado en República Dominicana. En 1985, las remesas por turismo sobrepasaron la suma de los tres productos tradicionales de exportación, que son el azúcar, el café y el tabaco. Más o menos al mismo tiempo, las divisas generadas por las zonas francas comenzaron a subir rápidamente. En el caso dominicano, el potencial centrífugo de la industria orientada a la exportación no fue parcialmente neutralizado como en Jamaica porque la mayoría de sus parques industriales

1. Es necesario hacer una breve aclaración sobre la calidad de los datos usados para evaluar la primacía urbana. Aunque todos los estimados están basados en informaciones de los censos nacionales, las definiciones utilizadas varían de una fuente a otra. El cuadro 3 presenta lo que a nuestro juicio son los mejores estimados existentes. Sin embargo, estos datos deben ser interpretados con cautela. En particular las variaciones de menor grado en la primacía urbana y en el tamaño de las ciudades son interpretables como resultado de imperfecciones de medición más que de cambios reales.

fueron localizados fuera de la ciudad de Santo Domingo. Desgraciadamente, los últimos datos censales a los que se tiene acceso son de 1981, o sea, antes de que el crecimiento masivo de la manufactura para la exportación tuviera lugar y, en consecuencia, no pueden ser usados para establecer los efectos demográficos del proceso. Sin embargo, es importante destacar que el más rápido crecimiento urbano durante el último período intercensal (1970-1981) tuvo lugar en La Romana, precisamente la ciudad donde se estableció la primera zona franca y que además fue de las primeras en participar en la creación de la nueva industria turística.

El índice de crecimiento de Santo Domingo declinó durante 1970-1981 quedando por detrás de La Romana. Para 1981, sin embargo, la primacía de la capital permanecía igual, absorbiendo un 23% del total de la población y un 45% de la población urbana (Lozano/Duarte, 1991). Aunque no hay datos censales más recientes, existen señales claras de que el índice de crecimiento fue explosivo en varias ciudades secundarias durante los ochenta, proceso directamente ligado al turismo y la continua expansión de las zonas francas. El desarrollo turístico se ha centrado en la costa norte, en la ciudad de Puerto Plata, siguiendo un modelo similar al de Montego Bay en Jamaica, y en centros vacacionales como La Romana y otras localidades de la zona este.

Como puede verse en el cuadro 3, las plantas industriales exportadoras se expandieron cinco veces entre 1973-1990 y su fuerza de trabajo creció en un

Cuadro 3

Zonas productoras de exportaciones (ZPE) en países seleccionados del Caribe

	Nº de zonas		Nº de plantas		Empleo en la manufactura de exportación en ZPE y o otras zonas		Porcentaje del empleo en la manufactura de exportación sobre el total del empleo manufacturero	
	1973	1988	ca. 1980	ca. 1985	1975	1986	1975 %	1986 %
Costa Rica	0	4	0	78	0	8.600	0	9
República Dominicana	2	10	88	182	6.900	51.230	5	25
Haití	1	1	13	154	25.000	43.000	20	35
Jamaica	1	2	25	26	6.100	8.000	8	7

Fuente: Schoepfle/Pérez-López, 1989. Lozano/Duarte, 1991.

1.500%. Este rápido incremento ha continuado durante los primeros años de la actual década. Para 1992, por ejemplo, el empleo en plantas manufactureras de exportación fue estimado en 134.100, un 21% de crecimiento con respecto a 1990. La mayoría de esas plantas están ubicadas en ciudades secundarias tales como Santiago, La Romana y San Pedro de Macorís (Guarnizo, 1992; cap. 2). Estas ciudades han experimentado una rápida expansión de su perímetro urbano así como de su densidad poblacional. Un estudio reciente de Santiago, la segunda ciudad en tamaño, concluye: «La ciudad ha crecido en una forma caótica hacia el Este en masivos asentamientos en la dirección de Puerto Plata; hacia el Sur, avanzando rápidamente hacia las zonas rurales y hacia el sureste hacia las montañas» (Santana, 1992; pp. 44).

Este y otros informes similares indican que, a pesar de la ausencia de informaciones oficiales, los patrones de urbanización de la República Dominicana están siguiendo los de Jamaica, con una explosión poblacional de los centros urbanos más pequeños y una relativa desaceleración de la primacía de la capital.

Costa Rica ha estado haciendo también significativas inversiones en turismo y en zonas francas para la exportación. Pero a diferencia de la República Dominicana, ninguno de esos sectores ha sobrepasado aún el dominio económico de la agricultura tradicional. Además, el ensamblaje de exportación continúa siendo un porcentaje pequeño del total de la industria costarricense, aún dominada por las industrias sustitutivas de importaciones. Como en otros países, esas industrias están en las ciudades más grandes, en este caso el área metropolitana de San José. A pesar de estas tendencias, la primacía urbana, que creció lentamente hasta 1980, declinó en la siguiente década. Como se muestra en el cuadro 4, esta declinación fue acompañada de una reducción a la mitad del índice de crecimiento de San José junto con un muy rápido incremento de la población de ciudades más pequeñas. Entre éstas están las dos ciudades puertos de Punta Arena y Limón, lo cual sugiere que las nuevas inversiones orientadas a las exportaciones en esas áreas están comenzando a tener consecuencias demográficas significativas (Lungo/Pérez/Piedra, 1991).

En el caso de Costa Rica, sin embargo, hay una poderosa contra-tendencia debido a que las zonas industriales de exportación se concentran en el Valle Central del país, en las cercanías del área metropolitana de San José. A pesar de los esfuerzos del gobierno por localizar las zonas francas en las ciudades costeras, la mayoría de las industrias de exportación convergen en el Valle Central, el cual también concentra una gran porción de la infraestructura turística. Como se ve en el cuadro 4, Cartago, ciudad del Valle Central, creció rápidamente durante la última década y así lo hicieron también Alajuela y Heredia, todas en áreas urbanas cercanas a San José. Sus localizaciones relativas aparecen en el mapa 1. Combinadas con la continua expansión de la capital, el crecimiento de estas ciudades satélites amenaza con detener la reducción de la primacía, recreándola en una escala muy superior. Los contornos de esta nueva «megaciudad» están comenzando a emerger en el Valle Central, cuyos 31 cantones o municipalidades ya concentran la mayoría de la población nacional (Lungo/Pérez/Piedra, 1991). En consecuencia, a pesar de la reciente caída de la primacía de San José y del rápido

Cuadro 4

Primacía urbana

País	Ciudades más grandes (Area Metropolitana)	Las tres siguientes ciudades más grandes	Población (en miles)		Tasa de crecimiento intercensal		Primacía urbana[1]			
		1980-90	1960-70[2]	1980-90[3]	1960-70 %	Recientes[4] %	1960	1970	1980	1990
Costa Rica	San José		320,4	861,3	6,2	3,3	5,4	5,4	6,0	4,7
		Limón	19,4	66,1	4,8	15,8				
		Punta Arenas		19,6	55,7	3,1	16,0			
		Cartago		18,0	61,4	8,4	13,4			
República Dominicana	Santo Domingo		650	1,313,1	6,5	5,8	2,7	2,7	2,7	—
		Santiago	155	278,6	6,5	5,0				
		La Romana	140	91,5	5,9	7,6				
		S. P. de Macorís	44	78,5	7,8	5,2				
Guatemala	Cdad. de Guatemala		587,5	940,5	4,9	1,4	6,4	7,7	7,6	—
		Quezaltenango	44,2	62,7	2,2	2,3				
		Escuintla	24,9	36,9	3,7	1,4				
		Puerto Barrios	22,3	24,2	0,1	0,9				
Haití	Puerto Príncipe		458,6	1,143,6	11,5	8,8	2,7	4,7	5,1	5,4
		Cabo Haitiano	45,6	89,2	4,1	5,6				
		Gonaives	28,7	58,3	5,5	6,1				
		Cayes	22,6	62,5	4,5	10,4				
Jamaica	Kingston		376,5	559,1	2,2	0,9	7,2	4,4	2,6	2,2
		Spanish Town	14,7	118,8	10,3	10,1				
		Montego Bay	23,6	87,1	6,3	5,0				
		May Pen	14,1	50,8	6,1	5,0				

1. Calculada como la relación entre la ciudad más grande sobre la suma de las tres siguientes ciudades.
2. Para Costa Rica, Guatemala y Jamaica, lo estimado es para 1960; para República Dominicana y Haití, 1970.
3. Para Costa Rica, Guatemala y Jamaica, lo estimado es para 1990; para República Dominicana y Guatemala, 1980-1981.
4. Para Costa Rica, 1984-1990. República Dominicana, 1970-1981; Guatemala, 1973-1981; Haití, 1970-1988; Jamaica, 1970-1990.

Fuente: Reportes del País: Lungo et al., 1991; Lozano/Duarte 1991; Pérez-Sáinz, 1991; Manigat, 1991; Gordon/Dixon, 1991. Naciones Unidas, 1988; tabla A-10. Enciclopedia Británica, 1991. Britannica World Data, Nations of the World. Comisión Económica para América Latina y el Caribe 1992, tabla 7. Portes/Walton, 1976; tabla 2.

Mapa 1

Ubicación de ciudades de Costa Rica en relación con el Area Metropolitana de San José

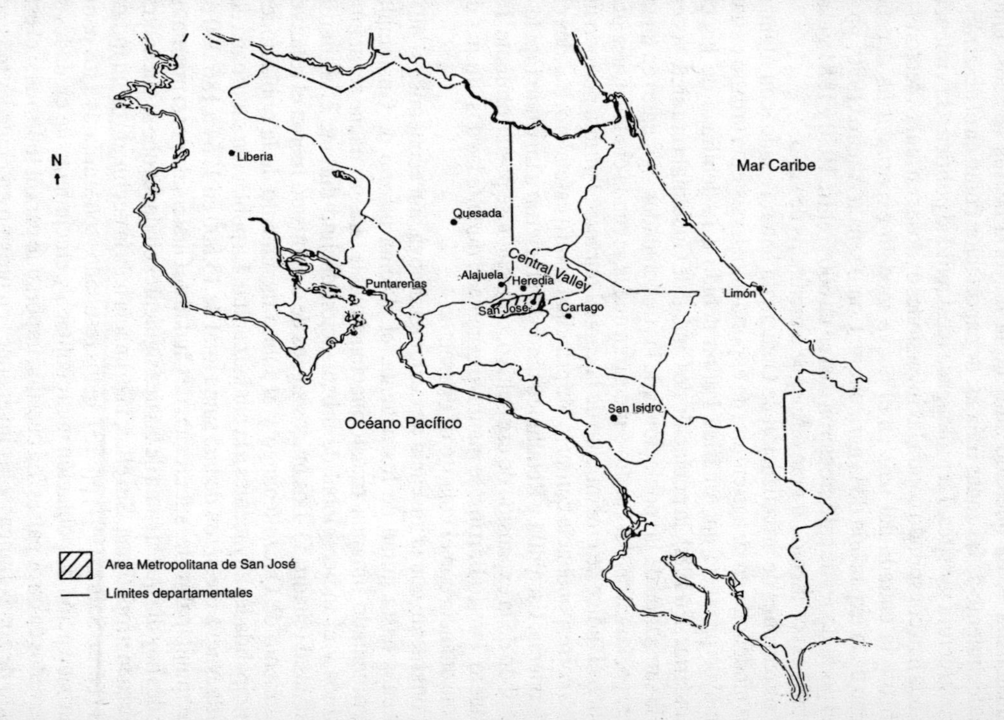

Fuente: Lungo et al., 1991.

crecimiento de las dos ciudades-puertos, hay un claro peligro de que el potencial descentralizador de las nuevas industrias de exportación pueda perderse y, por el contrario, reforzar la primacía de la capital.

Guatemala se ha quedado atrás de la mayoría de sus vecinos, tanto en el establecimiento de las zonas francas, de exportación como en el desarrollo de una infraestructura turística. La prolongada inestabilidad política y la violencia generalizada han conspirado contra las inversiones exitosas en ambos sectores. En este contexto, la entrada del país en el nuevo modelo exportador ha dependido en mucho de la expansión de la agricultura. Como señala Amaro (1990; pp. 13-29), las exportaciones de café crecieron casi en un 800% entre 1950 y 1981 y el algodón también experimentó un gran despegue a mediados de siglo.

Los patrones de urbanización de Guatemala han reflejado, con algún retraso, estas tendencias en su agricultura de exportación. El sistema urbano es uno de los de mayor primacía en América Latina debido a la debilidad de las ciudades secundarias. En 1980, la población de Ciudad de Guatemala era siete veces mayor que la suma total de las poblaciones de las tres ciudades siguientes en tamaño. Sin embargo, las cifras del cuadro 5 muestran que la segunda ciudad, Quezaltenango, duplicó el índice de crecimiento de la capital durante el último período intercensal, en correspondencia con su rol de principal centro cafetalero. Las dos ciudades algodoneras, Escuintla y Retalhuleu también crecieron a un ritmo rápido durante el período de la expansión de ese cultivo, estancándose posteriormente. El centro bananero, Puerto Barrios, se mantuvo estancado durante las dos últimas décadas, en consonancia con el colapso de ese sector.

Congruente con la ausencia de cualquier innovación económica significativa, al menos hasta mitad de los ochenta, el sistema urbano de Guatemala no ha experimentado ninguna transformación notable. La primacía se mantiene sin cambios y el índice global de urbanización declinó durante el último período intercensal (cuadro 5). Los únicos signos de dinamismo fueron el relativo rápido crecimiento de Quezaltenango y el súbito incremento de la poblaciones en las municipalidades adyacentes a la ciudad capital. La población suburbana de Mixco y Villa Nueva crecieron de una suma total de 15.000 en 1964 a 186.000 en 1981. Estas municipalidades suburbanas de Ciudad de Guatemala por sí mismas son más grandes hoy día que la suma de las tres siguientes ciudades que se encuentran fuera del área metropolitana. Sin ellas, la primacía habría declinado de un índice de 7,6 a 6,1 (Pérez-Sáinz, 1991; pp. 23). Estos resultados son similares a los patrones de suburbanización de población metropolitana y crecimiento de ciudades satélites observados en otros países. La cuestión importante para el futuro es si el establecimiento de zonas francas y las inversiones en turismo en ciudades más pequeñas logrará introducir una segunda dinámica aún ausente en el desarrollo urbano dc este país.

La influencia espacial de las nuevas zonas francas de exportación es mucho más visible en Haití, uno de los primeros países en sacar provecho de la Iniciativa de la Cuenca del Caribe (Schoepfle/Pérez-López, 1989). Sin embargo, los efectos de las nuevas industrias han sido contrarios a aquellos anticipados por la hipótesis de la reducción de la primacía. La inestabilidad política, la falta de infraestructura adecuada y el temor al SIDA provocaron el desmantelamiento del sector turístico en Haití. La única zona franca industrial del país se localizó en las inmediaciones del aeropuerto de Puerto Príncipe. Esta localización aceleró la migración rural hacia la capital, ya estimulada por la escasez de tierra y la erosión de los suelos (Manigat, 1991; Miller, 1984). El resultado es que Haití continuó experimentando un incremento sostenido de la primacía similar a los patrones típicos en el resto de América Latina en los años cincuenta y sesenta. El índice de crecimiento anual de Puerto Príncipe durante las últimas dos décadas, 8,8%, es el más alto de todas las ciudades estudiadas.

Los datos obtenidos durante la primera fase de nuestro estudio muestran que la primacía urbana no está declinando en todas partes, pero también que las fuerzas identificadas como responsables de su caída en los países más grandes del hemisferio están operando por igual en los de la cuenca del Caribe. Los efectos del nuevo modelo exportador sobre el sistema urbano no son uniformes porque dependen de la ubicación de las nuevas industrias y de su capacidad para generar empleos. Cuando los centros turísticos y los parques industriales para la exportación están localizados fuera de la ciudad primada, el sistema urbano tiende a responder rápidamente tal como señala la hipótesis (Jamaica y República Dominicana); cuando esos mismos sectores se localizan cerca de la ciudad capital, la primacía se exacerba (Haití); en situaciones donde el desarrollo orientado hacia las exportaciones se encuentra en sus inicios, el sistema urbano permanece inalterado (Guatemala).

El estudio también identificó una segunda dinámica concerniente al rápido crecimiento de ciudades satélite, una tendencia que corre en dirección contraria al potencial descentralizador del modelo exportador y que puede negar sus efectos dando lugar a futuras megalópolis. Costa Rica es el principal ejemplo, debido a que la rápida expansión de la capital se vincula con el área suburbana donde se han

Cuadro 5

Crecimiento urbano en Guatemala, 1950-1981

Ciudad	**Tasa de crecimiento anual**		
	1950-1964	**1964-1973**	**1973-1981**
Ciudad de Guatemala	7,2	2,5	1,0
Area Metropolitana[1]	7,3	4,9	1,4
Quezaltenango	4,3	2,2	2,3
Escuintla	11,1	3,7	1,4
Retalhuleu	4,3	3,1	1,9
Puerto Barrios	3,4	0,1	0,9
Antigua	1,9	3,3	-1,5
Mazatenango	5,5	2,1	-1,3
Urbana total	*7,6*	*3,4*	*0,7*

1. Ciudad de Guatemala y municipios de Mixco y Villa Nueva.

Fuente: Pérez-Sáinz, 1991; tabla 4.

agrupado la maquila y plantas industriales de exportación. Las dos fuerzas que afectan la evolución del sistema urbano se refuerzan mutuamente en este caso llevando a un potencial «salto cualitativo» en la hegemonía del área metropolitana.

La polarización espacial

Los datos analizados sobre patrones de distribución espacial en las capitales de los cinco países estudiados no apoyan plenamente la hipótesis de disminución uniforme de la polarización de clase. Sin embargo, los cambios observados concuerdan con la lógica de la hipótesis. Las ciudades en la cuenca del Caribe son generalmente menos polarizadas que sus contrapartes de América del Sur, en parte porque las élites locales no fueron lo suficientemente numerosas como para ocupar vastas extensiones del territorio.

Estas élites crearon enclaves protegidos en ciudades dominadas por barrios populares y grandes asentamientos precarios. Este cuadro varía, claro está, con el nivel de desarrollo económico, las características topográficas de cada ciudad y, sobre todo, las políticas del gobierno nacional.

La más polarizada de las cinco ciudades es Kingston cuya configuración espacial se asemeja a un cono invertido, con asentamientos irregulares y barriadas de clase obrera en la base y residencias para la élite en las partes altas de la llanura de Liguanea donde la ciudad está localizada. Estos patrones ya fueron observados en el estudio de Colin Clarke (1975) en los años sesenta y permanecieron esencialmente iguales durante las siguientes dos décadas. Los debates entre los urbanistas jamaiquinos durante los setenta se centraron en la evolución de la «zona de transición» de Kingston formada por viviendas medias ubicadas entre los asentamientos irregulares de las áreas bajas y los barrios de élite de tierra alta (Norton, 1978; Knight/Davies, 1978).

Como muestra el mapa 2, la presencia de asentamientos irregulares hacia la mitad de los setenta no alteró realmente la tendencia global hacia la segregación espacial. Esta última estaba estrechamente correlacionada con las diferentes densidades poblacionales. Norton (1978; p. 100) señala que un 41% del área residencial de Kingston a principios de los setenta estaba ocupada por un 6% de la población, con una densidad de 0,1 personas por habitación, mientras un 75% de la población se hacinaba en el 33% del área residencial para una densidad promedio de 2 personas por habitación. Las diferencias de clases se superponían a las características raciales. Como Gordon y Dixon (1991) observan, la composición de blancos/mulatos/negros de la población de Kingston se correlaciona significativamente con las áreas residenciales de élite/clase media/pobres en el espacio urbano.

Desde la crisis económica de mediados de los setenta, se han desarrollado en Kingston dos tendencias que corresponden plenamente con lo observado en las capitales más grandes de América del Sur. Primero, la consolidación de enclaves de sectores acomodados alrededor de las tiendas y negocios del Nuevo Kingston y de Constant Spring Road hacia el Norte ha sido parcialmente cancelada por el

Mapa 2

Estratos residenciales en el Area Metropolitana de Kingston, 1980

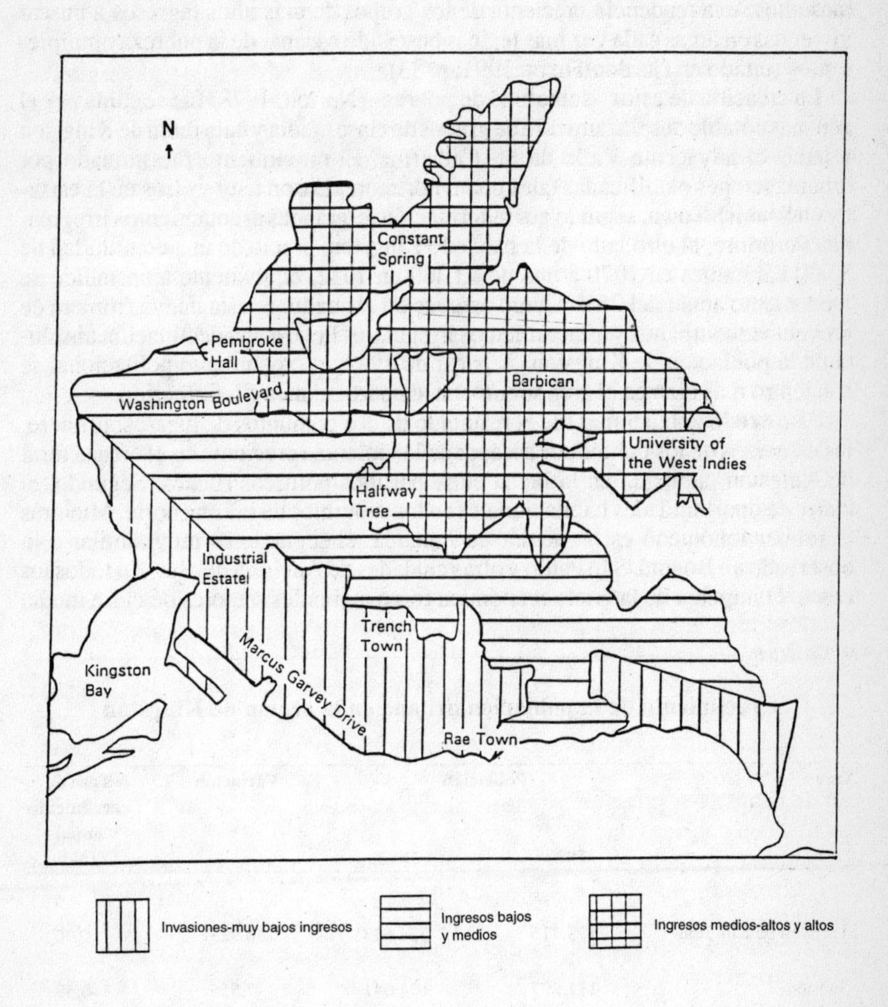

Fuente: Gordon/Dixon, 1991, basado en fuentes oficiales.

rápido crecimiento del anillo de asentamientos irregulares alrededor de las mismas áreas. Un estudio del Instituto de Estadística de Jamaica describe esta configuración en los siguientes términos: «...un errático arreglo de residencias; una yuxtaposición de residencias ocupadas por grupos de posiciones socioeconómicas opuestas; asentamientos de bajos ingresos dispersos a través de áreas de ingresos más altos; una tendencia creciente de los grupos de más altos ingresos a buscar viviendas en áreas cada vez más lejanas buscando escapar de la pobreza omnipresente» (citado en Gordon/Dixon 1991; p. 33).

La creación de estos «suburbios de pobres» (Norton, 1978) fue seguida por el aún más notable desplazamiento de grupos de clase media y baja fuera de Kingston y hacia el adyacente Valle de St. Catherine. El movimiento fue iniciado por urbanizaciones planificadas tales como Portmore, Enson City y otros en la carretera a Spanish Town, seguido por la formación de grandes asentamientos irregulares. Portmore, al otro lado de la bahía de Kingston, creció de una comunidad de 5.000 habitantes en 1970 a una de 73.400 en 1982, equivalente a un índice de crecimiento anual del 25%. Como aparece en el cuadro 6, esta nueva frontera de proyectos suburbanos y asentamientos irregulares llevó a una declinación absoluta de la población de Kingston. A partir de 1982, el crecimiento poblacional se concentró más bien en el área suburbana, en particular en St. Catherine.

Este éxodo poblacional fue el resultado de dos conjuntos de fuerzas: primero, los esfuerzos de los pobres por escapar de la violencia creciente en el área central de Kingston, atrapada en la lucha entre partidos políticos rivales. Segundo, el cierre de oportunidades habitacionales en los suburbios de la zona norte. Mientras el primer fenómeno es particular de Jamaica, el segundo es muy similar a lo observado en Bogotá, São Paulo y otras ciudades de América del Sur. En todos los casos, el impacto de la crisis económica forzó a grandes sectores de clase media

— Cuadro 6

Crecimiento de la población urbana en la región de Kingston

Area	Población		Variación	Tasa de crecimiento anual
	1970	1982		(%)
Metrópoli de Kingston	473.715	524.638	50.923	0,90
Kingston	111.897	104.041	-7.856	-0,59
Urbe de San Andrés	361.818	420.597	58.779	1,35
Valle de Santa Catarina	63.263	207.460	144.197	18,99

Fuente: Instituto de Estadística de Jamaica, 1973 y 1982.

urbana a buscar soluciones residenciales en áreas consideradas hasta entonces física y socialmente inaceptables. La diferencia es que mientras en las capitales de América del Sur el desplazamiento físico de grupos de clase media se dirigió hacia zonas tradicionalmente de clase trabajadora, en Kingston la clase media y los pobres se movieron juntos hacia terrenos no ocupados anteriormente. Junto con la expansión de los «suburbios de pobres» hacia el Norte, este movimiento trajo una mayor mezcla social en el espacio urbano y, en consecuencia, un retroceso parcial del patrón de polarización de clases.

Una tendencia similar se observa en Santo Domingo, aunque con otras variantes. Durante el período de industrialización sustitutiva, la capital dominicana creció rápidamente dando nacimiento a una nueva zona industrial, a asentamientos de clase trabajadora hacia el Norte y este del río Ozama, y al desplazamiento de la élite urbana hacia el Oeste. El sostenido crecimiento económico bajo el modelo de sustitución de importaciones durante los años sesenta y principios de los setenta generó nuevos grupos de altos ingresos y clase media que incrementaron la demanda por viviendas suntuarias (Guarnizo, 1992; cap. 2). Esta demanda dio lugar a una rápida inflación de los precios de la tierra en el cuadrante noroeste de la ciudad y a la emergencia de barrios residenciales exclusivos como Naco, Arroyo Hondo, Piantini. Al sur de ellos, hacia el mar Caribe, crecieron urbanizaciones de clase media económicamente más accesibles a la clase media como Miramar y Mirador Norte (Lozano/Duarte, 1991).

El mismo período fue testigo del crecimiento de un vasto conglomerado de barrios pobres y asentamientos irregulares al norte del centro de la ciudad y al este del río Ozama alrededor del área de Los Mina. La aparente polarización en el espacio urbano en una frontera oeste de urbanizaciones suntuarias y una zona nordeste de población marginada fue interrumpida por la decisión del gobierno nacional de establecer una nueva zona industrial en el área de Herrera, en la franja oeste de la ciudad. Esta zona industrial y los barrios de trabajadores que crecieron a su alrededor rodearon a las urbanizaciones de altos ingresos, convirtiéndolas en un enclave de élite en medio de una ciudad pobre y limitándolos en sus posibilidades de expansión. Esta situación tendría importantes consecuencias para el desarrollo urbano dominicano en los años siguientes.

Como en Kingston, la crisis económica en Santo Domingo provocó que los pobres se desplazaran hacia zonas de altos ingresos en busca de empleos y de mejores viviendas. Este movimiento tomó la forma de ocupaciones crecientes de terrenos públicos en los intersticios de las urbanizaciones de medianos y altos ingresos, así como el rápido incremento de la franja oeste alrededor de la zona industrial de Herrera (Lozano/Duarte, 1991). El proceso redujo la polarización espacial y encapsuló aún más a los barrios de clase alta entre dos vastos espacios de asentamientos pobres. Los grupos más ricos respondieron buscando localizaciones aún más remotas y exclusivas en el noroeste en urbanizaciones tales como Arroyo Manzano y Altos de Arroyo Hondo. La emergencia de esas divisiones suburbanas sumamente costosas representa un claro intento de mantener distancia física frente a los pobres, pero aún aquí el espacio ha sido crecientemente disputado con el surgimiento de nuevos asentamientos irregulares que se desplazan hacia

Mapa 3

Estratos residenciales y asentamientos irregulares. Santo Domingo, 1990

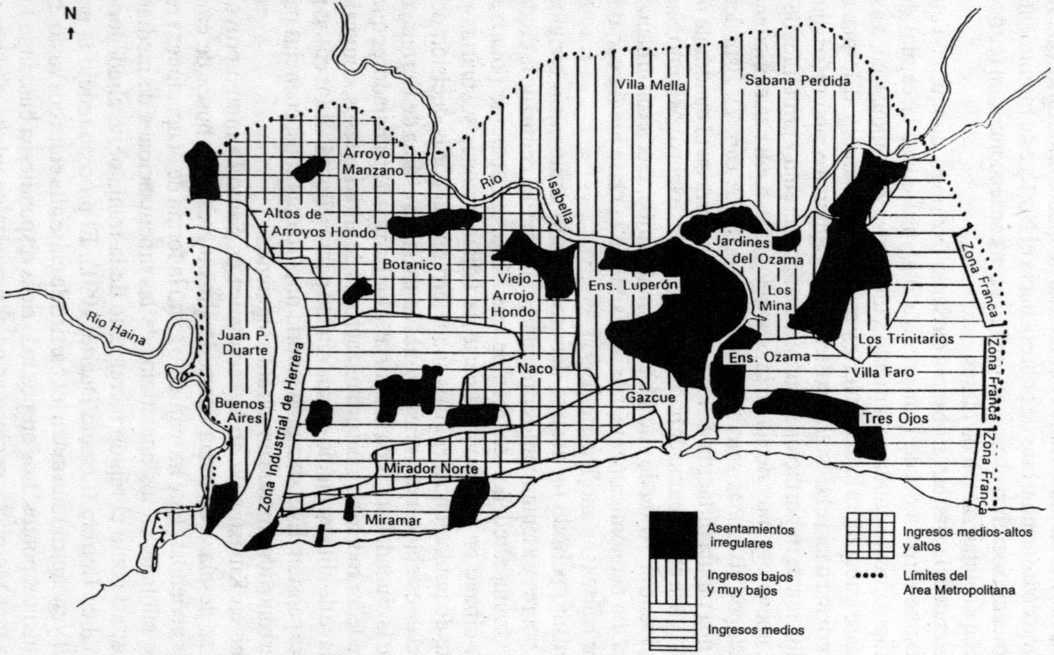

Asentamientos irregulares

Ingresos bajos y muy bajos

Ingresos medios

Ingresos medios-altos y altos

Límites del Area Metropolitana

Fuente: adaptado de Lozano/Duarte, 1991; Yunén, 1985; Valdez, 1987, basado en fuentes oficiales.

el Norte desde las áreas tradicionales de clase obrera. Estas tendencias aparecen ilustradas en el mapa 3 que ofrece un cuadro de la localización relativa de los estratos socioeconómicos en 1990 en Santo Domingo de acuerdo a la calidad de la vivienda y las densidades relativas. El mapa indica dos hechos notables: 1) la presencia de asentamientos irregulares a través de toda el área urbana. Aunque concentrados al norte y este del centro de la ciudad, los asentamientos populares aparecen también muy cerca de las urbanizaciones suburbanas de élite en el noroeste de la ciudad; 2) se advierte la existencia de un importante sector de clase media al este del río Ozama y cerca de los barrios pobres más grandes de la capital. El rápido crecimiento de este sector de la clase media en barrios tales como Los Trinitarios y Villa Faro es un fenómeno reciente que concuerda con tendencias observadas en otras ciudades de América Latina.

En el caso dominicano, esta tendencia fue precipitada por el cierre parcial de la franja oeste para la expansión de viviendas de clase media y por la ocupación de la zona noroeste por los grupos de más altos ingresos. Como era de esperarse, la densidad y el precio de la tierra crecieron en las viejas áreas residenciales de clase media. En respuesta, algunos grupos medios rompieron la barrera simbólica que los separaba de las áreas de trabajadores en busca de vivienda accesible a sus ingresos. En Santo Domingo, esta decisión tomó el nombre de «cruzar el puente» (a través del río Ozama) hacia las nuevas urbanizaciones en el este. Este proceso refleja esencialmente el mismo patrón observado en Bogotá y en otras ciudades sudamericanas. Junto con el desplazamiento de los asentamientos de pobres hacia el Oeste, este patrón ha producido una visible reintegración de la ciudad, que revierte parcialmente su anterior polarización de clase.

Puerto Príncipe ofrece el más dramático ejemplo de transformación del orden espacial urbano. En la capital haitiana, el retroceso de la polarización de clase ha sido más marcado que en Kingston o en Santo Domingo y obedece completamente a la migración rural de los pobres. No se advierte movimiento de sectores de clase media en busca de áreas de expansión, en parte porque la clase media haitiana es muy reducida. El fenómeno de reintegración espacial se ha producido más bien por las invasiones del espacio urbano por masas empobrecidas que migran desde el campo (Manigat, 1991). La contraparte del agudo incremento de la primacía de Puerto Príncipe ha sido el surgimiento de vastos *bidonvilles* como Cité Soleil y la densificación a niveles increíbles de los antiguos asentamientos de clase trabajadora (Duquella, 1989).

La invasión de la ciudad por los migrantes rurales no se ha limitado a la creación de asentamientos irregulares, sino que ha llegado hasta la ocupación de espacios públicos en distritos residenciales. No hay área de clase alta, no importa su lejanía o exclusividad, que haya escapado a estas invasiones. La ocupación del espacio urbano por los migrantes se ha extendido a las calles, convirtiendo varias de ellas en mercados informales que bloquean el tráfico de vehículos. La frágil infraestructura de servicios públicos ha sido sobrepasada por este rápido crecimiento poblacional, tornándose el acceso al agua, al drenaje y a la electricidad en privilegio de unos pocos. En 1988, un 72% de la población de la ciudad no tenía agua corriente y un 92% sólo contaba con letrinas (Manigat, 1991).

En este contexto, el gradual desplazamiento de los migrantes rurales hacia las áreas de altos ingresos como Petionville, Laboule y Tomassin ha sido provocado no sólo por la necesidad de encontrar alguna forma de trabajo, sino también por la búsqueda de servicios básicos. Excluidos del acceso legal a estos servicios, los pobres simplemente se han apropiado de ellos a través de una extendida «piratería» del agua, de la electricidad y, en algunas áreas, incluso del cable de televisión. En 1988, un 80% de las viviendas de Puerto Príncipe tenía acceso a la electricidad, pero la mayor parte la adquiría a través de tomas clandestinas. Lo que ha surgido entonces es una lucha silente entre las clases sociales por conquistar los espacios, los servicios básicos e incluso las calles. Guardias armados están comúnmente apostados frente a las residencias de familias acomodadas para prevenir aún mayores intrusiones de los pobres.

La mejor descripción de Puerto Príncipe en la actualidad es la de unos islotes de cierto bienestar rodeados por un mar de pobreza. Esto representa el caso extremo de «integración perversa» en los términos de Kowarick, provocada por el proceso social señalado. En Haití la crisis económica de finales de los setenta y ochenta tuvo lugar en un contexto de caída de la productividad y del empleo en la agricultura y sin que ninguna otra industria emergiera para ocupar su lugar. Ni la zona franca industrial cercana a la capital, ni la ciudad en sí misma, pudieron arreglárselas para satisfacer las necesidades materiales de las vastas nuevas olas de migrantes. Como en otras ciudades afectadas por la crisis, los pobres gravitaron hacia aquellas áreas donde alguna riqueza existía pero, en este caso, tales áreas son mucho más pequeñas y las necesidades y número de quienes buscan refugio en ellas mucho más grandes.

Las dos capitales centroamericanas representan excepciones a los patrones anteriormente señalados. Ninguna de esas ciudades ha experimentado retrocesos significativos de la polarización espacial, en parte porque ninguna estaba altamente polarizada. Las razones que explican esa más baja segregación son, sin embargo, diferentes. De las cinco ciudades estudiadas, la capital costarricense es la más integrada socialmente debido a que su nivel más alto de desarrollo económico se combinó con políticas estatales que perseguían reducir las desigualdades económicas y espaciales. La intervención estatal en el desarrollo de San José dio lugar a un espacio urbano relativamente homogéneo donde no existían ni enclaves suntuarios exclusivos ni cinturones de asentamientos irregulares.

Esta situación fue el resultado de tres tipos de políticas estatales : a) la provisión de subsidios para viviendas a los sectores de medianos y bajos ingresos; b) la rápida respuesta a las invasiones de tierra a través de la relocalización de los invasores en proyectos residenciales del Estado; c) la dispersión de estos proyectos a través de toda el área metropolitana. Como señalan Lungo y sus colaboradores: «El Estado ha sido el agente central en el desarrollo del San José metropolitano. Su acción promovió la extensión de la infraestructura urbana de carreteras, agua y electricidad y la construcción de viviendas de buena calidad para la clase media baja (...). Estas acciones generaron un espacio urbano más homogéneo donde los proyectos estatales se intercalaron con los del sector privado previniendo la marcada segregación espacial característica de otras ciudades de América

Latina» (1991, p. 117). El derrumbe económico de principios de los ochenta coincidió con la administración de Rodrigo Carazo (1978-1982) y trajo consigo la caída del empleo, de los salarios y de la habilidad del Estado para intervenir en el mercado de vivienda. Las viviendas irregulares y las invasiones de tierra proliferaron, concentrándose en áreas específicas y amenazando con iniciar un proceso de polarización espacial. Sin embargo, la economía y la capacidad de inversión del Estado se recuperaron a mediados de los años ochenta. Durante las administraciones de Luis A. Monge (1982-1986) y Oscar Arias (1986-1990), se hicieron esfuerzos para restablecer el equilibrio espacial. El gobierno dio prioridad a la provisión de soluciones habitacionales a través de nuevos programas de créditos subsidiados para la clase media, la reubicación de invasores de tierra en nuevos proyectos y la prevención de futuras invasiones vía innovadores programas de vivienda mínima. Para 1990, «...la tendencia hacia una marcada segregación del espacio urbano que surgió a principios de los ochenta había desaparecido porque el renovado mercado de casas ofreció soluciones las cuales, aunque pequeñas, fueron accesibles a la clase media empobrecida» (Lungo/Pérez/Piedra, 1991; p. 126).

Mientras San José es esencialmente una ciudad de «clase media», Ciudad de Guatemala se caracteriza por lo opuesto, ya que sus sectores medios son muy débiles. La sociedad guatemalteca está claramente dividida entre una élite rica y una masa de población empobrecida, mayormente india. Para el país en su totalidad, 1,25 millones de familias, o sea, 83,4% vivían en la pobreza en 1986-1987; de éstos, 949.000, o sea, 64,5% vivía en condiciones de extrema pobreza. En la ciudad capital, la situación mejora, pero aún allí 56,3% son pobres o muy pobres (Pérez-Sáinz, 1991; p. 53; Ruiz, 1990). Esta estructura de clases ha producido un espacio urbano dominado por áreas residenciales de clase trabajadora y asentamientos irregulares, con un bien definido enclave de élite en el centro.

Ciudad de Guatemala está administrativamente dividida en 25 «zonas» que facilitan un análisis más refinado de su estructura espacial. En 1985, sólo 5 de las 25 zonas que componen el área metropolitana podían ser clasificadas como de ingresos medios o altos. Las otras zonas tenían ingresos familiares mensuales promedio de 800 quetzales (120 dólares en 1985) o menos. Una de las zonas residenciales de clase media combinaba una población con ingreso promedio que excedía los 300 dólares con un 36% de familias pobres cuyos ingresos no alcanzaban los 45 dólares mensuales. Más notable aún, los enclaves de medianos y altos ingresos no están en los suburbios, sino relativamente cerca del centro de la ciudad. La mayoría de estas áreas se localizan al sur del centro en urbanizaciones residenciales de muy baja densidad como Santa Clara y Tivoli, establecidas durante los años cuarenta (Pérez-Sáinz, 1991; p. 31).

El mapa 4 muestra la distribución espacial de los estratos socioeconómicos en el área metropolitana de Guatemala. Dos hechos son evidentes. Primero, los asentamientos irregulares se localizan frecuentemente en áreas centrales, cercanas a los barrios residenciales. Las zonas 10 y 14, por ejemplo, están compartidas por sectores residenciales de baja densidad y áreas para trabajadores y grupos muy pobres de alta densidad. Segundo, esta mezcla no ha provocado que los grupos de ingresos altos escapen hacia los suburbios; no hay «frontera» de urbanizaciones

Mapa 4

Distribución espacial de los estratos socioeconómicos y de los asentamientos irregulares en el Area Metropolitana de Guatemala, 1986

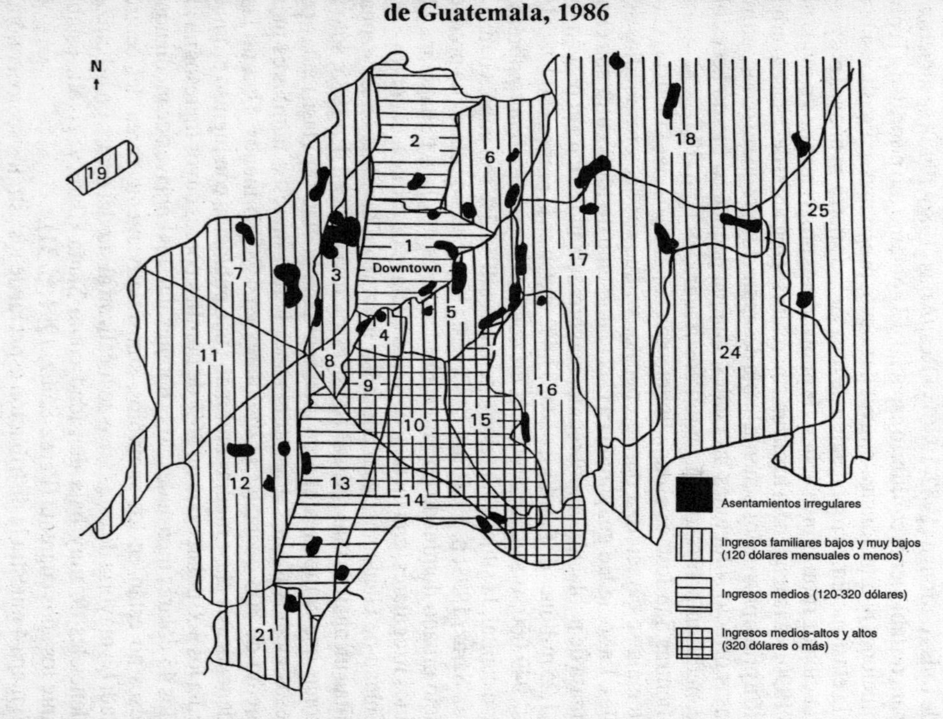

Fuente: adaptado de Pérez-Sainz, 1991; basado en fuentes oficiales.

suntuarias en ningún sector de la periferia urbana. La pobreza generalizada y creciente en Ciudad de Guatemala durante la década pasada, y la cercana y visible presencia de barrios acomodados, debieron provocar que los sectores más deprimidos invadieran estas áreas en busca de mejores oportunidades de empleo. Este fenómeno, observado en Kingston, Santo Domingo, Puerto Príncipe así como en ciudades más grandes de América del Sur, no se materializó en Ciudad de Guatemala debido principalmente a los altos niveles de represión estatal. Una élite atrincherada y dispuesta a emplear cualquier medio para defender sus privilegios es un reto muy grande para cualquier intento reivindicativo. Mientras las ocupaciones de tierras por grupos depauperados en áreas inmediatas a los barrios de altos ingresos es un hecho cotidiano en las otras ciudades, lo mismo resulta impensable en las zonas urbanas ricas de Guatemala, donde tendrían que enfrentar una oposición violenta y armada (Jonas, 1991).

Esta situación política ayuda a explicar la peculiar ausencia de segregación espacial que muestra el mapa 4. No hay segregación espacial de clases en parte porque la segregación social es tan vasta como para percibir la proximidad de los pobres más como una conveniencia que como una amenaza a los grupos privilegiados. Con los medios de violencia estatal a su disposición y con una población intimidada por años de represión, hay pocos incentivos para que los grupos acomodados escapen de la ciudad. Por el contrario, los asentamientos pobres en Guatemala funcionan mayormente como reserva conveniente de mano de obra doméstica y servicios personales de varios tipos para las áreas de élite (Roberts, 1978).

En síntesis, las cinco ciudades estudiadas proveen evidencia en favor de la hipótesis del retroceso de la polarización espacial, pero también indican variaciones y excepciones significativas al proceso. La comparación destaca la capacidad del Estado para revocar la tendencia de las élites urbanas a crear áreas residenciales exclusivas y de los grupos empobrecidos a tratar de situarse cerca de ellos en busca de mejores oportunidades materiales. En las dos capitales centroamericanas, estas tendencias están ausentes debido en gran parte a la acción del Estado: en un caso, la política estatal solventó las necesidades básicas que conducen a los pobres urbanos a invadir áreas más acomodadas (San José); en el otro, la represión estatal cierra la posibilidad de esas acciones populares y, en consecuencia, liquida el mayor incentivo que tienen las élites para crear enclaves suburbanos (Guatemala).

La segunda tendencia que lleva a la reducción de la polarización espacial, que es el movimiento de grupos de clase media hacia áreas de ingresos bajos, se observa en dos de nuestras cinco ciudades (Kingston y Santo Domingo). En las otras tres, o la clase media es muy pequeña (Puerto Príncipe y Ciudad de Guatemala) o es el estrato urbano más numeroso y ha sido el mayor beneficiario de los programas del Estado dirigidos a satisfacer la demanda habitacional (San José).

La economía informal y el desempleo

Nuestro análisis del mercado de trabajo urbano y el rol del sector informal

Cuadro 7

Evolución del mercado de trabajo en el Area Metropolitana de San José, 1980-1989

	1980	1981	1982	1983	1985	1987	1988	1989
Empleo (miles)	210,9	208,4	219,5	221,9	240,2	248,6	253,5	265,7
Empleo formal (%)	71,6	68,3	66,7	67,9	68,9	68.8	70,7	70,7
Empleo informal[1] (%)	26,7	29,9	30,5	30,3	29,7	29,7	27,6	27,5
Desempleo abierto (%)	5,0	8,3	11,3	8,5	7,4	4,8	6,6	2,7
Composición del sector informal[2]:	100,0	100,0	100,0	100,0	100,0	100,0	100,0	100,0
Propietarios informales (%)	11,2	8,1	9,4	9,7	7,7	7,2	11,5	8,6
Trabajadores informales (%)	35,6	38,0	37,5	32,2	36,5	32,6	33,6	20,9
Trabajadores familiares no remunerados (%)	6,0	6,1	5,3	2,4	3,5	2,9	3,2	2,9
Autoempleo (%)	47,2	47,8	47,8	55,7	52,3	57,3	51,7	67,6
Tasa de crecimiento del PIB	0,8	-2,3	-7,3	2,9	0,7	4,9	3,8	5,0

1. Incluye servicio doméstico. Los porcentajes de empleo formal e informal no totalizan 100 porque se excluyen los trabajadores agrícolas.
2. Cifras redondeadas.

Fuente: Trejos, 1991; tabla 2.

busca entender en qué medida las formas irregulares de empleo jugaron un papel contracíclico en los momentos más graves de la crisis económica. Este análisis se limita a cuatro países, pues Haití quedó excluido del mismo. Este último país es excepcional ya que el sector formal apenas existe. Además, la falta de estadísticas confiables hace imposible detectar los cambios de corto plazo en un mercado de trabajo que es casi exclusivamente informal. De acuerdo con la Oficina Internacional del Trabajo, sólo un 7,7% de la fuerza de trabajo haitiana en 1987 tenía empleos que podían ser considerados formales. El grueso de esta cifra lo integraban los 32.000 empleos estatales (Manigat, 1991).

Entre los países restantes, la mejor información disponible proviene de Costa Rica. Los datos sobre la evolución del mercado de trabajo en el área metropolitana de San José se presentan en el cuadro 7. Durante la crisis de los años 1981-1984, el desempleo abierto creció bruscamente mientras el empleo informal sólo lo hizo moderadamente. De acuerdo a las cifras, el desempleo en el área metropolitana de San José creció en un 66% en 1980-1981 y otro 36% en 1981-1982, coincidiendo con una declinación del PBI real de un 9,6% en este período de dos años. El empleo informal se expandió más lentamente, en un 8,2% entre 1980-1981 y en sólo un 2% en 1981-1982. El desempleo se mantuvo alto durante los tres años siguientes y declinó rápidamente con la reactivación de la segunda mitad de los ochenta. En

1989, el desempleo abierto sólo alcanzaba a la mitad de lo que había sido a principios de la década. Por contraste, el empleo informal se mantiene estable agrupando cerca de un cuarto de la fuerza de trabajo. Estas tendencias divergentes indican que el ajuste frente a la crisis económica ocurrió a través del desempleo abierto más que a través de la masiva expansión del sector informal.

Sin embargo, esta no es toda la historia porque otros datos muestran un crecimiento paralelo del empleo inestable y mal pagado en ambos sectores de la economía de San José. La participación de la mujer en el mercado de trabajo creció durante la década en relación directa a la proliferación de las plantas de ensamblaje de exportación en el área metropolitana de San José. Las maquilas triplicaron su empleo entre 1984 y 1990, alcanzando 40.000 personas en el último año. El empleo a tiempo parcial también creció, alcanzando el 37,5% de la población económicamente activa a mediados de los ochenta. El salario mínimo se recuperó en 1989 alcanzando el mismo valor real que a principios de la década, pero los ingresos de los trabajadores calificados y empleados de oficina se mantuvieron por debajo de las cifras de 1980 (Lungo/Pérez/Piedra, 1991). El sector informal registró una evolución paralela en su estructura interna. Las categorías de empleo mejor remuneradas y más estables declinaron en un 45% entre 1980 y 1986, recuperándose sólo durante los últimos años de la década. Sin embargo, los trabajos informales menos estables y peor pagados crecieron durante estos años. Como se muestra en el cuadro 8, tales empleos crecieron un 43% entre 1980 y 1989 representando dos tercios del empleo informal total en el último de esos años (2).

Estas cifras sugieren un complejo proceso de ajuste del mercado laboral urbano costarricense. La intervención gubernamental fue un instrumento de control que frenó el crecimiento del desempleo abierto urbano durante los ochenta y previno el deterioro del salario mínimo. Simultáneamente, sin embargo, hubo un crecimiento del empleo inestable y mal pagado tanto en el sector formal como en el informal. Los empleos a tiempo parcial y los trabajos mal pagados de la maquila de exportación se vuelven más comunes entre los trabajadores formales, mientras los autoempleados se tornan predominantes en el sector informal. Este desarrollo es consonante con nuestra hipótesis procíclica pues muestra que la evolución del sector informal corre paralela a la del sector formal en vez de oponerse a ella.

En contraste con San José, el mercado de trabajo de Ciudad de Guatemala ha sido siempre altamente informal. Entre las cinco ciudades estudiadas sólo Puerto Príncipe tiene una proporción más alta de su población económicamente activa en el sector informal. Durante la década de los ochenta, sin embargo, la cifra del empleo informal en Ciudad de Guatemala apenas se alteró. Estimaciones basadas en los criterios empleados por la Oficina Internacional del Trabajo (OIT) indican que el sector informal absorbía un 30% de la población económicamente activa urbana en 1980 y un 33% en 1989. Otras cifras basadas en la PEA empleada sin cobertura legal producen un estimado mucho más alto –54,3% en 1980– pero

2. Los microempresarios tienen ingresos promedio significativamente mayores al salario mínimo nacional mientras que los autoempleados tienden a recibir ingresos mucho más bajos. En 1989, sólo 22,7% de los microempresarios informales en el Area Metropolitana de San José recibieron menos del mínimo oficial; la cifra correspondiente para los autoempleados alcanzó 44,7% (Trejos, 1991).

Cuadro 8

Evolución del mercado de trabajo en el Area Metropolitana de Ciudad de Guatemala, 1980-1989

	ca. 1980	1982	1989
Empleo total (miles)	323,8	—	322,7
Empleo formal[1] (%)	30,0	—	33,0
Empleo informal[2] (%)	66,9	—	53,5
Desempleo abierto[3] (%)	2,2	9,9	6,2
Desempleo abierto[4] (%) (1980=100)	100,00	450,0	545,0
Composición del sector informal:			
Propietarios informales (%)	4,0	—	15,9
Trabajadores informales (%)	27,0	—	28,7
Trabajadores familiares no remunerados (%)	5,0	—	4,3
Autoempleo (%)	64,0	—	51,1
Salario promedio (en dólares):			
Sector formal			148,9
Sector informal			102.6

1. Porcentaje de la PEA urbana, definición de PREALC.
2. Porcentaje de PEA urbana sin seguro social.
3. De ECLAC, 1989; tabla 14. Desempleo Urbano Total.
4. De Inter-American Development Bank, 1990; tabla 10.

Fuente: Pérez-Sáinz, 1991. Banco Interamericano de Desarrollo, 1990. Mesa-Lago, 1991. Comisión Económica para América Latina y el Caribe, 1992. PREALC 1986.

coinciden con las cifras anteriores en mostrar poco cambio durante la década (ver nota 3 para la primera estimación y nota 4 para la segunda). Al igual que en San José, el ajuste frente a la crisis tuvo lugar principalmente a través de un alza significativa del desempleo abierto. Dos series de estimados aparecen en el cuadro 8. Ambas coinciden en mostrar que el desempleo abierto se cuadruplicó entre 1980 y 1983 y que se mantuvo en niveles altos durante toda la década.

A diferencia del caso costarricense, el gobierno guatemalteco no llevó a cabo ninguna intervención significativa para contener el desempleo. Este patrón de la política oficial es similar al observado con relación a las áreas residenciales de

3. El PREALC define el sector informal como la suma de los autoempleados, restando a los profesionales, más trabajadores familiares no remunerados y trabajadores de servicios domésticos. Los estimados para 1980 son de PREALC; los estimados para 1989 provienen de una encuesta conducida por la Facultad Latinoamericana de Ciencias Sociales (FLACSO). Ver Pérez-Sáinz, 1991.

4. Este estimado se basa en la definición del sector informal como actividades que producen ingresos no regulados por el Estado. El indicador empírico es el porcentaje de trabajadores no cubierto por el sistema de seguridad social del país. Las cifras se basan en estimados de Mesa-Lago, 1991. Sobre definiciones alternativas del sector informal, ver Portes/Schauffler, 1993.

bajos ingresos que se describió detalladamente en la sección precedente. En consecuencia, la presencia de un gran sector informal urbano, donde los salarios promedios eran más bajos que entre los trabajadores protegidos, no amortiguó exitosamente los efectos del derrumbe económico. El aumento enorme del desempleo en Ciudad de Guatemala durante los ochenta es también congruente con nuestra hipótesis concerniente a los límites del sector informal como mecanismo contracíclico.

El cuadro 8 muestra que la estructura interna del sector informal en Ciudad de Guatemala parece haber evolucionado en dirección contraria a la de San José. Comparando los estimados disponibles para 1980 y 1989, la proporción relativa de los microempresarios se incrementó, mientras que la de los autoempleados declinó. Como en San José, los microempresarios tienden a obtener ingresos significativamente más altos que el de otras categorías de informales y su mayor presencia dio lugar al crecimiento del promedio de ingresos en este sector. A pesar de su aparente declinación, el autoempleo (cuyos ingresos promedios son mucho más bajos) continúan representando la mayoría de la fuerza de trabajo informal guatemalteca en 1989.

Las naciones del Caribe, Jamaica y República Dominicana experimentaron una evolución similar de sus mercados de trabajo en la década de los ochenta. Los estimados para ambos países indican una expansión del empleo informal, especialmente de los vendedores ambulantes y de los trabajadores ocasionales, junto a una contracción del empleo formal y del ingreso. Pese a la escasa información, las cifras existentes para República Dominicana son consistentes en mostrar un incremento significativo del desempleo, una aguda declinación de los salarios en el sector formal y un crecimiento en el autoempleo.

Como se muestra en el cuadro 9, la proporción de la población económicamente activa creció al mismo tiempo que los salarios reales en la industria y el sector público declinaron abruptamente. La mayoría del incremento en la fuerza laboral se concentró en las ciudades llevando a una creciente representación de la fuerza de trabajo urbana en la PEA nacional. El autoempleo aumentó durante la segunda mitad de los ochenta, pero la proliferación de estas actividades informales no previno un alza aguda en el desempleo abierto el cual se duplicó entre 1977 y 1991 (5). Parece ser que los esfuerzos de las familias para compensar la declinación de los salarios incrementando la oferta de trabajo se enfrentó a una escasez de trabajo remunerado, tanto en el sector formal como en el informal. Los vendedores ambulantes y actividades similares aumentaron, pero no pudieron absorber el rápido incremento de la oferta de trabajo, lo que condujo a niveles de desempleo abierto muy altos.

De forma similar, el empleo informal y el desempleo crecieron simultáneamente en el Area Metropolitana de Kingston durante los años de crisis. El índice de

---

5. Las cifras sobre desempleo son para la PEA nacional. Otras cifras aquí omitidas indican la misma tendencia para la PEA urbana y la de la ciudad capital. Entre 1980 y 1986, por ejemplo, el índice de desempleo en la capital aumentó en 29%; en 1990, se colocó en 20,3%, ligeramente por debajo del promedio nacional (Oficina Nacional de Estadística, 1990).

Cuadro 9

Evolución del mercado de trabajo en República Dominicana, 1977-1991

	1977	1979	1981	1983	1985	1987	1989	1991
Participación de la Fuerza de trabajo[1] (%)	32,6	33,3	34,5	35,3	35,0	39,1	40,0	41,9
PEA urbana[2] (%)	56,1	58,8	59,2	60,7	63,8	64,6	65,0	64,2
Salarios en la manufactura[3]	149,0	142,0	129,4	128,4	92,1	99,1	87,6	75,6[4]
Salarios en las zonas exportadora	161,2	155,2	123,2	159,0	74,0	80,8	88,5	8,.8
Salarios en el sector público	57,4	83,7	85,1	74,0	72,3	68,0	54,1	41,7
Autoempleo[5] (%)	20,4	16,2	18,5	17,6	—	—	—	25,2
Trabajadores familiares no remunerados (%)	1,8	1,6	2,4	2,2	—	—	—	1,9
Desempleo abierto (%)	13,7	18,6	20,7	21,7	25,7	25,6	25,6	26,8[6]

1. Cifras nacionales, como porcentaje del total de la población.
2. Porcentaje de la PEA total.
3. En pesos constantes de 1977.
4. Para agosto de 1991.
5. En Santo Domingo.
6. 1990.

Fuente: Instituto Nacional de Estadística, 1987 y 1990. Centro Dominicano de Documentación, 1991.

Cuadro 10

Evolución del mercado de trabajo en Kingston, 1977-1991

	1977	1983	1989
Empleo formal[1] (%)	60,4	—	53,3
Sector público y servicios (%)	23,7	—	14,0
Empleo informal[2] (%)	17,4	—	26,0
Vendedores:			
Hombres (%)	4,1	—	5,8
Mujeres (%)	8,8	—	12,5
Pequeños servicios y agricultura:			
Hombres (%)	10,7	—	6,8
Mujeres (%)	8,6		7,7
Desempleo:			
Hombres (%)	17,5	21,0	11,4
Mujeres (%)	29,9	35,3	21,8
Participación de la fuerza de trabajo[3]:			
Masculina (%)	82,9	83,5	78,1
Femenina (%)	70,1	71,1	64,0

1. Suma de gobierno, servicios formales, cuello blanco y empleados regulados cuello azul.
2. Empleo desregulado en servicio doméstico, artesanía y manufactura, venta de calle, servicios y agricultura suburbana.
3. Como porcentaje de la población en edad de trabajar.

Fuente: Gordon/Dixon, 1991; tablas 8 y 9. Anderson, 1987.

desempleo alcanzó niveles sin precedentes entre 1983 y 1985 para declinar más adelante. Esta aparente mejoría puede encubrir, sin embargo, un alza en el número de trabajadores desalentados. El cuadro 10 evidencia que la participación en la fuerza laboral bajó, sugiriendo un índice elevado de abandono de búsqueda de trabajo. Como en San José, la estructura interna del sector informal evolucionó en dirección a una aparente caída de las microempresas y un aumento del autoempleo informal. Los vendedores ambulantes incrementaron su participación en la fuerza de trabajo masculina y femenina de Kingston, mientras las actividades empresariales bajaron en los servicios y en la agricultura. La tendencia en su conjunto fue hacia un deterioro simultáneo de las oportunidades de empleo y de ingresos en ambos segmentos del mercado de trabajo de Kingston.

A pesar de la escasez y las imperfecciones de los datos oficiales, las cifras indican que los mercados de trabajo urbanos en los países de la cuenca del Caribe se ajustaron frente a la crisis económica de manera similar a sus contrapartes de América del Sur. En ambas zonas, el ajuste incluyó una combinación de la caída de los salarios reales, caída del empleo formal, crecimiento de la informalidad y niveles sin precedente de desempleo abierto. El crecimiento del desempleo en todos los países pone claramente de manifiesto las limitaciones del sector informal como mecanismo de absorción de fuerza de trabajo. Contrariamente a la conceptualización dualista de los mercados de trabajo latinoamericanos propuesta por los analistas del PREALC, no hay una relación simbiótica entre los sectores formal e informal, mediante la cual los excesos de oferta en uno son automáticamente absorbidas por el otro. El conjunto de los resultados parece más congruente con la perspectiva de una economía urbana única, en la cual ambos tipos de actividades coexisten. De acuerdo con esta hipótesis, el desempleo abierto crece como una consecuencia lógica de la contracción económica la cual reduce las oportunidades de empleo y de ingresos tanto en las empresas formales como en las informales.

Conclusiones

En su conjunto, los resultados obtenidos por este estudio de ciudades del Caribe apoyan la conclusión de la investigación anterior en ciudades de América del Sur (Portes, 1989) en el sentido de que «algo» significativo ha cambiado en la urbanización latinoamericana durante las dos últimas décadas. Aunque las tres dimensiones de urbanización examinadas no agotan el tópico, ellas incluyen aspectos importantes analizados en una voluminosa literatura de investigación. Los hallazgos del estudio no apoyan conclusiones simplistas como «la primacía está declinando en todas partes» o «la polarización de clases está disminuyendo en todas las ciudades». De hecho, los datos para uno o más países se mueven en sentido contrario a tales afirmaciones. En cambio, lo que sí muestran los resultados es un fuerte apoyo a la lógica teórica en que descansan cada una de las hipótesis mencionadas al inicio de este capítulo. La reducción o no de la primacía depende de que realmente se materialice la potencial capacidad descentralizadora del nuevo modelo de desarrollo orientado hacia afuera; la declinación o no de la polarización espacial depende de que la clase media y los sectores pobres puedan instrumentar nuevas estrategias para bregar con las emergencias económicas; el sector informal puede absorber más o menos fuerza de trabajo según el estado de la economía y el éxito de los esfuerzos gubernamentales por reactivarla.

Las tendencias empíricas divergentes que se observan en los cinco países, sumadas a aquellas incluidas en nuestra anterior investigación, apuntan hacia una segunda conclusión importante. Anteriores descripciones de la «explosión» urbana en América Latina y de las características uniformes de la urbanización en los países capitalistas periféricos aparecen, a la luz de los datos, como profundamente incorrectas. Tales generalizaciones pueden haber jugado un papel útil en etapas anteriores del desarrollo teórico, pero han sido sobrepasadas por las realidades actuales. Las ciudades latinoamericanas del presente no pueden ser entendidas a partir de conceptualizaciones simplistas sobre la evolución de las sociedades periféricas, provengan éstas de los neoclásicos ortodoxos o de las teorías neomarxistas del sistema mundial o de la dependencia. Por el contrario, el peso de la evidencia empírica apoya una perspectiva teórica alternativa que combina tendencias globales con procesos nacionales específicos.

Hay un gran número de similitudes entre los países latinoamericanos que nos hacen rechazar el extremo opuesto, o sea el aseverar que sólo cuentan los elementos idiosincráticos nacionales. El nivel de análisis más útil debe centrarse en la inserción cambiante de estos países en la economía global conjuntamente con las características específicas de cada uno, en particular su nivel de desarrollo y el carácter y «calidad» de sus respectivos Estados. En un intento de reafirmar la importancia del Estado en los análisis del desarrollo nacional, Evans (1989) ha propuesto una tipología de sistemas de Estados en un continuo que va desde «depredadores» hasta «desarrollistas». Mucho de lo que Evans tiene que decir acerca de la calidad y efectividad del aparato estatal se refleja directamente en nuestros resultados. Todos los países estudiados confrontaron un contexto externo adverso durante los primeros años de los ochenta y todos se movieron en dirección de promover las exportaciones para reactivar sus economías. Sin embargo, en algunos casos esta situación resultó en niveles de desempleo extremadamente altos durante toda la década (Guatemala), mientras que en otros el desempleo fue rápidamente controlado por una efectiva intervención estatal (Costa Rica). Igualmente, el potencial descentralizador de las nuevas industrias de exportación fue, en algunos casos, efectivamente actualizado (República Dominicana), mientras en otros las zonas francas de exportación ni siquiera existían (Guatemala) o fueron localizadas de forma que agravaron la primacía (Haití).

Los efectos de la crisis se vivieron también en forma distinta dentro de cada ciudad capital. En algunas, la ausencia o inefectividad de los programas estatales trajo la exacerbación de la «integración perversa» (Kingston, Puerto Príncipe) observada ya en algunas de las ciudades principales de América del Sur. En otros, la polarización espacial fue mantenida a raya por la intervención de Estados fuertes. Sin embargo, el carácter de la intervención de tales Estados varió desde efectivos programas de vivienda para la clase media y grupos de bajos ingresos, lo cual redujo el impacto de la desigualdad económica (San José), hasta una represión violenta que impidió a los sectores populares implementar cualquier solución que alterara en el menor grado el privilegio y bienestar de los grupos acomodados (Guatemala).

Estas conclusiones convergen y refuerzan tendencias similares en el análisis de otros aspectos del desarrollo nacional. Apoyan un consenso emergente en la sociología del desarrollo de que el foco analítico apropiado no es el de abstractas teorías sobre tendencias y ciclos del «sistema mundial» ni tampoco radica en el análisis ideográfico de experiencias locales. Más bien se sitúa en el punto de convergencia o interacción entre ambos niveles. Los resultados empíricos obtenidos en la primera fase de este proyecto ejemplifican la conveniencia de esta perspectiva de medio rango.

Resta por investigar, sin embargo, cómo los propios habitantes han participado en la evolución de sus ciudades y cómo han bregado con sus consecuencias. ¿La vida en las ciudades ha devenido mejor o peor para sus diferentes sectores? ¿Son las autoridades nacionales y locales percibidas como capaces de lidiar con los efectos de la crisis económica o este papel ha sido asumido por las organizaciones comunitarias? ¿Son las empresas informales que proliferan a diario meras estrategias de supervivencia subordinadas a las corporaciones o contienen ellas las semillas de un crecimiento económico autónomo? Estas son algunas de las preguntas que la segunda fase de nuestro proyecto buscó responder. Los resultados para cada ciudad son presentados en los capítulos que siguen.

Este capítulo es una versión revisada de un artículo publicado en *Latin American Research Review* 29 nº 2, 1994.

Bibliografía

Amaro, Nelson (1990) *Descentralización y participación en Guatemala*. ICEP.

Amaro, Nelson (1992) «Tendencias Recientes en la Evolución Urbana de Guatemala». Reporte no publicado por los autores.

Amato, Peter (1969) *An Analysis of the Changing Patterns of Elite Residential Areas en Bogotá, Colombia*. Latin American Dissertation Series. Cornell University. Ithaca.

Anderson, Patricia (1987) Informal Sector or Secondary Labour Market? Towards a Synthesis, en *Social and Economic Studies* 36: 3.

Banco Central de la República Dominicana (1988) Series Estadísticas sobre Comercio Exterior. Compiladas por Luis Guarnizo. Santo Domingo.

Banco Interamericano de Desarrollo (1990) *Economic and Social Progress in Latin America, 1990 Report*. Johns Hopkins University Press. Baltimore.

Benería, Lourdes (1989) Subcontracting and Employment Dinamics in Mexico City, en Portes/Castells/Benton.

Beyer, Glenn H. (1967) *The Urban Explosion in Latin America*. Cornell University. Ithaca.

Breese, Gerald (1966) *Urbanization in Newly Developing Countries*. Prentice-Hall. New York.
Capecchi, Vittorio (1989) The Informal Economy and the Development of Flexible Specialization, en A. Portes, M.
Castells/Benton, L.A. (eds.) *The Informal Economy: Studies in Advanced and Less Developed Countries*. Johns Hopkins University Press. Baltimore.
Cartier, William (1988) «Urban Processes and Economic Recession: Bogotá in the 1980s.» Ponencia presentada en el Seminario La Urbanización en América Latina durante los Años de la Crisis, Florida International University.
Centro Dominicano de Documentación (1991) Series Estadísticas sobre Empleo. Compiladas por Edwin Croes.
Clarke, Colin (1975) *Urban Development and Social Change, 1692-1961*. California. Berkeley.
Cornelius, Wayne (1975) Politics and the Migrant Poor in Mexico City. Stanford University Press, California.
Dore Cabral, Carlos (1989) «La República Dominicana contemporánea: una síntesis de su historia sociopolítica». Ponencia presentada en Programa sobre América Latina, Georgetown University, enero.
Duquella, A. (1989) La population et les besoins de logement au Haiti. Mimeo. Port-au-Prince.
Eckstein, Susan (1977) the Poverty of Revolution, the State and the Urban Poor in Mexico. Princeton University Press - Princeton, N.J.
ECLAC (Economic Commission for Latin America and the Caribbean) (1986) 1986 Statistical Year book of Latin American and the Caribbean. United Nations, New York.
ECLAC (Economic Commission for Latin America and the Caribbean) (1988) Preliminary Overview of the Latin American Economy 1987. Notas sobre la Economía y el Desarrollo, nº 470-471 (dic.).
ECLAC (1989) *1989 Statistical Yearbook of Latin America and the Caribbean*. United Nations. New York.
ECLAC (1991) *1991 Statistical Yearbook of Latin America and the Caribbean*. United Nations. New York.
Enciclopedia Británica (1991) *Book of the Year*. Britannica World Data, Nations of the World.
Enciclopedia Británica (1992) *Book of the Year*. Britannica World Data, Nations of the World.
Evans, Peter B. (1989) Predatory, Developmental, and Other Apparatuses: A Comparative Political Economy Perspective on the Third World State, en *Sociological Forum* 4 (dec.).
Fortuna, Juan Carlos/Prates, Suzanna (1989) Informal Sector versus Informalized Labor Relations in Uruguay, en Portes/Castells/Benton.
García, Norberto (1982) Growing Labor Absorption with Persistent Underemployment. 18 (dic.): 45-64.
Goldrich, Daniel (1970) Political Organization and the Politization of the Poblador, en *Comparative Political Studies* 3 (jul.).
Gordon, Derek/Dixon, Cheryl (1991) «Urbanization in Kingston, Jamaica; Years of Growth and Years of Crisis.» Ponencia presentada en el seminario sobre Urbanización en el Caribe en los Años de la Crisis, reunido en Florida International University, Miami, 29 de mayo al 1º de junio, 1991.
Guarnizo, Luis E. (1992) *One Country in Two: Dominican Owned Firms in New York and*

in the Dominican Republic. Ph.D. dissertation, Department of Sociology, The Johns Hopkins University.

Hardoy, Jorge E. (1975) *Urbanization in Latin America*. Anchor Books. Garden City.

Hardoy, Jorge E./Acosta, Maruja (1973) *Urban Reform in Revolutionary Cuba*. Antilles Research Program, Yale University. New Haven.

Hardoy, J./Basaldúa, R./Moreno, O. (1968) Política de la tierra urbana y mecanismos para su regulación en América Latina. Editorial del Instituto. Buenos Aires.

Hauser, M. Philip (1961) *Urbanization in Latin America*. International Documents Service. New York.

Iglesias, Enrique (1985) The Latin American Economy during 1984: A Preliminary Overview, en *CEPAL Review* 35 (abril).

Instituto de Estadística de Jamaica (1973) *Jamaica Population Census 1970*. Kingston.

Instituto de Estadística de Jamaica (1982) *Jamaica Population Census 1970*. Kingston.

Inter-American Development Bank (1990) Economic and Social Progress in Latin American, 1990 Report. Johns Hopkins University Press, Baltimore, Md.

Jonas, Susanne (1991) *The Battle for Guatemala: Rebels, Death Squads, and U.S. Power*. Westview Press. Boulder (en castellano publicado por la Editorial Nueva Sociedad, Caracas, 1994).

Knight, Pauline/Davies, Omar (1978) An Analysis of Residential Location Patterns in the Kingston Metropolitan Area, en *Social and Economic Studies* 27.

Kowarick, L./Gambier Campos, A.M./de Mello, María C. (1990) Os Percursos da Desigualdade, en Rolnick, R./Kowarick, L./Somekh, N. (eds.) *São Paulo: Crise e Mudança*. Brasiliense. São Paulo.

Lagos, Ricardo/Tokman, Victor (1983) Monetarismo global, empleo y estratificación social, en *El Trimestre Económico* 50 (julio-sept.).

Leeds, Anthony (1969) The Significant Variables Determining the Caracter of Squatter Settlements, en *América Latina* 12 (jul.-sep.).

Lombardi, Mario/Veiga, Danilo (1988) «La Urbanización en los Años de Crisis en el Uruguay». Ponencia presentada en el seminario sobre Urbanización en América Latina durante los años de la crisis, Florida International University, Miami.

Lozano, Wilfredo/Duarte, Isis (1991) «Proceso de urbanización, modelos de desarrollo y clases sociales en República Dominicana: 1960-1990». Ponencia presentada en el seminario sobre Urbanización en el Caribe en los Años de la Crisis, Florida International University, Miami, 29 de mayo al 1º de junio, 1991.

Lungo Uclés, Mario/Pérez, Marián/Piedra, Nancy (1991) «La urbanización en Costa Rica en los '80: el caso del Area Metropolitana de San José». Ponencia presentada en el seminario sobre Urbanización en el Caribe en los Años de la Crisis, Florida International University, Miami, 29 de mayo al 1º de junio, 1991.

Manigat, Sabine (1991) «L'Urbanisation de Port-Au-Prince durant les annees de crise». Ponencia presentada en el seminario sobre la Urbanización en el Caribe en los Años de la Crisis, Florida International University, Miami, 29 de mayo al 1º de junio, 1991.

Marshall, Adriana (1987) Non-Standard Employment Practices in Latin America. Discussion Paper nº 6, Labour Market Programme. International Labour Office. Geneva.

Massad, Carlos (1986) Alleniation of the Debt Burden: Historical Experience and Present Need, en *CEPAL Review* 30.

Mesa-Lago, Carmelo (1991) Social Security and Prospects for Equity in Latin America, World Bank Discussion Papers nº 140. The World Bank. Washington DC.

Miller, Jake (1984) *The Plight of Haitian Refugees*. Praeger. New York.

Mintz, Sidney W. (1989) *Caribbean Transformations.* Columbia University Press. New York.

Naciones Unidas (1989) Tabla A-10, en *Prospects of World Urbanization.* United Nations. New York.

Norton, Ann (1978) Shanties and Skyscrapers: Growth and Structure of Modern Kingston. Working Paper nº 37. Institute of Social and Economic Research. Kingston.

Nun, José (1969) Superpoblación relativa, ejército industrial de reserva y masa marginal, en *Revista Latinoamericana de Sociología* 5 (July).

Oficina Nacional de Estadística (1987) *República Dominicana en Cifras.* ONE. Santo Domingo.

Oficina Nacional de Estadística (1990) *República Dominicana en Cifras.* ONE. Santo Domingo.

Pérez-Sáinz, Juan Pablo (1991) «Ciudad de Guatemala en la década de los ochenta: crisis y urbanización.» Ponencia presentada en el seminario sobre Urbanización en el Caribe en los Años de la Crisis, Florida International University, Miami, mayo 29 - junio 1.

Pérez-Sáinz, Juan Pablo (1992) *Informalidad urbana en América Latina: enfoques, problemáticas e interrogantes.* Editorial Nueva Sociedad. Caracas.

Portes, Alejandro (1989) Latin American Urbanization During the Years of the Crisis, en *Latin American Research Review* 23.

Portes, Alejandro/Browning, Harley L. (1976) *Current Perspectives in Latin American Urban Research.* Institute of Latin American Studies of the University of Texas, Austin.

Portes, Alejandro/Johns, Michel (1989) Class Structures and Spatial Polarization: An Assessment of Recent Urban Trends in Latin America, en Canak, W.L. (ed.), Lost Promises: Debt, Austerity, and Development in Latin America. Westview Press. Boulder, Colorado.

Portes, Alejandro/Schauffler, Richard (1992) The Informal Economy in Latin America: Definition, Measurement and Policies. Working Paper nº 5, PCID Series.

Portes, Alejandro/Walton, John (1976) *Urban Latin America, the Political Condition from Above and Below.* University of Texas Press. Austin.

Portes, A./Castells, M./Benton, L. (eds.) (1989) The Informal Economy: Studies in Advance and Less Developed Countries. The Johns Hopkins University Press. Baltimore.

PREALC (1981) Dinámica del subempleo en América Latina. International Labour Office. Santigo de Chile.

PREALC (1982) *Mercado de trabajo en cifras: 1950-1980.* Oficina Internacional del trabajo. Santiago de Chile.

PREALC (1986) *Cambio y polarización ocupacional en Centroamérica.* Editorial Universitaria Centroamericana. Costa Rica.

PREALC (1987) Ajuste y deuda social: un enfoque estructural. Oficina Internacional del Trabajo. Santiago de Chile.

Przeworski Adam y Henry (1970) *The Logic of Comparative Social Inquiry.* Wiley. New York.

Rabinovitz, Francine M./Trueblood, Felicity M. (1971-1978) *Latin American Urban Research* (seis volúmenes). Sage Publications. Beverly Hills.

Roberts, Bryan (1973) *Organizing Strangers: Poor Families in Guatemala City.* University of Texas Press, Austin.

Roberts, Bryan (1978) *Cities of Peasant.* Edward Arnold, London.

Roberts, Bryan (1989) Employment Structure, Life Cycles and Life Chances: Formal and Informal Sectors in Guadalajara, en A. Portes/M. Castells/L.A. Benton (eds.), *The Informal Economy: Studies in Advanced and Less Developed Countries.* Johns Hopkins University Press. Baltimore.

Rolnik, R./Kowarik, L./Somekh, N. et al. (1990) *São Paulo: Crise E Mudanca*. Editora Brasiliense. São Paulo.

Ruiz, C. H. (1990) Situación de la pobreza en Guatemala en la década de los ochenta. Documento. Ciudad de Guatemala. IDESAC.

Schoepfle, Gregory K./Pérez-López, Jorge F. (1989) Export Assembly Operations in Mexico and the Caribbean, en *Journal of Inter-American Studies and World Affairs* 31 (invierno).

Sethuraman, S.V. (1981) *The Urban Informal Sector in Developing Countries*. Oficina Internacional del Trabajo. Geneva.

Tokman, Victor (1982) Unequal Development and the Absorption of Labour: Latin America 1950-1980, en *CEPAL Review* 17.

Trejos, Juan Diego (1991) Informalidad y acumulación en el Area Metropolitana de San José, Costa Rica, en J.P. Pérez-Sáinz/R. Menjívar Larín (eds.), *Informalidad urbana en Centroamérica: entre la acumulación y la subsistencia*. Editorial Nueva Sociedad. Caracas.

Valdez, Cristóbal (1988) Modelo de desarrollo urbano y organización interna del espacio en Santo Domingo, D.N. IDDI- Fundacion Friedrich Ebert. Santo Domingo.

Wilkie, James W./Perkal, Adam (eds.) (1985) *Statistical Abstract of Latin America*, vol. 24. University of California - Latin American Center, Los Angeles.

Yunén, Rafael Emilio (1985) *La Isla como es*. Universidad Católica Madre y Maestra. Santiago.

La ciudad y la nación, la organización barrial y el Estado: los dilemas de la urbanización en Costa Rica a principios de los años noventa

Mario Lungo

Costa Rica: la urbanización antes y después de la crisis

En América Latina, Costa Rica se destaca como un país de estabilidad económica y social, a la que se une un régimen político profundamente democrático; su excepcionalidad descansa en la forma como se estructuró la sociedad desde la época colonial y en las acciones de un Estado de bienestar cuyo peso ha sido decisivo desde mediados del siglo XX.

No es de extrañar, entonces, que cuando la crisis de finales de los años setenta e inicios de los ochenta golpea al país, existe un importante desarrollo social que le permite resistir sus efectos de mejor forma que al resto de países de la cuenca del Caribe. Paradójicamente, sin embargo, este desarrollo acumulado podría ser un obstáculo para la necesaria reconversión de la economía costarricense. Hay, no obstante, una clara conciencia de ello y el principal desafío que se presenta es efectuar las transformaciones en su aparato productivo sin destruir el nivel de equidad social alcanzado y sin afectar la capacidad adquirida por su fuerza de trabajo, es decir, sin socavar las bases constitutivas de su democracia, dentro de una estrategia de desarrollo sostenible en un territorio cuyos recursos naturales han sido sensiblemente deteriorados durante las dos últimas décadas.

Cuando observamos el proceso de urbanización se destaca también su extraordinaria continuidad y la gradualidad de los cambios, no encontrándose aún a inicios de los años noventa transformaciones drásticas en el sistema urbano que se consolidara a principios del siglo, caracterizado por la primacía de la capital, San José; la concentración de la mayoría del resto de la población urbana en cinco ciudades situadas en el Valle Central (cuadro 1), lo que da un sello particular a la cuestión de la primacía urbana; y la similitud de las funciones económicas de estas ciudades intermedias, derivada de su papel en la economía agroexportadora primero, y en la industria sustitutiva de importaciones después.

Esta continuidad comienza sin embargo a mostrar indicios de agotamiento que se expresan en los cambios en el proceso de urbanización a partir de los años ochenta.

A nivel poblacional, observamos la rápida expansión del Area Metropolitana (AMSJ), y el inicio de la configuración de una Región Metropolitana que incluiría a cuatro de las seis principales ciudades del país (Carvajal/Vargas, 1988). Este proceso ocurre mientras disminuye el flujo migratorio hacia el Valle Central característico de las décadas cincuenta, sesenta y setenta (MIDEPLAN, 1986). La primacía urbana de San José, aunque disminuye durante la década mantiene un nivel importante, pasando de 6,0 en 1984 a 4,5 en 1990 (Lungo et al., 1992).

Cuadro 1

Población de las principales ciudades

(En miles)

	1950	1963	1973	1984	1990
AMSJ (a)	190	320	540	720	861
Alajuela (b)	14	20	34	43	65
Heredia (b)	12	19	26	41	56
Cartago (b)	13	18	35	34	61
Puntarenas	14	20	26	28	56
Limón	11	19	30	34	66

(a) AMSJ: Area Metropolitana de San José
(b) situadas en el Valle Central

Fuente: Dirección General de Estadísticas y Censos.

La evolución de la economía urbana del AMSJ muestra una doble característica: por un lado, la recuperación al final de los años ochenta de los niveles de producción y empleo existentes antes de la crisis, mientras disminuyen los salarios e ingresos y se mantiene estable el sector informal y el peso del empleo público; por otro, se inicia a mediados de la década la transformación de la economía de la ciudad, construida sobre el modelo de sustitución de importaciones y una fuerte participación estatal, hacia una economía orientada a las exportaciones basada en las zonas francas, la maquila y el desarrollo del sector servicios, a los que se suma el turismo.

La informalidad se estimaba en 22% del empleo del AMSJ, excluyendo el servicio doméstico. Su estructura interna también era muy estable y parecería que la lógica dominante era la acumulación y no la subsistencia (Trejos, 1991). Recordemos que la sociedad y la economía costarricense están altamente reguladas y que es un país donde históricamente la pequeña empresa ha sido importante.

El crecimiento poblacional y el inicio de cambios en la economía urbana provocaron una rápida expansión del territorio ocupado por el AMSJ. Interesa ver si ella modificó un patrón de asentamiento caracterizado, antes de 1980, por una fuerte imbricación de las distintas clases sociales en el espacio urbano metropolitano, lo que hacía difícil hablar de la existencia de una segregación espacial notable. Al iniciarse los años ochenta comienza a alterarse esta integración social en la ciudad. Aparecen rápidamente una serie de asentamientos precarios ilegales repartidos en toda el AMSJ, acompañados con desarrollo de un importante movimiento reivindicativo urbano (Molina, 1990).

Con igual rapidez reacciona el Estado y a partir de 1986 se impulsa un vigoroso programa habitacional que revierte el proceso anterior. Sin embargo la pobreza urbana creciente, unida a lo anterior, indica que el tradicional patrón de ocupación espacial se ha ido modificando y comienza a ser visible la segregación, asumiendo la forma de «bolsones» de pobreza repartidos por toda el AMSJ: «Las transformaciones ocurridas durante los años ochenta están en la base de la configuración de una nueva estructura social urbana donde el incremento de la pobreza, aunque no paralelamente de la informalidad, es su rasgo fundamental. En síntesis, estamos ante el inicio de una transformación en el sistema urbano y en la vida de las ciudades costarricenses que marca el fin del patrón de urbanización prevaleciente desde hace más de 40 años, abriéndose profundas interrogantes sobre su incidencia en el desarrollo del país y planteando retos alrededor del tradicional papel del Estado en la gestión del AMSJ» (Lungo et al., 1992).

La investigación y la encuesta

La fase anterior de este estudio permitió observar una serie de tendencias que podrían convertirse en obstáculos difíciles de salvar para construir un nuevo patrón de urbanización que mantenga los tradicionales rasgos de equidad y democracia que han caracterizado a Costa Rica. Entre ellos se encuentran, primero, la continuada concentración de la población, las actividades económicas y el poder político en el Valle Central; y segundo, las dificultades enfrentadas en la promoción de actividades económicas urbanas que posibiliten a la vez la inserción en el nuevo orden económico mundial y combatan la creciente pobreza urbana. Estos obstáculos contribuyen, además, a acentuar la segregación espacial que se ha iniciado en el AMSJ, y a un mayor deterioro del medio ambiente.

La identificación de estos obstáculos en formación orientó la segunda fase de esta investigación cuyos componentes fueron: primero, el estudio del proceso de urbanización de Puntarenas, ciudad portuaria situada fuera del Valle Central, para tratar de observar las posibilidades de equilibrar el sistema urbano ante la concentración en el Valle Central. Especialmente interesaba ver la factibilidad del desarrollo de zonas francas fuera de éste y su papel en la dinamización de áreas urbanas económicamente deprimidas como es el caso de Puntarenas (PREALC, 1990). Se analizaron así los principales proyectos de desarrollo impulsados por el Estado, en ejecución y programados para los años próximos, y se hicieron una serie de entrevistas en profundidad a dirigentes del sector público y privado para conocer sus opiniones sobre la zona franca recién creada en la ciudad y su papel en el desarrollo futuro de la ciudad.

El segundo componente fue el estudio de un conjunto de microempresas situadas en el AMSJ, específicamente en los barrios populares del centro de la ciudad de San José, dedicadas a la producción artesanal de calzado. Aunque la rama escogida para analizar la evolución de las microempresas no parecería tener un futuro promisorio por las razones que se expondrán más adelante, su análisis permitió observar en detalle algunos rasgos comunes del mundo micro y pequeño empresarial urbano de Costa Rica.

El tercer componente, el más importante y que consideramos clave para el diseño de futuras políticas de desarrollo de la ciudad, trató de captar cuáles son las percepciones que en torno a los problemas urbanos, su solución, y el gobierno de la ciudad, dejaron los años de crisis de la década pasada. Cuestión generalmente no abordada, quizás por la dificultad que presenta su análisis, ella fue explorada a través de la encuesta de 400 jefes de hogar en cuatro barrios de la ciudad. Se buscaba aquí detectar cuáles son los elementos subjetivos que podrían constituirse en obstáculos para el impulso de políticas y programas de desarrollo, y cuáles de ellos podrían ser elementos importantes para potenciarlos. La descripción de la muestra es el objetivo del apartado siguiente.

La encuesta estaba estructurada alrededor de cuatro aspectos: uno, la estructura, origen, nivel ocupacional e ingresos del grupo familiar; dos, el estado de la vivienda, su equipamiento y los servicios urbanos existentes; tres, la percepción de la situación económica de la familia, de la pobreza y de la segregación socio-espacial en la ciudad; y cuatro, la opinión sobre el papel de las autoridades municipales y la participación política y social a nivel barrial.

Dado el alto nivel de información existente sobre el AMSJ, especialmente en torno a los dos primeros aspectos, se decidió preseleccionar la muestra original, compuesta por 100 casos para cada uno de los tres barrios escogidos, encuestando 150 jefes de hogar asalariados y 150 jefes de hogar trabajadores por cuenta propia. Los restantes 100 casos, realizados en un cuarto barrio, fueron escogidos al azar. Esta decisión se basó en el hecho de que para el AMSJ los niveles de empleo (formal e informal), son suficientemente conocidos y que, más que realizar otra medición de los mismos, era más útil tener una proporción importante de jefes de hogar que fueran trabajadores por cuenta propia, pues queríamos observar con mayor detalle el acceso de ellos a los servicios de seguridad social y educación, sobre lo que informaciones recientes señalaban una tendencia al deterioro o al menos a una modificación en el nivel de su cobertura. Adicionalmente, esto nos permitiría obtener una muestra amplia del tipo de actividades a las que se dedican los trabajadores por cuenta propia en los barrios estudiados. Hay que recordar que la economía urbana del AMSJ está altamente formalizada.

Los barrios fueron seleccionados con el criterio de captar la diversidad existente en el mundo popular urbano de la manera lo más amplia posible. Así, se consideraron los aspectos siguientes: el origen del barrio, la clase social predominante, su antigüedad y ubicación en los diferentes momentos de expansión de la trama urbana, la situación física de las viviendas y la infraestructura, y el nivel de intervención del Estado. El cuadro 2 resume estos aspectos.

En Paso Ancho habitan ante todo familias de clase media-baja, pero existen muchas familias de ingresos medios y algunas de ingresos medio-altos. Se trata de un barrio con varias décadas de existencia, fuerte consolidación y buen estado físico ubicado en una de las primeras zonas de expansión de la ciudad en los años cincuenta, en el sector sur. Es una urbanización construida por particulares, donde la intervención del Estado se ha limitado a la dotación de infraestructura.

Barrio Cuba está habitado por familias de clase baja, integradas muchas de ellas por artesanos tradicionales, es un barrio central tradicional que data de las prime-

Cuadro 2—

Los barrios y sus características

Barrio	Origen	Clase social predominante	Antigüedad y ubicación en la trama	Situación física	Nivel de intervención del Estado
Paso Ancho	urbanización particular	media/baja	años 50 sur	buena	mínimo
Barrio Cuba	urbanización particular	baja	años 20 centro/sur	deteriorada	mínimo
15 de Septiembre	urbanización estatal	media/baja	años 70 sur/oeste	buena	alto
San Pedro de Pavas	invasión	baja	años 80 oeste	en mejora	medio

Fuente: trabajo de campo.

ras décadas de este siglo y que está en un claro proceso de deterioro físico. Al igual que el anterior, al ser una urbanización particular, el Estado se ha limitado también a la construcción de la infraestructura.

La colonia «15 de Septiembre» es también un barrio habitado predominantemente por familias de clase baja pero con un buen porcentaje de asalariados formales, muchos de ellos empleados públicos. De edificación más reciente, en los años setenta, y por consiguiente en buen estado físico, fue construido totalmente por el Estado y se ubica en otra zona de expansión de la ciudad, al suroriente, que alberga la mayor concentración de barrios populares de la ciudad.

Finalmente, San Pedro de Pavas, que a diferencia de los tres primeros que se encuentran en la zona sur aledaña al área central de la ciudad, se ubica en una zona relativamente alejada de ésta en la dirección oeste (ver mapa 1), es un barrio de invasión surgido en los años ochenta, con viviendas originalmente precarias que han sido sustituidas paulatinamente por viviendas mínimas construidas por el Estado. Su composición social es predominantemente de familias de muy bajos ingresos y puede ser catalogado como un barrio en proceso de consolidación y mejora paulatina de sus condiciones físicas.

La importancia de este último barrio para la investigación se basa en que permite observar, simultáneamente, las formas espontáneas de solución al problema de la carencia de vivienda y servicios urbanos por parte de los sectores populares, y las modalidades de intervención impulsados durante los años de la crisis por el Estado costarricense para combatir la pobreza urbana (Valverde, 1990).

Mapa 1

Ubicación de los barrios en la ciudad

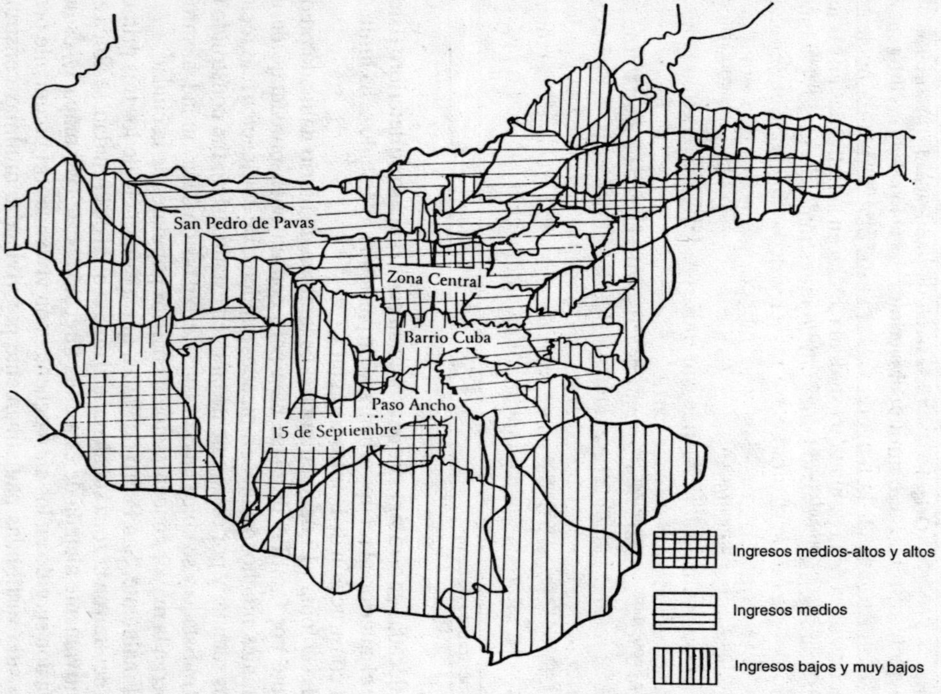

Fuente: MIVAH, 1990.

Situación de los grupos sociales estudiados

Como era previsible dada la selección de los barrios hecha, encontramos una población semejante en muchos aspectos: un bajo nivel de escolaridad que muestra que en promedio se ha cursado el nivel de la escuela primaria únicamente; un número de hijos bastante similar; el predominio de la religión católica; las viviendas son habitadas en la mayoría de los casos por la familia nuclear; etc. Las características de la población estudiada aparecen sintetizadas en el cuadro 3.

Las características sociodemográficas muestran otros rasgos comunes: predominio del género masculino entre los jefes de hogar, porcentaje relativamente semejante de parejas casadas, y un número promedio casi igual de personas habitando en las viviendas.

Hay otras dimensiones donde, sin embargo, se observan diferencias derivadas de las características de cada barrio.

Un dato que resalta rápidamente del cuadro es la baja proporción de los nacidos en la capital que habitan el asentamiento San Pedro de Pavas: 33%. La explicación podría estar en que es el único barrio cuyo origen es una invasión, y en los procesos migratorios que ocurrieron en los años previos a su creación. Sin embargo, no se contó con información para intentar una explicación válida. La fase anterior de

Cuadro 3

Características de la población estudiada

Dimensión	Barrio Cuba	Paso Ancho	15 de Septiembre	San Pedro de Pavas	Total
Hombres (%)	69,4	62,9	57,3	73,3	65,5
Edad promedio de los entrevistados	42	44	45	37	42
Casados (%)	61,2	70,5	56,3	61,4	63,0
Años de educación (promedio)	6	7	5	6	5,9
Graduados universitarios (%)	1,0	3,8	1,0	0,0	1,5
Número promedio de hijos	3	3,5	3,9	3,2	3,4
Católicos (%)	71,4	79,0	59,4	69,3	70,6
Nacidos en la capital (%)	54,6	57,3	33,0	55,6	49,5
Vivienda en propiedad (%)	54,1	66,6	82,3	93,1	74,8
Promedio de habitantes de la vivienda además del entrevistado	4,3	4,2	4,8	4,4	
Ingreso familiar promedio mensual (en dólares)	198	317	161	158	208

Fuente: encuesta realizada.

esta investigación mostró la insuficiencia de estudios sobre la migración interna a este nivel de detalle.

Aunque en los otros tres barrios sólo alrededor de la mitad nació en la capital, si se agregan los que provienen del Valle Central la cifra se eleva al 72,7%, por lo que menos de la tercera parte son inmigrantes de otras regiones del país. Es interesante destacar que de ellos 8,3% son extranjeros (principalmente de Nicaragua y El Salvador), lo que refleja el carácter de receptor de migrantes del país; esto se refuerza con el hecho de que casi dos tercios de los entrevistados no tengan parientes viviendo en el extranjero.

Se encuentra una poca movilidad espacial al observar la historia domiciliaria, lo que guarda relación con la estabilidad generalizada de la sociedad costarricense y con la alta proporción de viviendas en propiedad existente: 74,8%. Se trata en su casi totalidad de viviendas unifamiliares, que aunque son de condición humilde la mayoría, no se hallan en estado de precariedad notable salvo algunas excepciones. La mayor parte consta de cuatro habitaciones, y en los cuatro barrios existe un nivel de equipamiento y prestación de servicios urbanos de relativamente buen nivel y cobertura total.

Pero es también en San Pedro de Pavas donde vamos a encontrar el mayor número de viviendas en propiedad: 93,1%, debido a la fuerte intervención del Estado para regularizar los tugurios surgidos a finales de los años setenta y durante la década siguiente, generalmente a través de invasiones. En este aspecto, el asentamiento construido directamente por el gobierno, el «15 de septiembre», muestra una alta proporción de viviendas en propiedad: 82,3%, mientras el barrio de mayor antigüedad y en visible proceso de deterioro, Barrio Cuba, cuya ubicación es la más cercana al área central, presenta sólo un poco más de la mitad de las viviendas en esta situación legal.

La ausencia de una intervención directa del Estado en este antiguo barrio y el cambio de su población, por el proceso de deterioro, podrían explicar el alto porcentaje de viviendas en alquiler, 39,8%, casi el doble del porcentaje del conjunto de barrios analizados que llega al 21%.

Las diferencias en el nivel educativo según los barrios amerita también algunos comentarios. Aunque es una proporción mínima, el número de graduados universitarios en Paso Ancho coincide con el nivel de ingreso familiar promedio más elevado, lo que se explicaría por ser un barrio habitado por una importante cantidad de familias de ingresos medios. Por el contrario, en San Pedro de Pavas, asentamiento originado por una invasión, no se encuentra ningún universitario graduado entre los entrevistados y muestra el menor nivel de ingreso familiar promedio. Algunos aspectos de las dimensiones educativa y laboral aparecen en el cuadro 4.

La estabilidad del país, la cobertura de las políticas sociales urbanas (Lungo et al., 1992), y los bajos niveles de desempleo explicarían en buena medida el hecho de que sólo la mitad tiene un segundo empleo o realizan trabajos ocasionales. Los que tienen otros trabajos laboran en actividades muy diversas, ocurriendo lo mismo para los que realizan trabajos ocasionales.

Con respecto a lo anterior, y con base en otra investigación, hay una cuestión

Cuadro 4

Trabajadores por cuenta propia y asalariados formales por educación, trabajo ocasional y segundo empleo

	Educación			Trabajo ocasional		Segundo empleo	
	Primaria	**Secundaria**	**Secund. o más**	**No**	**Sí**	**No**	**Sí**
Cuenta propia	70 53,4	31 48,4	-- --	60 50,8	47 49,5	98 50,8	15 50,0
Asalariado formal	61 46,6	33 51,6	10 100	58 42,9	48 50,5	95 49,2	15 50,5
Total	*131* *63,9*	*64* *31,2*	*10* *4,9*	*118* *55,4*	*95* *44,6*	*193* *86,5*	*30* *13,5*
Chi cuadrado sig.		p<0,004			p<0,842		p<0,936
V de Cramer		0,22			0,01		0,005

que queremos plantear con carácter de hipótesis: a pesar de la estabilidad encontrada, se comienza a observar un incremento en la precariedad laboral que va más allá del deterioro de los salarios y que se extiende a otras dimensiones del trabajo mismo, hecho que debe ser estudiado por el obstáculo que podría estarse constituyendo para el desarrollo de las nuevas modalidades productivas que se piensa impulsar en el país.

En síntesis, la situación de los grupos sociales estudiados permite acercarse a facetas poco conocidas del mundo popular urbano de San José, especialmente las limitaciones del nivel educativo, la estabilidad espacial, el poco peso del segundo trabajo y de trabajo ocasional, y el debilitamiento durante los últimos años de seguridad social. Estas características incidirán en el papel de las políticas sociales, la percepción de sus problemas y los de la ciudad, y las vías para la superación de éstos. Sobre estas cuestiones trata el punto siguiente.

La ciudad, la nación y la percepción popular de la realidad urbana

El análisis de la percepción de los sectores sociales populares del AMSJ sobre la crisis de los años ochenta, y las valoraciones que ellos tienen sobre el impacto de ésta en sus condiciones de vida, en los problemas, en las posibles soluciones y en el gobierno de la ciudad, requiere señalar, aunque sea a nivel general, los rasgos principales del sistema político costarricense.

Costa Rica es el país más democrático de Centroamérica pero a la vez tiene el Estado más centralizado de la región. Proceso acentuado con la modernización del aparato gubernamental en 1948, se caracteriza además por el peso de la figura presidencial en todos los aspectos de la vida nacional (Trejos/Pérez, 1990). En el caso particular del AMSJ, presenciamos la combinación de una atomización del gobierno local con un alto nivel de centralización estatal.

En efecto, con el acelerado crecimiento poblacional a partir de 1950, la ciudad de San José dejó de ser sólo el Cantón Central del mismo nombre, transformándose en un conglomerado de municipios que forman actualmente el AMSJ. Esta situación no pareció preocupar a las autoridades de los gobiernos locales que fueron gradualmente absorbidos y que se limitaban a la prestación de servicios urbanos poco estratégicos, por lo que los problemas metropolitanos eran incumbencia del gobierno central a través de distintos ministerios e instituciones autónomas, generándose una disociación entre las autoridades encargadas del gobierno de la ciudad y los responsables de la prestación de los principales servicios (Moreno Sánchez, 1993).

Sólo hay dos problemas de escala metropolitana que, en distintos momentos, han creado fricciones entre los gobiernos municipales y el gobierno central, obligando a éstos a buscar acuerdos, aunque no se han resuelto aún: las inundaciones periódicas de algunas zonas del AMSJ y el manejo de los desechos sólidos (Lungo/Pérez, 1991).

Si agregamos a lo anterior el hecho de que no hay elección directa del responsable de la ciudad (el alcalde o el prefecto de otros lugares), lo que refuerza el centralismo al sobredimensionar la figura presidencial, podemos entender los resultados de la encuesta referidos a los problemas y al gobierno de la ciudad.

El análisis de la percepción de los sectores sociales populares sobre la realidad urbana del AMSJ se ha agrupado alrededor de cuatro aspectos: 1) la valoración sobre la evolución de las condiciones de vida, de la pobreza, y sus causas; 2) la percepción sobre los cambios en la segregación de las clases sociales en la ciudad; 3) la visión de la relación entre el barrio, la ciudad y el país, y el papel de sus autoridades políticas; y 4) la actitud hacia la participación social y política.

1. Sobre el primer aspecto, el estudio permite vincular la situación económica de los entrevistados, y la conformidad o no con ella, con las razones explicativas de la pobreza.

La pregunta referida al grado de conformidad con las condiciones de vida actuales en la ciudad, ante la cual la respuesta negativa fue ampliamente mayoritaria (75,9%), y la pregunta sobre la razón de por qué los pobres son más pobres, donde las respuestas negativa y positiva respecto a las oportunidades de trabajo se equilibran (41,8% la primera y 40% la segunda) indican que los entrevistados piensan que las oportunidades de obtener un trabajo no implica que esto se traduzca, necesariamente, en mejores condiciones de vida.

Existe en general una fuerte inconformidad con la situación económica de la familia con relación a la existente hace diez años, salvo entre los patrones, como lo muestra el cuadro 5.

La mayor inconformidad con las condiciones de vida no parece estar relacionada con la accesibilidad y calidad de los servicios urbanos. En el AMSJ el acceso al servicio domiciliario de energía y agua es prácticamente total, el servicio telefónico es uno de los mejores de América Latina, mientras el servicio de transporte

Cuadro 5

Cambios en situación económica de la familia por ocupación, edad y sexo

(En porcentajes)

	Ocupación					Edad			Sexo		
Situación familiar	Patrón	Formal	Informal	Cuenta propia	No trabaja	Menos de 40	40-60	Más de 60	Mujer	Hombre	Total
Mejor	56,0	40,0	31,6	36,3	22,1	39,6	33,6	29,5	29,2	39,7	36,3
Igual	20,0	16,4	13,2	20,4	10,5	17,4	17,8	9,1	17,5	16,0	16,4
Peor	24,0	43,6	55,3	43,4	67,4	43,0	48,6	61,4	53,3	44,3	47,4
Total	*50* *100*	*110* *100*	*38* *100*	*110* *100%*	*86* *100*	*207* *100*	*146* *100%*	*44* *100*	*137* *100*	*262* *100*	
Chi cuadrado: V de Cramer			p<0,00037 0,18				n.s.			n.s.	

público es relativamente eficiente, y como mostró la encuesta, la mayoría de los entrevistados señaló que este servicio está mejor que hace diez años. Unicamente el servicio de recolección de basura tiene un nivel menor al resto y ha provocado numerosas protestas.

Lo que sí podría plantearse es que esta inconformidad se vincula con el deterioro de la capacidad adquisitiva de los sectores populares y con la creciente precarización de las condiciones de trabajo a que nos refiriéramos antes (Tardanico/ Lungo, 1993; Lungo/Gómez, 1994), especialmente en ciertos sectores del empleo formal privado y del empleo público.

Otra razón adicional de la inconformidad, que se reveló en los resultados de la encuesta y es ampliamente debatida a nivel público, es la creciente inseguridad ciudadana, derivada del desfase entre el crecimiento de la ciudad y la cobertura y estructura de las fuerzas de la policía encargadas de la vigilancia del territorio metropolitano.

El detalle de las respuestas sobre las causas de la pobreza muestra que las que están asociadas a problemas estructurales de índole económica constituyen una importante proporción: los bajos salarios, casi 17%; la explotación por los más ricos, casi 15%; la falta de empleo, más de 11%; aunque la respuesta mayor atribuye la pobreza a los vicios, más de 27%.

Las razones explicativas de la pobreza, si se analizan según el nivel educativo de los entrevistados indican que, en todos los niveles de escolaridad las causas estructurales tienen un poco menos peso que las razones que podrían atribuirse a conductas individuales. La opinión contraria predomina ligeramente entre los de menor edad y entre las mujeres, teniendo esto último, quizás, relación con la alta tasa de participación femenina en el mundo del trabajo formal urbano costarricense (Tardanico, 1992; Lavell/Argüello/Cornick, 1986). En cuanto a las opiniones por categoría ocupacional, las causas estructurales tienen mayor importancia entre los asalariados informales y los que no trabajan que entre los patronos y los trabajadores por cuenta propia. Sin embargo, como lo muestra el cuadro 6, estas variables no son totalmente significativas.

Los datos anteriores sugieren la necesidad de explorar a quiénes pudiera atribuirse la culpa de la misma, ya que esto puede repercutir en las actitudes hacia la participación social y política.

2. Hasta finales de los años setenta predominaba, en el AMSJ, una integración espacial caracterizada por la existencia de viviendas de familias de bajos ingresos en medio de grupos de viviendas de sectores de medios y altos ingresos, y en menor medida a la inversa, sin que se constituyeran los «bolsones» antes mencionados. Este fenómeno, que comienza a desarrollarse con fuerza a partir de la década de los ochenta especialmente por el proceso de toma de tierras, podría explicar las apreciaciones recogidas en la encuesta de que al finalizar esta década, los pobres y los ricos vivían más separados que antes (MIVAH-PNUD/CNUAH-FINNIDA, 1990).

En general podemos afirmar que la población muestra una percepción acertada de cuáles son los barrios donde viven los sectores sociales de mayores ingresos y aquellos donde habitan los pobres, y la mayor parte, alrededor del 70%, cree que en

— Cuadro 6

Razones de la pobreza por sexo, edad, educación y ocupación

(En porcentajes)

Razones de las pobreza	Sexo		Edad			Educación			Ocupación					Totales
	Mujer	Hombre	-40	40-60	+60	menos prim.	menos secund.	más secund.	Patrón	Formal	Informal	Cuenta propia	No trabaja	
No quiere trabajar	36,0	44,8	38,8	44,8	45,5	43,0	39,6	38,5	46,8	39,1	34,2	45,5	39,5	36,3
No tiene oportunidad	46,3	36,7	41,3	38,5	38,6	40,2	38,6	38,5	34,0	40,9	44,7	36,6	45,3	16,4
Ninguna de esas	17,6	18,5	19,9	16,8	15,9	16,7	21,8	23,1	19,1	20,0	21,1	17,9	15,1	47,4
Total	*136*	*259*	*206*	*143*	*44*	*251*	*101*	*13*	*112*	*47*	*38*	*113*	*86*	
	100	*100*	*100*	*100*	*100*	*100*	*100*	*100*	*100*	*100*	*100*	*100*	*100*	*100*
Chi cuadrado:	n.s.			n.s.			p<0,83422				p<0,86647			
V de Cramers	0,06			0,07										

n.s. = no significante

la actualidad los ricos y los pobres viven más separados que hace diez años, imagen que tiende a reforzarse por el surgimiento de «bolsones» de pobreza (Lungo et al., 1992).

Para obtener una percepción diferenciada de la segregación espacial, el cuadro 7 recoge la opinión según la ocupación, el *status* migratorio y el tipo de tenencia de la vivienda.

Claramente la mayoría de los entrevistados, cualquiera sea su ocupación, *status* migratorio o tipo de tenencia de la vivienda, opinó que hoy viven en San José más separadas las distintas clases sociales. Especialmente fuerte es esta opinión entre los que nacieron en ciudades de menos de 5 mil habitantes, lo que podría estar vinculado a su origen campesino. Nuevamente las variables no muestran mayor nivel de significación, pero lo importante de esta información es que ella permite captar la percepción de que la histórica igualdad y la poca segregación socio-espacial, que caracterizaba al país y al AMSJ hasta los años setenta, ha comenzado a romperse, planteando un serio desafío al desarrollo urbano futuro.

Sin embargo, 72,9% se mostró contento de vivir en su barrio. El importante peso de las viviendas en propiedad y la poca movilidad espacial de las familias estudiadas sugiere la existencia de un fuerte sentido de pertenencia, cuestión que es común a los barrios populares en general en el país. Esto parece válido incluso para el barrio menos homogéneo socialmente, Paso Ancho, donde se encuentra además un importante nivel de organización barrial.

Cuando se observa la autoidentificación de clase según la ocupación resalta a primera vista el poco porcentaje que se considera clase media, el cual es mínimo en el caso de los asalariados informales. Esto cuestiona una extendida opinión prevaleciente en Costa Rica que afirma que la mayoría de la población se considera de clase media, y que quizás guarda relación con el empobrecimiento observado a partir de inicios de la década de los ochenta. La autoidentificación como clase trabajadora gira alrededor de la mitad, salvo para los patrones que se ubican allí en clara mayoría. Prácticamente los asalariados informales se reparten en partes iguales entre los que se identifican como clase trabajadora y clase pobre.

Cuando se relaciona la autoidentificación de clase con el carácter migratorio y con el tipo de tenencia de la vivienda, se encuentra una tendencia similar a considerarse, la mayoría, como clase trabajadora (cuadro 8).

Si se observa la autoidentificación de clase para cada uno de los barrios, las opiniones coinciden bastante con las descripciones que se hicieron sobre cada uno de ellos lo que tiende a validar la selección hecha de los mismos como representativos de diversos tipos dentro del universo popular, y no como una muestra de barrios al azar (cuadro 9).

¿Cuál es la utilidad que tiene este tipo de información? Si ella se inscribe en el contexto político y en el proceso de urbanización del país, el hecho de reconocer un empobrecimiento urbano creciente puede, por el peso del Estado costarricense en la formulación y ejecución de las políticas sociales en los últimos cincuenta años, incidir en las políticas de desarrolllo urbano futuro. Tal parece ser el caso con el programa de las 80.000 viviendas lanzado desde antes de asumir la presidencia en 1986 Oscar Arias (Lungo/Piedra, 1991), y que detuvo la proliferación de las

Cuadro 7

Polarización de clase por vivienda, migrante, ocupación %

Clases sociales en la ciudad	Vivienda			Migrante				Ocupación					Totales
	Propia	**Alquil.**	**Otra**	**San José**	**5.000-10.000**	**Menos 5.000**	**Extranjeros**	**Patrón**	**Formal**	**Informal**	**Cuenta propia**	**No trabaja**	
Más mezclados	26,6	21,3	24,5	30,9	21,3	18,8	21,9	25,5	26,6	24,3	28,6	18,8	25,3
Más separados	73,4	78,8	75,5	69,1	78,7	81,3	78,1	74,5	73,4	75,7	71,4	81,2	74,7
Total	*263*	*80*	*49*	*162*	*174*	*16*	*32*	*47*	*109*	*37*	*112*	*85*	
	100	*100*	*100*	*100*	*100*	*100*	*100*	*100*	*100*	*100*	*100*	*100*	*100*
Chi cuadrado:		n.s.			n.s.					n.s.			
V de Cramers		n.s.			n.s.					n.s.			

n.s. = no significante.

Cuadro 8

Autoidentificación de clase por tipo de vivienda, migrante y ocupación

(En porcentajes)

	Vivienda			Migrante				Ocupación					
Auto-identificación	**Propia**	**Alquilada**	**Otra**	**San José**	**5.000-10.000**	**Menos 5.000**	**Extranjeros**	**Patrón**	**Formal**	**Informal**	**Cuenta propia**	**No trabaja**	**Totales**
Clase media	13,3	6,1	4,1	11,7	9,2	17,6	12,1	14,0	12,0	2,7	11,6	9,4	10,7
Clase trabajadora	56,7	61,0	49,0	60,7	53,8	64,7	48,5	72,0	55,6	51,4	56,3	51,8	56,6
Clase pobre	30,0	32,8	46,9	27,6	37,0	17,6	39,4	14,0	32,4	45,9	32,1	38,8	32,7
Total	*263*	*82*	*49*	*163*	*173*	*17*	*33*	*112*	*50*	*37*	*108*	*85*	
	100	*100*	*100*	*100*	*100*	*100*	*100*	*100*	*100*	*100*	*100*	*100*	*100*

Chi cuadrado:	p<0,4457	n.s.	p>0,7933
V de Cramer:		0,11	0,13

n.s. = no significante.

Cuadro 9

Autoidentificación de clase por barrio

	Paso Ancho	Barrio Cuba	15 de Septiembre	San Pedro de Pavas
Clase media	16 15,4	12 12,4	8 8,3	6 6,2
Clase trabajadora	62 59,6	56 57,7	57 59,4	48 49,5
Clase pobre	26 25,0	29 29,9	31 32,3	43 44,3
Total	*104* *26,4*	*97* *24,6*	*96* *24,4*	*97* *24,6*

Chi cuadrado sig.: p<0,060
V de Cramer : 0,12

invasiones urbanas y la conformación de asentamientos precarios, a la vez que impidió una mayor segregación socioespacial a pesar del surgimiento de «bolsones» de pobreza en el AMSJ.

3. La encuesta recogió también opiniones sobre los cambios en la ciudad y sus responsables. Aquí volvemos a encontrar el peso del gobierno central y especialmente de la figura presidencial y, por consiguiente, de fenómenos asociados al país en general y no estrictamente a la ciudad.

Así, a la pregunta sobre quién era la máxima autoridad de San José, 78% dio una respuesta equivocada y 80% contestó erróneamente sobre cuál era su cargo. Las respuestas van más allá del simple desconocimiento y reflejan el peso del presidencialismo a que nos hemos referido antes. Más de la mitad de los entrevistados señaló al presidente de la República como la máxima autoridad de la ciudad. Otra importante proporción mencionó el nombre de ministros que aparecían con frecuencia por esos días en los medios de prensa respondiendo a problemas importantes de nivel nacional. El resto de respuestas se repartieron en una gama amplia de personajes. Nadie mencionó al gobierno municipal, ni siquiera al ejecutivo municipal, quien funge como el gerente administrativo de la municipalidad, es nombrado generalmente en aguda y pública polémica entre los dos partidos tradicionales que dominan el Concejo Municipal, tiene una importante cuota de decisión y aparece con frecuencia dando declaraciones públicas.

Sorprende, sin embargo, que las respuestas a las preguntas sobre el comportamiento del gobierno municipal tengan otro sentido. Así, 56,5% sostuvo que éste tiene el poder y la capacidad para resolver los problemas de la ciudad. Creemos que, frente a un gobierno local tan débil como el de San José, muchas de las respuestas se asocian más a la capacidad del gobierno central. Esto, sin embargo, no pudo ser captado por la encuesta. Por otra parte, 39% afirma que éste satisface de manera menos eficiente las necesidades de la población en relación con la forma en que lo hacía diez años antes, mientras que 30% la calificó como más eficiente. ¿A qué necesidades se referirán las personas entrevistadas? Esta pregunta no es gratuita dado el poco conocimiento de la frontera que separa las atribuciones del gobierno municipal de las del gobierno central.

Sobre la transformación más importante ocurrida en San José durante los últimos diez años, la respuesta predominante fue el cambio de gobierno, con 13,6%, y aunque le sigue la política de vivienda con 12,1%, el premio Nobel de la Paz otorgado al presidente Arias ocupa el tercer lugar con 8,7%. Basta un rápido examen de la historia del país durante los años ochenta para darse cuenta de que había dos cuestiones que preocupaban a la mayoría de los costarricenses: los conflictos armados en Centroamérica y el problema de las viviendas precarias, que dio origen a un importante movimiento reivindicativo urbano (Molina, 1990), impulsado como en muchos otros casos desde el gobierno mismo. Estos cambios fueron valorados positivamente por 62,4% de los entrevistados. Ellos se atribuyeron al gobierno central (23,2%), al propio presidente Arias (15,8%), y paradójicamente al pueblo en general (16,6%). Estas valoraciones muestran, otra vez, el poco papel asignado al municipio en la solución de los problemas de la ciudad, lo que marca una sensible diferencia con otros países latinoamericanos.

Los cambios en la ciudad deseados por los entrevistados son también de índole general. El 20% habló de mejorar los programas sociales; casi 15% mencionó el cambio de gobierno; más de 11% propugnó por el mejoramiento de la seguridad pública; y casi 11% piensa que se deben incrementar las fuentes de empleo, observándose de nuevo una difusa percepción de lo que significa la ciudad.

Es conveniente señalar que el Estado costarricense siempre ha tenido un activo papel en la promoción de las organizaciones de la sociedad civil, y que esto ha sido interiorizado como un hecho normal por parte de la mayoría de la población. Un buen ejemplo lo constituye la cooptación, por parte del gobierno, de los movimientos provivienda surgidos en los años iniciales de la década pasada.

Cuando se preguntó quién podría impulsar los cambios deseados, las respuestas conducen al Presidente (74%), al pueblo (14,4%), a diferentes ministros (8%); y en último lugar (4,3%) a la municipalidad.

El panorama es claro. Al peso del centralismo y la debilidad del gobierno local corresponde una difusa percepción sobre los encargados de dirigir la ciudad y atender sus problemas, los que, por otra parte, quedan subordinados a los problemas globales del país. Esta realidad puede estar relacionada también con el alto nivel de concentración urbana en el Valle Central donde, como recordamos, están asentadas formando una aglomeración urbana continua cuatro de las seis principales ciudades del país (Carvajal/Vargas, 1988).

Extraña situación donde se diluyen a nivel político los límites entre la ciudad y el país, entre lo urbano y lo nacional. Donde parece extremadamente débil la percepción de la ciudad como un ente autónomo, lo que pudiera estar relacionado con el peso de la cultura campesina y el presidencialismo imperante.

4. Veamos por último cuál es la vinculación entre esta percepción y la actitud manifestada frente a la participación política.

Sobre ella casi los dos tercios, 58,9%, sostuvo que era necesario organizarse y participar en política, y sólo 37,3% se opondría. Viendo en detalle en qué tipo de participación estaban pensando, se observa que 62,6% se refiere a los comités de vecinos y sólo 7,5% a los partidos políticos. Sin embargo, y a pesar de que hay un relativamente buen conocimiento de las organizaciones barriales existentes y una percepción positiva levemente mayoritaria aunque contradictoria como se observa en el cuadro 10, hay un bajo nivel de participación en las mismas que alcanza a ser sólo una cuarta parte de los entrevistados.

La opinión sobre la utilidad del trabajo de las organizaciones barriales presenta algunas variaciones interesantes. Por ejemplo, en Barrio Cuba, donde hay un proceso de deterioro acentuado, tanto los católicos como los evangélicos tienen una mayoritaria opinión negativa, lo que llama la atención pues existía en este barrio, en el momento de realizar la encuesta, una aguda confrontación entre ambos grupos religiosos. En el resto de barrios la situación es un tanto diversa, desde Paso Ancho, donde la opinión de los católicos es positiva en su mayoría, hasta San Pedro de Pavas, donde la opinión positiva de los evangélicos es importante. Creemos que esto está relacionado con el carácter del trabajo de desarrollo comunitario de la Iglesia católica en Costa Rica, desigual territorialmente, débil con relación a su trabajo con los pobres en muchas de las otras ciudades de América Latina, y a su estrecha asociación con los gobiernos, principalmente los socialdemócratas, desde los años cuarenta.

Barrio Cuba es además el único barrio donde las mujeres que piensan que el trabajo de las organizaciones barriales ayuda al desarrollo de la comunidad son un número menor que los hombres que piensan lo mismo. Lo anterior se vincula al hecho de que es también el barrio más tradicional y donde hay menos intervención del Estado. Nuevamente en el barrio donde hay mayor desarrollo de las organizaciones comunales, Paso Ancho, es donde las mujeres tienen una mayor opinión positiva sobre la utilidad del trabajo de estas organizaciones. Lo mismo ocurre cuando los jefes de hogar no están acompañados y que corresponde en su casi totalidad a mujeres.

En Costa Rica, el trabajo de desarrollo comunal urbano de las ONG es realmente poco en relación con otros países del continente y, como decíamos antes, está estrechamente ligado al apoyo gubernamental brindado a la organización de las comunidades urbanas.

Sobre la participación en las organizaciones barriales se hizo un análisis multivariado, y como indica el cuadro 11, la única variable significativa fue la referida a los ingresos familiares, donde a mayores ingresos es mejor la opinión sobre la participación en organizaciones de desarrollo comunal o afines.

Tres cuartas partes de los entrevistados piensan que el gobierno debe dar más apoyo a las organizaciones barriales por representar verdaderamente los intereses de la comunidad. Aquí se presenta un elemento que puede ser clave para las políticas de desarrollo y urbana a impulsar en los años futuros. En un país donde el peso del Estado ha sido tan importante en la promoción de las organizaciones

— Cuadro 10

Opinión sobre las organizaciones barriales por religión, estado civil y sexo

(En porcentajes)

Proporción	Sexo		Estado civil		Religión			Total
«ayudan»	Mujer	Hombre	Casado	Soltero	Católico	Evangélico	Otro	
Barrio Cuba	13,3	27,9	28,8	12,5	18,6	30,0	50,0	13,7
Paso Ancho	66,7	51,5	59,0	47,1	61,4	27,3	54,5	35,9
15 de Sept.	53,7	40,0	50,8	37,1	49,1	37,2	46,7	26,3
San Pedro	46,4	37,0	40,7	35,0	34,3	45,0	63,6	23,9
Total (n)	*65*	*102*	*135*	*32*	*116*	*27*	*24*	*100*

comunales en los barrios, imponiendo un claro tutelaje político que hace que las acciones de estas organizaciones barriales se mezclen con las acciones de las instituciones gubernamentales, lograr la independencia del papel de las organizaciones de base en el desarrollo económico y social puede constituir un poderoso estímulo para la descentralización de determinados programas sociales y para promover actividades económicas urbanas de nuevo tipo.

— Cuadro 11

Regresión logística: utilidad de la participación en organizaciones barriales con base en predictores seleccionados

Variables independientes	B	Sig.	Exp. (B)
Sexo	-,2387	0,3574	0,7877
Edad	0,0035	0,7088	1,0035
Educación	0,0032	0,9396	1,0032
Ingresos	0,0012	0,0184	1,0012
Ocupación		0,652	
cuenta propia	-,1787	0,6653	0,8364
patronos	-,7691	0,1137	0,4634
informales	-,1756	0,6683	0,8390
no trabaja	0,4967	0,2706	1,6434
Religión		0,1215	0,7382
católico	-,3036	0,3075	0,7382
evangélico	1,3720	0,1081	3,9433
otro	0,5025	0,1918	1,6529
Constantes	-,2732	0,6368	
Bondad de ajuste:	362,346		
Casos estimados correctamente:	62,36%		

Porque la participación en las organizaciones barriales ha estado vinculada a los programas sociales dirigidos a la población pobre urbana existentes desde 1970, canalizados a través del Programa de Asignaciones Familiares (Lungo et al., 1992). Sobre ella queremos plantear otra hipótesis: los programas sociales se conciben en general por los usuarios como actividades normales y permanentes del gobierno y no como programas especiales de ayuda social para los pobres de la ciudad. Es sólo a partir de 1986, con la creación del bono para la vivienda, que se comienza a percibir el sentido compensatorio de éstos.

También sobre la participación en los programas sociales se hizo un análisis multivariado, correspondiendo los valores significativos únicamente a los desocupados, y parcialmente a la edad (los más jóvenes).

Como se ha observado en un análisis comparativo sobre la participación política en los cinco países estudiados (Portes/Itzigsohn, 1994), quizás por el peso del Estado en el caso costarricense, aunque hay una cierta opinión positiva sobre los beneficios que trae la acción de las organizaciones barriales, a la hora de participar se privilegia a los partidos políticos, no solamente en los momentos electorales, sino a través del cabildeo constante con quienes, en Costa Rica, representan con más fuerza los intereses locales: los diputados a la Asamblea Legislativa.

En este caso, la peculiar forma de promover la participación en las organizaciones barriales no es, como sucede en regímenes autoritarios a través de la apertura de espacios políticos, sino a través de la promoción directa por parte del gobierno central de estas organizaciones, lo que les da a la vez una mayor permanencia y una mayor debilidad por su poca autonomía.

Si la ciudad se diluye en la nación, la organización barrial se mezcla con las instituciones estatales, creando un nudo de percepciones conflictivas que es necesario romper para impulsar nuevas formas de participación ciudadana en el desarrollo de la ciudad.

La microempresa del calzado: el difícil camino hacia el desarrollo

Para una mejor comprensión de la situación de las microempresas del calzado estudiadas, es necesario recordar el alto nivel de regulación de la economía en Costa Rica y el bajo nivel de desempleo abierto que caracteriza al mercado de trabajo (Tardanico/Lungo, 1993).

La encuesta mostró que sólo 5,5% de los entrevistados estaba desempleado, tasa muy cercana al nivel existente en la ciudad al momento de su realización.

Es útil, además, detenerse en algunas características de los trabajadores por cuenta propia que se desprenden de la encuesta hecha. Sus establecimientos producen principalmente calzado: 19,4%; ropa: 15,9%; y muebles: 8,3%. Otro 11,8% son comercios minoristas. Casi todos estos establecimientos venden directamente al público: 70,2%. Aunque la encuesta no posibilita saber a qué tipo de empresas se vendía en los casos restantes, y tratar de ver los niveles de contratación previa, no parece haber un proceso de subcontratación de ellos por parte de empresas grandes, salvo en los pocos casos de maquila textil domiciliaria.

El tiempo de trabajo semanal de los trabajadores por cuenta propia, patronos de microempresas en su mayoría, muestra una enorme dispersión que está asociada con el poco desarrollo de la división del trabajo y especialización de funciones. El 41,4% tiene algún tipo de trabajadores a su cargo; en la mayoría de los casos se trata de un familiar sin sueldo, otro a sueldo y uno o dos asalariados no familiares. Casi nadie está cubierto por algún tipo de seguro, información que cuestiona el mito sobre la cobertura universal del sistema de seguridad social costarricense, a pesar de existir la opción del seguro individual voluntario. En los casos de los trabajadores a sueldo que no están cubiertos por la seguridad social, y que constituyen aproximadamente un tercio, ellos deben corresponder a trabajos asalariados no regulados, como las personas que trabajan en pequeños talleres artesanales.

Siendo hombres las dos terceras partes de los jefes de hogar entrevistados, el cónyuge resultó ser, en su mayoría, amas de casa. Los datos, por la ambigüedad sobre su *status* laboral, no permiten concluir más que la mayoría de ellas se dedica a la atención del hogar, destacándose entre las que trabajan fuera de estas actividades, las costureras y los comerciantes minoristas.

En Costa Rica existe una larga tradición asociativa en torno a las actividades económicas entre las que sobresalen las cooperativas. Es además un país donde el peso de los pequeños propietarios y la pequeña empresa en general es singularmente importante, teniendo estas últimas un grado de formalización sumamente elevado.

Por las razones anteriores, seleccionamos un conjunto de microempresas de una rama donde el trabajo informal es importante, el calzado, con el objetivo de analizar las posibilidades de su transformación de «actividades de subsistencia» en «actividades de crecimiento» (Portes, 1989; Portes/Schauffer, 1993). Para ello escogimos diez microempresas con distinto grado de desarrollo, desde el más bajo hasta uno que puede considerarse en situación de despegue, ubicadas en los barrios populares centrales del AMSJ, que incluía entre ellos a uno donde se realizó la encuesta, Barrio Cuba.

Veamos algunos datos sobre los microempresarios y sus establecimientos antes de analizar cuáles son los principales obstáculos que enfrentan para elevar su nivel tecnológico, poder articularse a empresas formales, participar en programas de exportación y competir en el mercado internacional.

La mitad de los microempresarios tiene baja escolaridad ya que no finalizaron la escuela primaria y uno no asistió nunca. Del resto, tres no terminaron la secundaria y tres asistieron a la universidad, aunque no terminaron sus estudios. Unicamente dos, integrantes del último grupo, han recibido cursos de adiestramiento técnico. La experiencia laboral en el sector del calzado es amplia en todos los casos, y salvo uno, todos han trabajado la mayor parte de su vida en esta actividad.

Cinco establecimientos están ubicados en la misma vivienda de los propietarios, tres en una casa donde viven familiares directos, y únicamente dos están en locales dedicados exclusivamente a las actividades productivas.

El origen de la mayoría de los establecimientos fue la búsqueda de independencia económica o el mejoramiento de los ingresos. Tres de los casos estudiados recibieron los establecimientos ya creados como herencia de sus padres, y en el resto su creación se apoyó en relaciones con ex patrones, proveedores y vendedores. Nos encontramos pues, frente a una densa e importante red de relaciones sociales que ha incidido decisivamente en la creación y el funcionamiento de estas microempresas. La existencia de esta red puede ser interpretada como capital social, especialmente en sus formas de «introyección de valores» o de «reciprocidad de intercambios» (Portes/Sensenbrenner, 1993). Esto es, sin embargo, contradictorio, como expondremos más adelante.

En todos los casos la inversión inicial fue mínima, limitándose a una máquina, herramientas y moldes. Sin embargo, los que heredaron los establecimientos partieron contando con capital de trabajo a diferencia del resto. En el momento actual, en todos los casos el capital inicial se ha incrementado, pero esto no se ha traducido necesariamente en la superación del carácter de actividad de «subsistencia». El capital actual se distribuye entre las máquinas tradicionales, las herramientas, el pago de salarios, los productos terminados y los productos en proceso, notándose una casi nula inversión en la compra de equipo moderno.

Sin embargo el número de empleados ha aumentado, triplicándose al menos la mayoría de establecimientos, pero prevaleciendo la contratación de parientes, lo que mantiene el rasgo original predominante de empresas familiares.

El crecimiento de la producción, medido semanalmente, es relativamente importante, salvo en dos casos que es nulo. Este se ha incrementado hasta 16 veces en el caso más exitoso y promedia 3 en el resto. No hay sin embargo una relación siempre directa entre el número de trabajadores y el volumen de la producción.

Así por ejemplo, el establecimiento X, que tiene el mayor volumen de producción, cuenta con 12 empleados (4 alistadores, 6 montadores, 1 diseñador y 1 supervisor de producción). El establecimiento VIII, que cuenta con 11 empleados (de ellos 4 son alistadores y 5 montadores), no logra producir ni 75% del establecimiento anterior, contando ambos con una máquina troqueladora. La situación sugiere que la diferencia en la productividad se explica por la distinta forma de organización del trabajo en el interior de cada establecimiento, en donde la presencia de dos puestos específicos, el diseñador-troquelador y el supervisor puede ser la clave. Los establecimientos IV y IX, que cuentan cada uno con 6 trabajadores, muestran sin embargo una notable diferencia en su productividad (cuadro 12).

La división del trabajo muestra un esquema altamente artesanal vinculado al atrasado nivel de desarrollo tecnológico de los establecimientos. Separan el proceso en dos fases: alistado y montado, y sólo un establecimiento incluye una tercera fase, el terminado. Los propietarios en pocas ocasiones asumen el trabajo de producción, dedicándose principalmente a la administración y más que todo a la comercialización del calzado, actividades en las que generalmente son apoyados por las esposas.

Respecto al uso de crédito se encontró que de los cinco casos que han obtenido créditos bancarios, sólo dos lo han utilizado para compra de maquinaria. El resto lo ha destinado para comprar o mejorar la vivienda o para gastos personales (cuadro 13). En general obtienen crédito de corto plazo por parte de los almacenes provee-

Cuadro 12

Evolución del número de empleados y de la producción

Establecimiento	Empleados iniciales	Empleados actuales	Producción inicial**	Producción actual
I	1	4	16	50
II	1	8	20	250
III	4	9	60	120
IV	1	6	13	89
V	1	2	11	12
VI	1	20	23	375
VII	1	3	20	40
VIII	4	12	50	300
IX	2	6	50	180
X	2	12	90	500

(*) exceptuando al jefe
(**) número de pares semanales

Fuente: entrevistas hechas.

dores de materias primas y salvo esta modalidad no existe un uso del crédito de forma regulada y sistemática.

Es claro que estas disparidades están relacionadas tanto con el bajo nivel de desarrollo tecnológico como con la forma artesanal de la división del trabajo imperante entre las microempresas del calzado de Costa Rica. Estos obstáculos no han sido superados a pesar de haberse desarrollados dos experiencias asociativas entre ellas.

En efecto, desde 1981 hasta 1990 existió una cooperativa autogestionaria llamada COOPENASA, que llegó a reunir a más de 500 microempresarios del calzado. Su creación fue sin embargo inducida por el gobierno para responder a las demandas de los sindicatos de zapateros, lo que la convirtió en una organización de carácter paternalista financiada por el Estado, cuestión que queda clara cuando se planteó, entre sus objetivos, desarrollar «mercados cautivos» entre distintas asociaciones de trabajadores y se limitó a la obtención de menores precios para los insumos.

La otra experiencia asociativa, la Asociación Siglo XXI, formada en 1986 e integrada mayoritariamente por zapateros nicaragüenses, es extremadamente débil, aunque nace del seno de los zapateros mismos, muestra las mismas limitaciones, y expresa aún con mayor transparencia el carácter gremial y artesanal subyacente entre la mentalidad de los asociados, que aunque llena de solidaridad, carece de una visión empresarial moderna que les permita desarrollarse (lo que podría calificarse como un efecto perverso del capital social).

¿Cuáles son, en este panorama, los factores que han posibilitado a algunas de las microempresas estudiadas un mayor crecimiento respecto a otras?

Cuadro 13

Acceso y uso de crédito

Establecimiento	Institución crediticia	Uso del crédito	Pagos (en dólares)
I	Banco	Compra de vivienda	42,00 (mensual)
	Almacén	Compra materia prima	190,00 (semanal)
II	Institución promotora	Compra materia prima	128,00 (mensual)
III	Banco	Compra de maquinaria	80,00 (mensual)
	Almacén	Compra materia prima	80,00 (mensual)
IV	—	—	—
V	Almacén	Compra materia prima	320,00 (semanal)
VI	Almacén	Compra materia prima	160,00 (semanal)
VII	Banco	Compra de maquinaria	46,00 (mensual)
VIII	—	—	—
IX	Banco	Compra de casa	76,00 (mensual)
X	Banco	Gastos personales	80,00 (mensual)

Fuente: entrevistas hechas.

La primera cuestión que resalta a la vista es que los cuatro establecimientos que han logrado incrementar su volumen de producción son aquellos que mantienen algún tipo de relación con la industria formal, lo que puede haberles permitido mejorar la gestión de sus microempresas. Esto es claro en los dos casos en que los propietarios habían trabajado previamente en una fábrica industrial de calzado. Obviamente se encuentran entre aquellas que se iniciaron con un capital mayor, proveniente de herencias o ahorros previos.

Importante también es el hecho de mantener relaciones con talleres de mayor escala, con proveedores de gran envergadura y el estar insertas en un sistema de comercialización formal también de dimensiones importantes. Hay todo un bagaje de información sobre nuevos métodos de trabajo, posibilidades de crédito, equipo innovador y las tendencias de la moda que se capta a través de estas relaciones. Lo anterior puede ser tipificado como la existencia de capital social que actúa en sentido positivo y puede contribuir al desarrollo de las microempresas estudiadas en los casos en que exista y tenga un peso importante.

¿Qué mecanismos plantean estos microempresarios para lograr un mayor desarrollo de sus establecimientos?

Aquí las respuestas muestran las limitaciones típicas de la mentalidad de los artesanos. Se insiste en asociarse pero sólo para buscar mejores precios a los insumos utilizados. Se habla de comprar tal o cual máquina tradicional y explorar subcontratación por los problemas existentes con los trabajadores. Es extendida la opinión de que sería útil tener sus propios locales de venta directa al público. Nos encontramos pues, ante el clásico mundo artesanal encerrado en sí mismo y profundamente apegado a sus tradiciones donde incluso el conocimiento del sector industrial productor del calzado, sus problemas y potencialidades, son desconocidas en buena medida.

Podríamos plantear que estamos en presencia de capital social que actúa en sentido negativo. En efecto, el mundo artesanal de los zapateros contiene comportamientos sociales que afectan los objetivos económicos de sus miembros, entre ellos el orgullo por la forma artesanal de fabricar los zapatos, el apego a ciertos diseños tradicionales, los rituales en torno al calendario de trabajo (no laboran los días lunes), etc., y que indudablemente constituyen obstáculos que impiden lograr una acumulación sostenida a estas microempresas.

Observemos brevemente las políticas estatales hacia esta rama de producción. Según análisis oficiales las debilidades competitivas más importantes de la industria del calzado en Costa Rica radican en la organización interna de la industria, las características de las materias primas y el rezago tecnológico que se traducen en una baja productividad; a estos factores internos negativos se suma la dificultad de acceso a mercados internacionales y la ausencia de creatividad en el diseño por la falta de mano de obra especializada. Entre los factores positivos se destacan las facilidades de acceso al mercado estadounidense, el clima político-laboral prevaleciente en el país, y la producción local de la principal materia prima, el cuero (ONUDI, 1993).

Al predominar los factores negativos, la producción industrial de calzado permaneció estancada durante los años ochenta. Para 1988 el valor agregado por esta rama era igual al generado 20 años atrás, mientras que para la industria en general éste había crecido cuatro veces durante el mismo período. En términos del valor de las exportaciones industriales totales, para 1989 sólo representó 1%, situación sensiblemente diferente a lo que ocurre con los textiles y las prendas de vestir.

En 1990 existían 136 empresas productoras inscritas dentro de las cuales se destacan las grandes y medianas (cuadro 14).

Según ONUDI los mercados meta del país son, dada la situación y la tendencia mundial en la fabricación del calzado, el mercado centroamericano y el de Estados Unidos, además del nacional. Las posibilidades de éxito en ventas fuera de los mismos se consideran mínimas. Se sostiene que, aunque las empresas grandes exporten, es poco su nivel de competitividad internacional debido al rezago tecnológico y la baja productividad.

Adicionalmente, la producción destinada al mercado interno enfrentará cada día una mayor competencia por parte de empresas extranjeras que tienen más desarrollo tecnológico, mayor eficiencia y una larga tradición. Las empresas medianas enfrentarán las mismas desventajas agravadas por la ausencia de economías de escala significativas. La sobrevivencia de las pequeñas empresas será difícil y dependerá de su capacidad de integrar su producción con las empresas

Cuadro 14

Producción de calzado: estructura de las empresas en 1990

Tipo de empresa	Nº	%	Empleo (%)	Producción (%)
Grandes	7	5,15	57,3	79,6
Medianas	20	8,82	15,7	12,6
Pequeñas o artesanales	109	86,03	17,0	7,8

Empresas grandes: más de 100 empleados.
Empresas medianas: más de 10 empleados.
Empresas pequeñas o artesanales: 3 trabajadores.

Fuente: Ministerio de Economía.

mayores y de la realización de acciones especializadas en determinados componentes.

Al estar agotadas las políticas que favorecerían la sustitución de importaciones y ponerse en marcha los programas de estabilización y ajuste, los industriales del calzado afirman que su rama ha sido una de las más afectadas y han comenzado a impulsar su modernización, la importación de insumos de mejor calidad y la búsqueda de nuevos mercados. Al nivel de las microempresas no existen programas específicos para los productores de calzado. En síntesis, las políticas estatales hacia esta rama se preocupan, ante todo, de las grandes empresas.

Parecería que el futuro de las microempresas del calzado depende de radicales cambios en las formas de su funcionamiento y en el destino de su producción. Si los programas de crédito, asesorías y capacitación no se orientan en este sentido, serán poco útiles. La duda que permanece es la que gira alrededor de las posibilidades de su articulación a industrias mayores, capaces de competir en los mercados internacionales, o su posible asociación para posibilitar su inserción directamente, que es en general uno de los retos que enfrenta el sector informal de la economía en muchos países, como lo muestran los estudios realizados (Portes, 1994).

Conclusiones

El presente estudio reafirma, desde la perspectiva del proceso de urbanización, la percepción creciente de que Costa Rica está transitando hacia un nuevo modelo de desarrollo en el que el papel del Estado será sustancialmente diferente al que jugó hasta la década de los ochenta, cuando promovió la creación de una industria sustitutiva de importaciones y creó programas sociales de amplia cobertura que fueron claves para la consolidación de una sociedad altamente equitativa y democrática. Agotadas las condiciones que posibilitaron este modelo, se abre un período de expectativas divergentes para el país.

Para unos sectores están creadas las condiciones para que, a través de la reestructuración de la economía y el Estado, Costa Rica se convierta en el siglo XXI en un país desarrollado. A esta visión optimista se contrapone la de quienes ven en la instrumentación de los programas de ajuste económico y el desmantelamiento del Estado un peligro para el nivel de desarrollo social y la paz alcanzada.

La economía se está orientando hacia la exportación principalmente, pero dentro de una tendencia en que la agricultura y el turismo tienen el papel fundamental. A nivel urbano, el papel principal lo tendrían la creación de zonas francas y la maquila, donde la producción de servicios de alto contenido tecnológico sería un componente esencial, basándose más en una fuerza de trabajo capacitada, las comunicaciones modernas y la informática, que en el bajo nivel salarial, cuestión en la que el país difícilmente podría competir con sus vecinos centroamericanos y de la cuenca del Caribe a pesar de la precarización creciente de su fuerza de trabajo. Dentro de esta reorientación no parece que el sector informal urbano tradicional tenga un papel importante que jugar, sino que el reto sería la formación de microempresas de alto nivel tecnológico para realizar actividades especializadas para la exportación, articuladas a unidades de producción mayores desde el inicio, y no la promoción indiscriminada de microempresas de producción artesanal.

Aquí emerge, como un obstáculo para el futuro desarrollo del país, el hecho de que esta transformación económica puede tender a crear una segmentación en la fuerza de trabajo entre un pequeño sector altamente capacitado y otro cada vez menos adiestrado, con ingresos y posibilidades de acceso a programas sociales permanentes cada vez menores, quebrándose una de las bases fundamentales de la democracia que ha caracterizado a la sociedad costarricense.

Esta transformación constituye, sin embargo, la única alternativa viable en el horizonte para el desarrollo del país. El desafío es cómo realizarla sin acrecentar la desigualdad social y la pobreza, y evitar el deterioro y desaparición de la clase media (PREALC, 1990). Esto conduce a la cuestión de la reforma del Estado. Si es cierto que éste debe ser transformado, debe mantenerse un alto nivel de regulación, sólo que ésta tiene que ser de nuevo tipo, donde la descentralización conduzca a una real y activa promoción del papel de los gobiernos locales y de las organizaciones comunitarias de base en la definición y formulación de las políticas de desarrollo urbanas y no sólo en su ejecución.

La parte medular del estudio, las encuestas referidas a las valoraciones y percepciones de los habitantes de los barrios analizados, enseñó que existen las condiciones para apoyar, desde este sector de la sociedad civil, el nuevo papel que debería jugar el Estado a pesar del centralismo y del presidencialismo dominantes, pero que urge una reforma que otorgue un poder real a los gobiernos municipales, ya que su simple modernización administrativa es claramente insuficiente. Crear una estrecha vinculación entre los gobiernos locales, las comunidades urbanas de base y las ONG, se revela como una tarea a realizar para construir instancias de apoyo para las nuevas políticas urbanas que Costa Rica requiere.

De la investigación se desprende una cuestión no abordada pero necesaria para pensar el desarrollo urbano futuro: la forma de gobierno que debería tener el AMSJ y su relación con la reforma del Estado y la descentralización (Lungo/Pérez, 1991). Así, en el tránsito hacia un nuevo modelo de desarrollo el papel del AMSJ y del sistema urbano aparecen en toda su importancia. La tendencia a seguir concentrando la población y las actividades económicas en el Valle Central, como el estudio de la ciudad de Puntarenas lo mostró, y que está llevando a la constitución de una región metropolitana, expresa más una continuidad que una ruptura, y puede ser un elemento dinamizador del cambio siempre que la calidad de vida, la calificación de su fuerza de trabajo, y la integración socioespacial alcanzadas hasta el momento actual estén garantizadas.

Quienes piensan en la creación de una plataforma exportadora de servicios con un alto nivel tecnológico también piensan en la principal aglomeración urbana del país, por lo que no se visualiza un cambio sustancial en el sistema urbano costarricense. Pero también, si las tendencias descritas en las páginas anteriores continúan, es obvio que la pobreza y la segregación socioespacial en el AMSJ se acentuará, generándose contradicciones antes inexistentes, entre las cuales ya se comienza a percibir una: el deterioro del medio ambiente urbano.

Lograr las transformaciones esbozadas sin destruir, y más bien fortalecer el desarrollo social y político alcanzado, es el desafío que enfrenta el país. El desarrollo urbano puede ser una palanca o un freno en este camino, por lo que se impone la tarea de vencer los obstáculos que el estudio hecho ha revelado.

Este trabajo fue realizado con la colaboración de Gabriela Calderón y Mariam Pérez, en el procesamiento de la encuesta, y de Roxana Gómez, en el estudio de los microempresarios. En el análisis de los datos se contó con el valioso apoyo de José Itzigsohn.

Bibliografía

Carvajal, Guillermo/Vargas, Jorge (1988) Proceso de metropolización en el Valle Central de Costa Rica: 1940-1980, en R. Fernández y M. Lungo (eds.), *La estructuración de las capitales centroamericanas*, EDUCA. San José.

Lavell, Allan/Argüello, Manuel/Cornick, Jorge (1986) Mercados de trabajo y la dinámica del desarollo urbano: Costa Rica y Honduras, 1978-1984». CSUCA, San José.

Lungo, Mario et al. (1992) Las políticas sociales y la ciudad en Centroamérica: los casos de San José y San Salvador, en *El Salvador en Construcción* 10 (diciembre).

Lungo, Mario/Gómez, Roxana (1994) La precarización del empleo formal en el Area Metropolitana de San José. Mimeo del estudio "Development Patterns and Policy Options: Latin American Employment in a Restructuring World Economy". FLACSO, FIU, LACC.

Lungo, Mario/Pérez, Mariam (1991) Area Metropolitana de San José: ¿coordinación de gobiernos locales o gobierno metropolitano?, en *Medio Ambiente y Urbanización* 34.

Lungo, Mario/Piedra, Nancy (1991) Políticas habitacionales y ajuste de las economías centroamericanas de los años 80, en A. Sugranyes (ed.), *Políticas habitacionales y ajustes en las economías de los 80*. CSUCA, IDESAC, SIAP. Ciudad de Guatemala.

Ministerio de Planificación-MIDEPLAN (1986) *Migración interna de Costa Rica*. MIDEPLAN. San José.

Ministerio de Planificación-MIDEPLAN (1990) *Estadísticas sectoriales*. San José.
MIVAH-UNDP/CNUAH-FINNIDA (1990) *Crecimiento residencial en la Gran Area Metropolitana*. MIVAH-UNDP. San José.
Molina, Eugenia (1990) Repercusiones político-administrativas del acuerdo firmado entre los frentes de vivienda y el Estado durante la administración Arias Sánchez. Tesis de Maestría. Universidad de Costa Rica, San José.
Moreno Sánchez, Manuel (1993) La Reforma de la Ciudad de México, en *Nexos* nº 23.
ONUDI (1993) *Evaluación de la industria del calzado en Costa Rica*. San José.
Portes, Alejandro (1989) El sector informal: definición, controversia y relación con el desarrollo nacional, en M. Lungo (ed.), *Lo urbano: teoría y métodos*, EDUCA. San José.
Portes, Alejandro (1994) Paradoxes of the Informal Economy: The Social Basis of Unregulated Entrepreneurship, en N. Smelser/R. Swedberg (eds.), *The Handbook of Economic Sociology* Princeton University Press. Princeton.
Portes, Alejandro/Itzigsohn (1994) The Party on the Grassroots: a Comparative Analysis of Urban Political Participation in The Caribbean Basin. Mimeo.
Portes, Alejandro/Schauffler, Richard (1993) Competing Perspectives on the Latin American Informal Sector, en *Population and Development Review* 19.
Portes, Alejandro/Sensenbrenner, Julia (1993) Embeddedness and Immigration: Notes on the Social Determinants of Economic Action, en *American Journal of Sociology* 98.
PREALC (1990) *La deuda social en Costa Rica*. San José.
Tardanico, Richard (1992) Economic Crisis and Structural Adjustment: The Labour Market of San José, en *Comparative Urban and Community Research* 4.
Tardanico, Richard/Lungo, Mario (1993) Local Dimensions of Global Restructuring: Changing Labor Market Contours in Urban Costa Rica. Mimeo. FIV. LACC/FLACSO. San José.
Trejos, Juan Diego (1991) Informalidad y acumulación en la Area Metropolitana de San José, Costa Rica, en *Informalidad Urbana en Centroamérica*, Editorial Nueva Sociedad. Caracas.
Trejos, Maria Eugenia/Pérez, Mariam (1990) Descentralización y democracia económica en el marco del ajuste estructural en Costa Rica, en *Estudios Sociales Centroamericanos* 52, enero-abril.
Valverde, José Manuel (1990) *Crisis y política social en Costa Rica, 1980-1988: tendencias y perspectivas*. CSUCA y Universidad de Costa Rica. San José.

La vida en la ciudad: los sectores populares y la crisis en Puerto Príncipe

Sabine Manigat

La ciudad y la crisis

En el contexto del desarrollo urbano en América Latina, el explosivo crecimiento de Puerto Príncipe adquiere características singulares. El deterioro de la estructura de la ciudad, y la declinación de sus funciones tradicionales, no se ha visto compensada con la aparición de una nueva estructura capaz de enfrentar el crecimiento demográfico y canalizar las exigencias de la vida moderna. Este crecimiento no vino acompañado de los necesarios cambios en las relaciones sociales ni en el aparato económico. Los problemas urbanos aumentaron al tiempo que escapaba a todo control la administración de la ciudad, su mantenimiento y la ocupación del espacio. En este sentido, Puerto Príncipe se convirtió ante todo en receptor de la masa de migrantes que venían del campo atraídos por el espejismo de la ciudad.

La crisis urbana se inició en los años setenta, cuando se acentuó la primacía de la ciudad capital como resultado de los movimientos de población (1). En los ochenta, la situación económica en la ciudad empeoró pero su primacía absoluta no pareció debilitarse a pesar de la creciente importancia de la migración externa. La década de los noventa no parece traer consigo mejores auspicios.

En Haití, es notoria la ausencia del Estado en estos problemas o su incapacidad para hacer frente a la crisis. Al igual que en otros aspectos de la vida del país, el Estado parece haber abandonado totalmente el control sobre la ciudad. Su funcionamiento, su economía, la vida en los barrios, el mantenimiento y la seguridad en las calles escapa a las autoridades centrales. No se aplican siquiera las normas elementales de gestión urbana.

Puerto Príncipe adquiere la fisonomía de un «tugurio». El migrante, más que adaptarse a la ciudad, se apropia de ella, la asalta y la transforma de acuerdo a sus necesidades y su propia visión. Esta inversión de la lógica clásica de aculturización y adaptación del migrante a la ciudad tiene profundas consecuencias sobre la relación entre las clases en el espacio urbano. Se acelera el fenómeno de la autoconstrucción no regulada. Se erigen barrios enteros en el lapso de unos meses. Espacios donde anteriormente se prohibía la construcción, o que estaban escasamente poblados, se cubren en poco tiempo de redes habitacionales totalmente desprovistas de servicios. A partir de 1986, ningún barrio escapa al cerco de la

1. La primacía de Puerto Príncipe se inició en los años cincuenta y no hay señales de que esta situación se vaya a modificar, al menos no en el corto plazo. Las ciudades del interior crecen lentamente o incluso decaen.

pobreza, desde Turgeau hasta los altos de Laboule y de Tomassin. Los «marginados» se lanzan a la conquista de cualquier resquicio de terreno. La ciudad misma es la meta de esta lucha.

Para conocer más de cerca la dinámica de la situación de los pobres durante la crisis, se llevó a cabo una investigación sobre las condiciones de vida de los habitantes de Puerto Príncipe, basada en una encuesta y dos estudios de caso. En este artículo se presenta los resultados de dicha investigación enfocados en tres tipos de problemas: la vida de los pobres, la percepción que de ellos y de la ciudad tienen sus habitantes, y sus actitudes hacia la participación ciudadana.

Es necesario presentar el contexto muy particular en que se llevó a cabo la recolección de datos. La coyuntura abierta por las elecciones democráticas en diciembre de 1990 permitió que la gente estuviera dispuesta a expresarse sobre estos problemas y las perspectivas de solución. La imagen del presidente Aristide como defensor de los pobres, militante de la justicia social y ajeno al mundo de los políticos tradicionales, reforzó esta inclinación. Durante los meses de agosto y septiembre de 1991, cuando se realizó la encuesta, la población se mantenía a la espera de las reformas que anunciaría el gobierno. Había gran efervescencia política en la ciudad, y la gente seguía atentamente las noticias por lo que, en general, estaba bien informada sobre los grandes debates del momento. Sin duda las reacciones y las respuestas a ciertas preguntas estuvieron permeadas por esa atmósfera, y fueron posibles sólo en esa situación privilegiada. En esta primera fase se realizaron 231 encuestas de acuerdo a una selección aleatoria simple. Sin embargo, después del golpe militar del 30 de septiembre de 1991, el acceso a los barrios se tornó difícil. Poco después se volvió prácticamente imposible y el trabajo se vio interrumpido. Para completar la muestra hasta donde fuera posible, se tuvo que ampliar el área de trabajo y se lograron un total de 300 encuestas. Por consiguiente, el 23% de la muestra (79 casos), corresponde a una población dispersa, fuera del área preestablecida.

La encuesta realizada en Puerto Príncipe entre 1991 y 1992 refleja de un modo sorprendente la realidad social de los metropolitanos. Al privilegiar en el estudio la visión de la población, se recogieron elementos novedosos acerca de las perspectivas de las grandes ciudades en esta crisis de fin de siglo. De hecho, nunca ha sido tarea fácil hacer hablar de su ciudad a los habitantes de Puerto Príncipe. A los obstáculos que normalmente se presentan, se añade en este caso un elemento específico: son pocos los citadinos que viven la ciudad como tal. La gente «vive su barrio» y, cuando no coinciden, su lugar de trabajo. Las condiciones de transporte, la carencia de lugares públicos de socialización y diversión, y la persistencia del «*apartheid* de clase», no facilitan una apropiación global de la ciudad por parte de sus habitantes, por lo que la elección del barrio adquiere gran importancia. Además, el deterioro del casco urbano, abandonado hace décadas por las clases acomodadas, planteó un problema de representatividad de la muestra. Teniendo en cuenta estas limitaciones, se eligió el barrio del Morne-a-Tuf y sus alrededores.

Morne-a-Tuf se ubica en un punto central de la geografía de Puerto Príncipe. Localizado cerca del centro, forma parte del casco viejo de la ciudad, además colinda con la zona de negocios que se extiende al norte y al oeste del barrio, y con el área donde se encuentra el Palacio Nacional, los ministerios y la Plaza de Champs de Mars. Esta es un área de intensa actividad económica, por lo que es uno de los lugares de residencia preferidos por la clase trabajadora cuando sus recursos se lo permiten. Anteriormente, en los años cincuenta, Morne-a-Tuf era una zona de residencias de clase media. El barrio había sido rehabilitado, la Plaza Sainte-Anne y su kiosco fueron reconstruidos, sin embargo, el *boom* migratorio de los sesenta dio lugar a una redefinición del barrio. Las familias de clase media tendieron a reubicarse, a pesar de lo cual subsiste hasta la fecha un núcleo representativo de este sector. Por lo tanto, Morne-a-Tuf es un barrio relativamente mixto en la geografía social de Puerto Príncipe.

La escasez de terrenos en el viejo casco urbano lo convierte en un área poco accesible a los sectores de bajos recursos. Por consiguiente, la ocupación ilegal de la tierra en esta zona es prácticamente inexistente, se producen, sin embargo, formas complejas de ocupación del espacio. Son comunes las viviendas de uno o dos cuartos, alineadas a lo largo de corredores interiores, como ocurre en el centro de la mayor parte de las grandes ciudades. Esta peculiar forma de alojamiento transformó la fisonomía de Puerto Príncipe al generalizarse a partir de los años sesenta, y contribuyó a la degradación del centro de la ciudad. Estos corredores habitacionales, están especialmente diseñados para aprovechar el diferencial que se produce en la renta urbana debido a su ubicación en una zona de actividad económica y comercial, y son con frecuencia construidos en lo que fueron los jardines de antiguas residencias. La mayor parte de dichas residencias fueron a su vez transformadas en negocios, o continúan siendo habitadas por sus propietarios. Morne-a-Tuf es por tanto un barrio de alta densidad poblacional, sin embargo, esto no representa un problema grave como ocurre en otras zonas donde la situación es catastrófica.

En la encuesta se incluyeron además dos barrios colindantes con Morne-a-Tuf: Avenue Christophe hacia el este, y Carrefour-Feuille hacia el sureste. Las características y la historia de esos barrios son muy diferentes. El barrio de Avenue Christophe, que data de la década de los cuarenta, es una zona residencial habitada por familias de clase media más o menos acomodadas. Carrefour-Feuille, por su parte, es el típico barrio de clase media baja, cuyos residentes han sufrido un proceso de empobrecimiento a partir de los setenta, con el consiguiente deterioro del barrio. El cuestionario fue diseñado para obtener información sobre los siguientes tópicos: primero, el impacto de las dinámicas migratorias y la informalidad en la población de Puerto Príncipe; segundo, las percepciones que tienen los capitalinos sobre las actuales condiciones de la ciudad; y tercero, su opinión sobre la participación política y ciudadana y sobre el gobierno. Además, a través de los dos estudios de caso desarrollados, se analiza la dinámica de la microempresa informal.

Informalidad y migración: dos pilares en la definición de Puerto Príncipe

En el cuadro 1 se presentan las características demográficas y socioeconómicas

Cuadro 1

Perfil general de la muestra urbana

	(N = 300)	%
Género	Mujeres	62,7
	Hombres	37,3
Edad	Menos de 40	52,8
	Entre 40 y 60	38,2
	Más de 60	9,0
Estado civil	En unión	44,0
	Solteros	31,7
	Otro	24.3
Educación	Ninguna	13,4
	Primaria	35,4
	Secundaria	24,1
	Post-secundaria	27,1
Vivienda	Alquilada	58,9
	Propia	20,2
	Otro	20,9
Servicios en la vivienda	Agua	45,4
	Electricidad	92,9
	Drenaje	49,3
Origen	Capital	33,8
	Ciudad de provincia	30,1
	Rural	36,1
Ocupación	Patrón	4,7
	Empleado formal	5,7
	Empleado informal	17,7
	Autoempleado	19,1
	No trabaja*	52,8
Actividad ocasional	Tiene	25,3
Parientes en el exterior	Tiene	70,6
Remesas del exterior	Recibe	40,7
Ayuda de parientes en provincia	Recibe	32,4
Autoidentificación de clase	Clase media	17,7
	trabajadora	20,5
	pobre	61,8

*** En su mayoría desempleados, con pocos casos de no ocupados (16%). Estudiantes amas de casa. En el texto se usa indistintamente los términos «desocupados» y «desempleados».**

de los entrevistados. La muestra está constituida esencialmente por adultos jóvenes, ya que más de la mitad del grupo tenía entre 30 y 40 años de edad. La mayoría de los jefes de hogar entrevistados son mujeres, lo cual refleja el predominio de la población femenina en Haití (poco más de 51% a nivel nacional), especialmente en Puerto Príncipe (2). Al mismo tiempo, éste es un indicador de la importancia de los hogares monoparentales.

El estado civil es uno de los rasgos de mayor relevancia en el contexto haitiano y amerita una explicación. Los valores «casado» y «acompañado» tienen aquí el mismo significado sociológico, debido a que el *plaçage* es una verdadera institución en Haití, tanto en el campo como en la ciudad. Por otro lado, la presencia de un grupo significativo de mujeres solteras con hijos (40% de los solteros e incluso dos hombres), indica cierta imprecisión de las categorías utilizadas en la encuesta. Algunas personas pueden haberse declarado «solteras» en vez de «acompañadas» por la falta de definición de este término (3). Además, la categoría de «soltero» es también fuente de confusión en la encuesta, debido a la estructura poco típica de los hogares en Puerto Príncipe, donde las familias nucleares son minoritarias. Por este motivo, un hijo o hija mayor cumple con frecuencia el papel de jefe del hogar o una hermana o hermano aparece como corresponsable. Por otro lado, los migrantes suelen conformar hogares de solteros en los que conviven hermanos o primos que llegaron juntos a la capital. En todo caso, es significativo que únicamente 3% de los solteros declara vivir solo.

Otra de las características de la muestra que es necesario aclarar, es que el número de años de estudio de los entrevistados es relativamente mayor al promedio nacional, aunque a menudo no corresponde al grado de escolaridad alcanzado. Esto se debe a que hasta 1979, el sistema escolar en Haití incluía ocho años de estudios primarios.

Respecto a las condiciones de las viviendas encontramos que la mayoría son de dimensiones reducidas, con una tasa promedio de 4,4 habitantes por casa. Un número importante de éstas son rentadas. De los inquilinos se dice que viven en el «interior» (dentro del corredor), en tanto que el propietario vive «adelante», en el edificio principal. Los servicios básicos son deficientes: la antigua red de agua potable de la ciudad ya no funciona y no se previó extensión alguna del sistema al construir estos corredores habitacionales. El acceso a la corriente eléctrica es un poco mejor, ya que sólo 7% de los entrevistados carece por completo del servicio. El abastecimiento de energía eléctrica en la ciudad no es regular e incluso ha empeorado, ya que pasó de 12 horas al día en 1991 cuando se realizó la encuesta, a cuatro o cinco horas cada dos días en años posteriores. Sin embargo, Morne-a-

2. El índice de masculinidad en Puerto Príncipe oscila entre 72% y el 80% para la población entre 20 y 50 años de edad, y alrededor de 60% para los mayores de 50 años. El índice global de masculinidad es de 75,3% en las zonas urbanas (Tardieu, 1984).

3. Además, las condiciones de socialización en los barrios populares urbanos llevan a que no pocas jóvenes tengan uno o más hijos sin que éstos lleguen a vivir con sus padres. Este rasgo ya ha sido estudiado en monografías de los barrios populares urbanos. Así, por ejemplo, estudios sobre embarazos precoces revelan que un número importante de mujeres había tenido embarazos antes de los 16 años como resultado de relaciones ocasionales seguidos de otros embarazos sin consolidación de la pareja.

Tuf se encuentra en una situación privilegiada por su cercanía al Palacio Nacional. Por último, Morne-a-Tuf comparte con la ciudad su deficiente sistema de drenaje, problema que Puerto Príncipe arrastra desde hace más de diez años, y al que no se ha dado ninguna solución estructural. En síntesis, podemos decir que nuestra muestra la constituyen mayormente un grupo de familias predominantemente monoparentales, de nivel socioeconómico modesto y pobre, lo que se refleja en las características de sus viviendas conformadas por dos o tres piezas pequeñas, con servicios deficientes y distribuidas en corredores que hacen difícil el acceso a las mismas.

Por otro lado, además de permitirnos describir las características socioeconómicas de la muestra, los resultados de la encuesta revelan tres aspectos interesantes de los entrevistados: 1) el alto número de migrantes; 2) el elevado número de desempleados; y 3) el predominio de actividades que se inscriben en el sector informal. La alta proporción de migrantes (dos tercios de los entrevistados) es sin duda un elemento nodal que refleja la condición de la mayoría de los habitantes de Puerto Príncipe (4). Algunos indicios sugieren que la migración hacia la capital es un proceso fluido aunque inestable. La continua llegada y salida de migrantes parece vincularse a fenómenos de muy diverso tipo, ya que influyen desde las fluctuaciones de las actividades económicas, hasta los hábitos culturales, como la decisión de dónde dar a luz, o la de dejar a los niños en custodia en la región de origen. Con frecuencia se producen también sucesivas oleadas de migrantes vinculados a un mismo grupo. Estos movimientos migratorios renuevan constantemente la población de la ciudad y los aportes económicos y culturales que recibe. En este sentido, es interesante constatar que el envío de diferentes formas de ayuda para la familia fluye también en ambas direcciones. Así por ejemplo, un tercio de los entrevistados (32,4%) recibe ayuda de su familia en la provincia, en tanto que un 46% de los mismos es el principal sostén de su familia en el lugar de origen. A menudo esta ayuda se da en forma de productos alimenticios por lo que su monto y frecuencia es difícil de determinar.

Además de la relación con sus familiares en la provincia, los habitantes de la ciudad frecuentemente se encuentran vinculados a parientes en el extranjero. En nuestra muestra, 70,6% de los entrevistados cuentan al menos con un familiar fuera del país. En 12 de los casos se trata de su pareja y en casi la mitad, el migrante es un familiar consanguíneo directo, ya sea el padre o la madre, el hijo o la hija. El número de parientes en el extranjero por persona entrevistada oscila entre 1,64 y 2,34. Aunque el cuestionario aplicado no recoge información directamente sobre los migrantes, su perfil puede ser establecido a partir del de sus familiares en nuestra muestra. El cuadro 2 sintetiza estas inferencias.

Las familias que se califican a sí mismas como de clase media tienden a migrar más que las de clase trabajadora y pobre. Al mismo tiempo, los migrantes de clase media no sólo van a Estados Unidos, sino que además se dirigen hacia países menos accesibles como Canadá o los países europeos. La educación y el ingreso

4. Una encuesta del CHISS realizada en 1970 arrojó cifras similares para el conjunto de la ciudad con 87,2% de migrantes directos (De Ronceray, 1979, p. 175).

Cuadro 2

Familias con miembros expatriados

Familiares en el exterior	Autoclasificación clase social			Ingresos			Educación			
	Media %	Trabajadora %	Pobre %	Mínimos %	Bajos %	Medios %	Analfab. %	Primaria %	Secun. %	Post-sec.
Ninguno	13,7	25,4	41,0	38,9	17,7	17,6	51,3	42,7	21,4	16,5
En EEUU	66,7	62,7	50,0	55,6	67,7	67,7	35,9	48,5	67,1	64,6
Otros países	19,6	11,9	9,0	5,6	14,5	14,7	12,8	8,7	11,4	19,0
Total	*100,0 (51)*	*100,0 (59)*	*100,0 (178)*	*100,0 (108)*	*100,0 (62)*	*100,0 (34)*	*100,0 (39)*	*100,0 (103)*	*100,0 (70)*	*100,0 (79)*
	V(1) = 0,170 p< 0,002 (2)			V = 0,180 p< 0,01			V = 0,215 p< 0,001			

1. V de Cramer: coeficiente de fuerza de asociación cuyo rango varia entre 0.0 y 1.0 (asociación perfecta).
2. Chi-cuadrado. Dado el pequeño tamaño de la muestra, para todo el estudio se ha establecido el nivel de significación estadística: p< 0,10.

(5) parecen estar asociados positivamente con el fenómeno de la migración, ya que las familias de mayor ingreso y nivel educativo (6) «producen» un mayor número de migrantes. Estos resultados hablan en favor de la hipótesis de que los migrantes son mayormente trabajadores profesionales calificados, además de confirmar las observaciones realizadas en otros países en el sentido de que no son los más pobres los que migran.

El otro aspecto que fue analizado en relación con la migración, es el impacto económico que tiene sobre las familias. Las remesas son importantes, ya que, aunque no las reciben todas las familias con parientes en el extranjero, 57,3% de estas familias recibe dinero del exterior en cantidades que pueden llegar a ser significativas para el presupuesto familiar: 38% recibe entre 20 y 100 dólares al mes, en tanto que 13% cuenta con una cantidad que oscila entre 120 y 500 dólares mensuales. Aunque el monto de las remesas no aparece significativamente asociado con el nivel social de los entrevistados, llama la atención el pequeño porcentaje de trabajadores formales que reciben remesas, y la relevante proporción de patrones que sí se benefician de este recurso (cuadro 3) (7). Así mismo, es notable la cantidad de desocupados receptores de divisas. El reducido número de casos distorsiona el análisis estadístico, pero estas observaciones sugieren interesantes hipótesis sobre el impacto de las remesas en el presupuesto de los sectores más necesitados de la población capitalina.

Como señalamos antes, el segundo aspecto significativo que revela la encuesta se relaciona con la informalidad, que permea toda la actividad económica de la ciudad. Los asalariados en Haití no parecen disfrutar de condiciones mucho mejores que los trabajadores informales, debido a la carencia de prestaciones en los empleos formales y a la incidencia de las actividades ocasionales que desarrolla cerca del 25% de la muestra (8). Esto vuelve imprecisa la frontera entre el sector formal y el informal y explica cierta afinidad en los patrones de vida de ambos sectores. En los cuadros 4a y 4b se presentan algunos rasgos seleccionados de los entrevistados que permiten determinar la distribución de ambos sectores de acuerdo al tipo de ocupación.

---

5. La variable ingreso se divide en tres niveles: ingreso mínimo que incluye ingresos mensuales de 150 dólares o menos. Ingreso bajo, entre 151 y 350 dólares mensuales e ingreso medio, por encima de 350 dólares al mes. Esta clasificación se realizó a partir del ingreso *per capita* calculado por la CEPAL y el Banco Mundial para 1991, sin embargo no deja de ser arbitraria, además de la discutible confiabilidad de las respuestas, dada la resistencia de los entrevistados a hablar sobre este tema.

6. Se observaron cinco casos de migrantes de familias analfabetas; en realidad se trata de migrantes hacia las Antillas Francesas, probablemente trabajadores agrícolas con características similares a las de los migrantes que van a República Dominicana. Sin embargo, estos países no aparecen mencionados por los entrevistados debido al carácter clandestino y/o estacional de dicha migración.

7. Aunque en nuestros dos estudios de caso no pudimos encontrar evidencias, estas remesas podrían estar desempeñando un papel relevante en los recursos movilizados por ciertos microempresarios, como ocurre en República Dominicana, según muestra el trabajo sobre repatriados, remesas y microempresarios de Guarnizo (1992).

8. En este aspecto, lo relevante es que un número importante de desempleados (49) ejerce este tipo de actividad, lo que hace caer la tasa de desempleo de la muestra de 52,3% a 36% si se les clasifica como ocupados.

Cuadro 3

Recepción de remesas según ocupación, ingresos y origen

(En porcentajes)

Remesa Recibe	Ocupación				Ingresos			Origen		
	Patrón %	Formal %	Informal %	Desemp. %	Mínimos %	Bajos %	Medios %	Capital %	Cd. provincia %	Rural %
Recibe	57,1	17,6	37,6	44,2	35,2	38,3	52,9	39,6	40,9	42,9
No recibe	42,9	82,4	62,4	55,8	64,8	61,7	47,1	60,4	59,1	57,1
Total	*100,0 (14)*	*100,0 (17)*	*100,0 (109)*	*100,0 (154)*	*100,0 (105)*	*100,0 (60)*	*100,0 (34)*	*100,0 (101)*	*100,0 (88)*	*100,0 (105)*
	V= 0,148 p <0,09				V= 0,130 p = n.s.			V = 0,027 p = n.s.		

Cuadro 4a

Ocupación desempeñada, según educación y origen

Ocupación	Educación				Origen		
	Analfabeta %	Primaria %	Secundaria %	Post-sec. %	Capital %	Cd. provin. %	Rural %
Patrón	2,6	3,9	5,7	6,4	7,9	1,1	4,7
Formal		5,8	4,3	10,3	5,0	7,8	4,7
Informal	30,8	40,8	27,1	46,2	40,6	32,2	37,4
No trabaja	66,7	49,5	62,9	37,2	46,5	58,9	53,3
Total	*100.0* *(39)*	*100,0* *(103)*	*100,0* *(70)*	*100,0* *(78)*	*100,0* *(101)*	*100,0* *(90)*	*100,0* *(107)*
V de Cramer:		V = 0,140				V = 0,115	
Chi-Cuadrado:		p < 0,05				p = n.s.	

Cuadro 4b

Ocupación desempeñada según ingreso

Ingresos	**Ocupación**			
	Patrón	**Empleado formal**	**Empleado informal**	**Desocupado**
	%	%	%	%
Mínimos	27,3	12,5	53,3	64,0
Bajos	27,3	62,5	32,2	22,1
Medios	45,5	25,0	14,4	14,0
Total	*100,0*	*100,0*	*100,0*	*100,0*
	(11)	*(16)*	*(90)*	*(86)*

En estos cuadros se muestra que no hay una relación significativa entre el tipo de actividad y el origen geográfico de los entrevistados. En cambio, el comportamiento de la variable educación, aunque un tanto errático, es interesante. Como era de esperarse, un grado más alto de escolaridad determina una mayor oportunidad de convertirse en patrón o contar con un empleo formal, en tanto que la economía informal aparece como el tipo de actividad por excelencia de las capas pobres. Al mismo tiempo, los niveles educativos medios son los más castigados con el desempleo (salvo en el caso de los analfabetos), y tienen menor propensión a desempeñar oficios informales. Aparentemente esto se debe a que su nivel educativo los diferencia tanto de los sectores más pobres, quienes de manera natural se dirigen hacia las actividades informales, como de los elementos con mayor grado de educación, que se encuentran mejor armados para enfrentar una situación de autoempleo. Por otro lado, el cuadro 4b muestra la estrecha relación que existe entre el tipo de actividad y el ingreso (9). El patrón y el empleado formal tienden a disfrutar de mejores ingresos, la mayoría de los trabajadores informales son pobres y los desempleados reciben ingresos mínimos. Este resultado va en contra del sentido del «creciente consenso» mencionado por Portes y Schauffler (1993) de que los ingresos de los empresarios informales tienden a ser equiparables y, a menudo incluso superiores a los de los empleados formales.

Por último, el cuadro 5 muestra que la condición objetiva de los entrevistados no se aparta sensiblemente de la definición que ellos mismos hacen de su situación social. Sin embargo, la crisis abruma de tal manera a la población, que la mayoría habla de un deterioro en su situación económica que en realidad va más allá de su situación objetiva.

Si se relaciona la ocupación de los entrevistados con su opinión sobre su condición social, se observa que los asalariados formales tienden a autodefinirse

9. Se desarrolló un tabla separada porque en este caso la variable independiente es la ocupación.

Cuadro 5

Autoidentificación de clase por ocupación, origen y vivienda

(En porcentajes)

Autoidentificación	Ocupación					Origen			Vivienda		
	Patrón	Formal	Informal	Autoemp.	No trabaja	Capital	Cd. provin.	Rural	Propia	Rentada	Otra
Clase media	18.2	29.4	22.0	15.5	15.8	15.5	21.1	17.0	31.6	14.8	13.3
Clase obrera	45.5	29.4	24.0	37.9	9.9	22.7	20.0	19.0	28.1	15.4	26.7
Clase pobre	36.4	41.2	54.0	46.6	74.3	61.9	58.9	64.0	40.4	69.8	60.0
Total	*100.0* (*11*)	*100.0* (*17*)	*100.0* (*59*)	*100.0* (*58*)	*100.0* (*152*)	*100.0* (*97*)	*100.0* (*90*)	*100.0* (*100*)	*100.0* (*57*)	*100.0* (*169*)	*100.0* (*60*)
Chi-cuadrado V de Cramer:			p< 0,001 V 0,23				p = n.s. V= 0,05			p = 0,001 V= 0,25	

como clase media. Este grupo parece concebir el concepto de clase en función de su papel socio-profesional, más que de acuerdo al nivel de sus ingresos. En cambio, los patrones y los trabajadores independientes del sector informal se autodefinen más bien como pertenecientes a la clase trabajadora. Aunque son microempresarios, sus actividades se asemejan más a las de los productores directos que a las gerenciales, por lo que cotidianamente conviven al lado de los otros trabajadores sin mayores distancias. Por otro lado, el grupo de los propietarios se autodefine como de clase media, lo cual no es difícil de entender si se observa la gran diferencia entre ellos y sus inquilinos.

Otra observación interesante se obtiene si se relaciona la autodefinición social de los entrevistados y su origen geográfico. Los migrantes de las ciudades medianas tienden a adscribirse a la clase media con mayor frecuencia que los rurales. Por otro lado, hay indicios de que un pequeño grupo siente cierta renuencia a clasificarse en una clase social más alta, a pesar de haber declarado ingresos mayores de 1.000 dólares. En estos casos es evidente que en la autodefinición intervienen factores culturales, o que los entrevistados subestiman su condición socioeconómica real (10).

La puerta estrecha del éxito: dos empresarios informales

La informalidad es sin duda una forma de actividad económica; sin embargo, no se agota en esta dimensión. La evidencia empírica y los datos estadísticos disponibles confirman el carácter esencialmente «informal» de la economía haitiana, pero esta información no es suficiente para comprender la naturaleza exacta de las complejas relaciones que se articulan en su interior. Desde la perspectiva de la economía política, la existencia del sector informal en Haití ha sido considerada como una característica de sus ciudades en tránsito hacia la modernización (Honorat, 1974). Otros enfoques enfatizan su carácter «funcional» y destacan el dinamismo de la actividad informal en contraste con la ineficiencia del Estado y sus restrictivas políticas económicas (Fass, 1990). La afinidad entre estos enfoques y las escuelas de PREALC y de de Soto, respectivamente, es clara (Portes/Schauffler, 1993).

La principal debilidad de estos enfoques teóricos es que no han puesto en perspectiva histórica el problema. Fenómenos con perfiles similares no necesariamente tienen la misma naturaleza y mecanismos análogos pueden corresponder a causas distintas. En el caso de Haití, habría que empezar por considerar el concepto de informalidad como «una noción de sentido común» (Castells/Portes, 1989) y de este modo distinguir primero entre las actividades de supervivencia propiamente dichas (desempleo disfrazado y otros fenómenos similares), y el comercio rural-urbano o regional, perfectamente rentable y dinámico, y que constituye un aspecto

10. Es también posible que dado el momento particular en que se realizó la encuesta, la gente haya subrayado intencionalmente sus problemas con la esperanza de verse beneficiada con algún programa, ya que eran grandes las expectativas respecto al nuevo gobierno.

esencial de la economía urbana y nacional. Sin embargo, desde el punto de vista histórico, habría que distinguir entre un mercado de trabajo homogéneo para una mano de obra no calificada, y otro segmentado que se desarrolla a partir de las exigencias que plantea la moderna economía urbana. Esta demanda, entre otras cosas, regulación de las condiciones de trabajo y calificación de los trabajadores. El contenido de lo informal varía por tanto si uno se refiere a la articulación real entre los agentes económicos que se desarrolla a partir de un proceso histórico determinado, o si se aborda la informalidad de acuerdo a un modelo que la considera como una tendencia cuya materialización habrá que esperar.

En este sentido, la economía informal en Haití constituye un mecanismo que permite que se inserte en la vida moderna de la ciudad una fuerza de trabajo originalmente estructurada para desarrollar actividades intercambiables y poco especializadas. Además, la actividad económica moderna de la ciudad se desarrolla «encima» de la economía tradicional (11). Las llamadas actividades informales aseguran la producción de bienes, servicios y fuerza de trabajo en la sociedad moderna, pero sin constituirse como un segmento profesional del mercado de trabajo. Por consiguiente, como ocurre en ciertas regiones de la periferia, dichas actividades están integradas al funcionamiento normal del capitalismo (Portes/Schauffler, 1993; p. 6). Pero en el marco de la economía haitiana, este «funcionamiento normal» adquiere las características de un sometimiento mutuo entre un capitalismo que determina las reglas del juego, pero sin tener raíces suficientemente sólidas para imponer dichas reglas a la sociedad, y un sector informal subyugado por esas relaciones de dominación, pero que al mismo tiempo mantiene su propia lógica y que tiene fuerza suficiente para permear con ella el sector moderno de la economía. La regulación económica es pues apenas un débil rasgo dentro de la propia esfera moderna de la sociedad. Por consiguiente, la estrecha interrelación entre la economía formal e informal en Haití hace que su comparación con el fenómeno de «informalización» en los países industrializados, definido como estrategia del capital, sea problemática y discutible.

Las observaciones anteriores no rebasan el nivel de hipótesis preliminares dada la carencia de estudios profundos y bien documentados sobre el caso de Haití (12). Los mejores trabajos de este tipo son sin duda los de Simon Fass. En su libro sobre la economía política de Haití (Fass, 1990), este autor establece una pertinente distinción entre los trabajadores, los comerciantes y los empresarios informales, que permite detectar diferencias no sólo en sus ingresos, sino sobre todo en sus estrategias económicas. Sin embargo, al valorar de un modo absoluto las actividades informales y en especial el autoempleo, el autor llega a sugerir que el dinamismo de este sector es muy positivo, y que las fuerzas negativas de la economía

---

11. Esta estructura del mercado de trabajo en Haití se debe a la naturaleza misma de la economía nacional, caracterizada por el débil desarrollo de las fuerzas productivas, y la reducida difusión de las técnicas modernas de producción.

12. Además de algunas monografías sobre barrios populares y marginados, sólo encontramos estudios para proyectos concretos dentro del sector informal, poco respaldados por investigaciones de campo. Así, por ejemplo, un importante grupo de urbanistas ha emprendido interesantes esfuerzos dirigidos al desarrollo de vivienda popular en Puerto Príncipe (Blanc/Dansereau, 1991).

haitiana se originan en la acción reguladora (restrictiva) del Estado validando de esta manera la posición de de Soto (13). Esta conclusión es cuestionable por diversas razones, pero principalmente porque el predominio de la informalidad en Haití está íntimamente relacionado con la naturaleza de las relaciones que guarda la sociedad con el Estado y con el papel que éste desempeña en la regulación económica (Portes/Schauffler, 1993). Aunque calificado frecuentemente como un Estado «depredador» (14), el Estado haitiano se encuentra en el centro de la problemática de la modernización económica del país, pero no por el exceso de su regulación económica, sino por la carencia de la misma.

Una aproximación a las experiencias concretas que se esconden detrás de los datos de la encuesta puede contribuir a entender mejor las condiciones en que se desarrolla la informalidad. Con este objetivo se realizaron dos estudios de caso en profundidad entre los meses de febrero y abril de 1992, período extremadamente difícil dada la situación política y económica en que se encontraba el país. Los dos empresarios entrevistados enfrentaban en ese momento dificultades tan grandes, que habían puesto en peligro sus empresas. Sin embargo, su posición es mucho más sólida que la de la mayoría de los microempresarios de la capital, ya que ambos cuentan con una firme trayectoria. Sus experiencias de hecho pueden lograr los empresarios más tenaces y mejor ubicados dentro del mundo ferozmente competitivo del sector informal en Puerto Príncipe (15).

Los casos observados en profundidad se refieren a dos empresarios que se dedican a actividades muy comunes en el centro de la ciudad y los barrios populares: ferretería y hojalatería. En ambos tipos de actividad, la inmensa mayoría de los establecimientos son microempresas pertenecientes al sector informal. Las experiencias de los dos empresarios son muy parecidas tanto en su actividad económica como en sus trayectorias personales, y constituyen un buen ejemplo de la situación de los microempresarios de los sectores medios y populares de Puerto Príncipe. Nuestros entrevistados comparten con los demás su origen rural y su formación práctica. Sin embargo, el contexto familiar relativamente favorable de ambos les otorga ventajas iniciales de las que carecen la mayoría de los microempresarios

---

13. Fass plantea además relevantes problemas de orden metodológico para el análisis del desempleo. Así por ejemplo, señala a este respecto: «Si esta categoría incluye individuos efectivamente sin trabajo, la disminución (observada entre 1971 y 1982) en la tasa de desempleo representaría un progreso. Pero si comprende trabajadores en busca de empleo, aunque plenamente ocupados y con un ingreso, la disminución registrada no tendría ningún significado» (1990, p. 67).

14. Este calificativo ha sido aplicado al Estado haitiano por diversos autores desde diferentes enfoques teóricos, y desde posturas políticas distintas; por ello resulta significativo el paralelo que se asume en este trabajo con el análisis de Evans (1994) del caso de Zaire. Sin embargo, el caso no es equiparable, ya que la deficiente regulación de la economía haitiana se debe más a ciertos factores históricos que favorecieron el mercantilismo, que al acaparamiento del Estado durante los años de la dictadura de Duvalier, por feroz y devastadora que ésta haya sido.

15. Estos estudios de caso en profundidad, que incluyen historias personales de vida, se eligieron a partir de dos criterios: que los empresarios informales fueran «exitosos», y que se ubicaran dentro de ramas productivas representativas de la economía en su conjunto. La mayoría de las entrevistas fueron conducidas por Yolette Exil y Carole Sassine, también responsables de las encuestas cuyos datos son analizados en este artículo.

del medio. Ambos empresarios aplican rígidas relaciones de trabajo dentro del taller, de acuerdo a una jerarquía conformada por aprendices, maestros (*boss*) y patronos. Los aprendices son jóvenes que trabajan generalmente de 7 de la mañana a 5 de la tarde. Laboran sin equipo de seguridad (los soldadores no llevan casco ni anteojos), su horario se prolonga con frecuencia de acuerdo a la cantidad de trabajo pendiente, y no cuentan con ningún tipo de seguro (16). Después de unos años, el aprendiz pasa a la categoría de maestro, equiparable a la categoría de obrero calificado. El maestro cuenta con mejores condiciones de trabajo, mejor sueldo y mayores posibilidades de desarrollo individual (17). Hace falta estudios más sistemáticos para determinar hasta qué punto estas prácticas de empleo y estas condiciones de trabajo son generalizables al medio. En todo caso, es destacable la rigidez de la jerarquía laboral, que parece reproducir relaciones históricas antiguas (18). Hay que señalar que ambos empresarios emplean mano de obra familiar cuyo *status* es impreciso.

Resulta muy difícil determinar el monto del capital inicial de estos talleres. Sin embargo, sí es posible reconstruir la forma en que se iniciaron las empresas estudiadas. El primer paso es la decisión temprana de ambos empresarios de invertir, aunque la empresa de uno de ellos se consolidó más rápidamente debido al favorable contexto familiar que le permitió beneficiarse del patrimonio de sus padres. Por otra parte, el período de formación del capital corresponde en ambos casos a la época en que trabajan como *free lance*. Durante esa etapa específica y crucial, el futuro microempresario se mueve en la frontera del sector formal y el informal y de ese modo realiza su «acumulación originaria». En síntesis, sus talleres constituyen un buen ejemplo del empeño y el acceso a recursos que permiten la edificación de empresas alternativas (Castells/Portes, 1989; p. 27).

La base de la rentabilidad de esos talleres incluye en ambos casos un aspecto estrictamente económico, y otro ligado al tipo de relaciones de trabajo que se desarrollan en el interior de la empresa. La base estrictamente económica se refiere a la gestión del material y las modalidades del cálculo del valor del producto. En general estos talleres operan con un inventario mínimo o nulo. Salvo excepciones, el taller no almacena insumos. El cálculo del valor del producto es siempre aproximado (19). Otro elemento de este funcionamiento económico lo

---

16. Ambos pasaron también por un período de aprendizaje más o menos largo en un taller. Y aunque más de veinte años separan esas experiencias –ya que uno de ellos fue aprendiz entre 1951 y 1954 y el otro entre 1974 y 1978– las condiciones del aprendizaje no han evolucionado. Sin embargo, en 1976 el segundo introdujo una curiosa modalidad que no se ha encontrado en otros casos conocidos. Cada aprendiz paga una cuota inicial de 80 a 100 dólares como derecho a asistir al taller. Esta sería equiparable a una «cuota de aprendizaje», similar a una cuota de escuela.

17. Durante esa etapa el trabajador se da a conocer a través de pequeños trabajos paralelos y adquiere herramienta propia que eventualmente le permitirá independizarse.

18. Son semejantes al *campagonage* en la Europa prerrevolucionaria (Laslett, 1969).

19. En principio hay una relación entre el costo del material y el precio de la mano de obra, pero en realidad no existe norma en la materia. La proporción entre ambos elementos varía de un 30% a un 100%, dependiendo de la complejidad del trabajo. El patrón puede además aumentar un poco su margen de ganancia obteniendo rebajas en la compra del material que no traslada a la factura del cliente. Sin contar con que a veces recurren al mercado paralelo de materiales: el mercado Salomón y el contrabando.

constituyen las relaciones en los circuitos financieros. En el sector formal, éstas son esporádicas y, de acuerdo con nuestros empresarios, son motivadas por necesidades personales no empresariales. En cambio, ambos empresarios conocen bien y valoran mucho los circuitos financieros informales. Niegan recurrir a la usura tradicional (práctica que tiene una gran importancia en la economía de los sectores populares), pero ambos han participado en las redes populares de los *sols*, que constituyen una forma de crédito rotativo, en donde cada participante se compromete a poner una determinada suma por semana o por mes, y en su momento cada uno recibe la totalidad de la suma aportada (20). En síntesis, se puede decir que la rentabilidad económica de los talleres se basa en una regla simple: evitar el vínculo sistemático con la economía formal, pero aprovechar en todo momento, de acuerdo a las circunstancias, las ventajas tanto del sector formal como del informal.

Por otro lado, las relaciones de trabajo dentro del taller son sin lugar a dudas otra fuente importante de rentabilidad para estas empresas. Al igual que el cálculo del precio del producto, la definición del salario de la mano de obra obedece a criterios un tanto arbitrarios. El sistema de aprendices le permite al patrón disponer de una mano de obra totalmente sumisa y casi gratuita bajo el pretexto del beneficio que recibe el aprendiz al conocer y entrenarse en un oficio. La situación de los maestros también favorece al taller ya que cobran a destajo un porcentaje no definido formalmente, del precio de cada trabajo específico y, si no hay trabajo, no hay paga. Evidentemente la gran flexibilidad de las relaciones de trabajo dentro del taller asegura su rentabilidad. El excedente en la oferta de trabajo permite el «uso ilimitado de la fuerza de trabajo» (Portes/Schauffler, 1993; p. 8), ya que limita la capacidad de los trabajadores para resistir las condiciones impuestas por el patrón. La rentabilidad de las empresas está además garantizada por el contexto sociocultural, ya que aún se conservan las relaciones tradicionales de carácter personalista. El conjunto de la sociedad haitiana esta permeada por la persistencia de relaciones sociales personalizadas. Este tipo de relaciones se reflejan plenamente en el ámbito de la economía informal donde funcionan como soporte de un conjunto de prácticas y de costumbres que contribuyen a la estabilidad de la empresa informal.

El carácter personalista de las relaciones sociales en el taller se materializa en una serie de costumbres que se desarrollan entre el patrón y los trabajadores. De acuerdo con los empresarios, es común el establecimiento de lazos a través de prácticas sociales como el padrinazgo, pero además con frecuencia este tipo de vínculos se establece también con los clientes. Por otro lado, destacan la importancia de la «docilidad» de los aprendices y su «buen comportamiento», como factores que influyen sobre la asignación de tareas y por lo tanto sobre su paga. Así mismo, la recomendación del patrón tiene un peso decisivo en el futuro profesional del *boss*. No es que la economía informal genere por sí misma este tipo de

20. Las reglas son estrictas y las faltas pueden motivar incluso la intervención de la policía, aunque dicha posibilidad generalmente permanece como una amenaza y no es el factor determinante en la observancia de dichas reglas.

prácticas, pero sí las promueve, ya que son garantía de un sólido compromiso mutuo no establecido formalmente. Además, las relaciones personales contribuyen a contrarrestar la emergencia de conflictos aun en un contexto de implacable explotación.

Una evaluación de los logros de estos talleres debe ubicarse necesariamente dentro de las perspectivas conformadas por la aguda crisis económica que padece el país. Para medir su éxito como empresa, se requiere considerar la variable tiempo, así como su capacidad para sobrevivir en un contexto económico adverso. El peso de estos factores no puede ser analizado aquí con detenimiento, sin embargo, sí puede ser considerado el impacto de los determinantes no materiales que se desarrollan en una ciudad de migrantes portadores de un complejo bagaje cultural. La forma de vida y la concepción tradicional de familia de los migrantes sufren transformaciones radicales al ponerse en contacto con la «modernidad». Sin embargo, la reproducción parcial, deforme y empobrecida de los patrones tradicionales, se convierte en una trinchera desde la cual los sectores populares intentan resistir a las exigencias planteadas por su inserción en el mundo capitalista. Dicho de otra manera, Puerto Príncipe se convierte en campo de batalla donde se enfrentan la voluntad estatal que pretende implantar la modernidad, y los sectores populares compuestos de migrantes que no sólo luchan para realizar sus aspiraciones, sino además para conservar sus costumbres y tradiciones.

En este contexto, cabe preguntarse hasta que punto es aplicable el concepto de capital social en el análisis de las microempresas estudiadas. Escuchando a nuestros empresarios, resulta difícil detectar las «expectativas de acción que dentro de una colectividad afectan los objetivos y comportamientos de sus miembros» (Portes/Sensenbrenner, 1993). Ni su condición de migrantes ni su pertenencia a un barrio ni las redes de relaciones sociales y económicas tejidas en el transcurso de su desempeño como empresarios, nos permitieron vislumbrar tales expectativas colectivas. No obstante, hay ciertos factores vinculados al medio familiar, que en Haití se caracteriza por el predominio de la familia extensa, que son equiparables a la posesión de algún capital social. Para el lanzamiento de uno de los empresarios, por ejemplo, fue muy importante contar con la solidaridad de sus parientes y el patrimonio paterno. Durante su período como *free lance,* recurrió a la red familiar para hacerse del capital inicial y configurar su clientela. En este caso resulta muy efectivo el padrinazgo y el intercambio de favores. Además, para capitalizarse, utilizó entre otras cosas la red de los *sols,* basados en el principio de la confianza personal y la redituabilidad. Sin embargo, dadas las características de la «jungla» capitalina, los canales para la movilización de este tipo de capital social parecen frágiles y reducidos. Globalmente, las condiciones para la constitución de un capital social son muy débiles, aunque teóricamente exista el potencial para que se desarrollen.

Los capitalinos y la ciudad

Una ciudad puede vivirse de distintas maneras y a diversos niveles, puede propiciar o impedir la proximidad entre las clases, y satisfacer o frustrar las expectativas de sus habitantes. Desde su situación particular, éstos desarrollan su visión de la evolución de la ciudad. Bajo esta perspectiva se analizaron las opiniones de los entrevistados.

La calidad de vida en Puerto Príncipe se ha deteriorado dramáticamente. Las opiniones sobre este respecto son prácticamente unánimes. Los servicios urbanos fueron evaluados negativamente. El 68,7% de los entrevistados piensa que el transporte ha empeorado en los últimos diez años. Sólo 6% piensa que ha mejorado. Respuestas similares se obtuvieron sobre la calidad de los servicios médicos (68,7% contra 7,7%), y más elocuente aún fue la respuesta negativa de 74,3% de los entrevistados cuando se les preguntó sobre la situación de las escuelas. Este último punto es un indicador de que las aspiraciones de los pobladores se han visto frustradas a pesar del aumento en el número de escuelas.

Entre las percepciones sobre la calidad de vida, llama la atención las que se refieren al sentimiento de seguridad de la población. En Haití, el nivel de delincuencia común es inesperadamente bajo considerando la magnitud de las desigualdades socioeconómicas. Los pobladores se refieren primero a la violencia política y sólo en segundo lugar a la delincuencia (que por cierto muestra un ascenso relativo). Además, en opinión de la gente, ambos tipos de violencia están relacionados, al menos en la coyuntura política de los últimos años. Las respuestas reflejan en cierta medida la evolución de las relaciones sociales en la ciudad, pero hablan sobre todo del desempeño de las autoridades, y en este sentido traducen la forma como son percibidas las instituciones responsables de la gestión urbana (cuadro 6).

La percepción de la violencia varía de acuerdo a la situación objetiva de los ciudadanos. Así por ejemplo, el tipo de ocupación parece ser determinante; los desempleados y los autoempleados son quienes muestran mayor sensibilidad frente a este problema, debido a sus condiciones de trabajo. Tanto los desempleados como los autoempleados pasan mucho tiempo en la calle, escenario por excelencia de la inseguridad que resulta de la recurrente agitación social y la consiguiente represión. Resulta interesante observar que, en general, se registra una correlación inversa entre el nivel socioeconómico y la sensibilidad frente a la violencia. Los propietarios, por ejemplo, se sienten más seguros que los inquilinos, y lo mismo ocurre con el nivel de educación, donde, con ciertas variaciones, los más escolarizados parecen ser menos vulnerables a la violencia.

Si se consideran de manera conjunta las opiniones de los entrevistados respecto a los servicios y la atmósfera social de la ciudad, se puede concluir que los pobladores de Puerto Príncipe tienden a sentirse insatisfechos (ver cuadro 7). Los asalariados y los trabajadores independientes (autoempleados) muestran el mayor grado de descontento. Esto puede ser una manifestación de su vulnerabilidad frente a la crisis económica, misma que para los asalariados se expresa en la dificultad para colocarse o conservar el empleo, así como en la pérdida del poder adquisitivo. Para los autoempleados la crisis se refleja en crecientes problemas para mantener sus negocios. La edad es otro factor que influye sobre el grado de insatisfacción. Los más jóvenes parecen ser más exigentes y muestran mayor

Cuadro 6

Opinión sobre la situación de la violencia en la ciudad, en comparación con diez años atrás según ocupación, educación y vivienda

(En porcentajes)

Situación actual	Ocupación					Educación				Vivienda		
	Patrón	Formal	Informal	Autoemp.	No trabaja	Analfabeta	Primaria	Secundaria	Post-sec.	Propia	Rentada	Otra
Mejor	79,9	76,5	71,4	63,2	33,1	44,1	44,9	48,2	63,5	71,9	39,2	62,1
Igual			4,1	3,5	8,1	11,8	4,3	5,5	4,8	7,0	6,6	
Peor	23,1	23,5	24,5	33,3	58,8	44,1	50,7	46,4	31,7	21,1	54,2	37,9
Total	*100,0* *(13)*	*100,0* *(17)*	*100,0* *(49)*	*100,0* *(148)*	*100,0* *(148)*	*100,0* *(34)*	*100,0* *(69)*	*100,0* *(110)*	*100,0* *(63)*	*100,0* *(57)*	*100,0* *(166)*	*100,0* *(58)*
Chi-cuadrado V de Cramer:			p < 0,001 V = 0,26				p = n.s. V= 0,12			p = 0,001 V= 0,21		

Cuadro 7

Satisfacción con la vida en la ciudad en comparación con diez años atrás según ocupación, edad y género

(En porcentajes)

Satisfacción actual	Ocupación					Edad			Género	
	Patrón	Formal	Informal	Autoemp.	No trab.	30-40	40-60	Más de 60	Hombre	Mujer
Menor	53,8	66,7	51,9	62,7	51,6	61,5	47,7	44,4	58,2	52,7
Igual	15,4	6,6	17,3	13,6	14,2	10,9	16,2	22,2	11,8	15,8
Mayor	30,8	26,7	30,8	23,7	34,2	26,9	36,0	33,3	30,0	31,5
Total	*100,0 (13)*	*100,0 (15)*	*100,0 (52)*	*100,0 (59)*	*100,0 (155)*	*100,0 (156)*	*100,0 (111)*	*100,0 (27)*	*100,0 (110)*	*100,0 (184)*
Chi-Cuadrado			p = n.s.				p = n.s.		p = n.s.	
V de Cramer			V= 0,082				V= 0,11		V= 0,063	

descontento, además de que en este grupo de edad es menor el número de indecisos. Entre los mayores, las respuestas varían mucho. Es posible que esta diferencia se deba a la brutal aceleración de la crisis demográfica, económica y política. Los jóvenes, con menos referencias y menos experiencias vividas, resienten más la crisis y relativizan menos sus respuestas. Por otro lado, parece ser menor el peso de la ocupación y el género sobre el grado de insatisfacción, ya que no se encontraron diferencias importantes. De hecho, en términos generales, el desencanto parece ser global y las diferencias entre los grupos no son estadísticamente significativas.

En el contexto de este descontento general, resulta interesante analizar las opiniones de los pobladores sobre el desempeño de las autoridades que gobiernan la ciudad. Ciertos aspectos parecen haber influenciado sensiblemente las respuestas. En primer lugar, los capitalinos por lo general tienen poca información sobre las instituciones encargadas de la gestión urbana y la forma en que operan. La ineficiencia de la mayoría de estas instituciones explica en parte la desinformación de los ciudadanos. Por otro lado, las respuestas también se vieron influenciadas por el alto grado de politización de los citadinos en el momento de la encuesta, lo que afectó su apreciación de las autoridades. Finalmente, las respuestas reflejan además las características histórico-culturales del sistema social haitiano, tales como el centralismo, el presidencialismo y la personalización de las relaciones económicas.

Considerando lo anterior, la población dice conocer el papel que debe cumplir el municipio y considera que tiene capacidad para cumplir con sus obligaciones. El 50,3% de los entrevistados piensa que la alcaldía puede encarar los problemas de la ciudad, contra 29% de escépticos y 20,7% de indecisos o que dicen no saber.

Al relacionar las opiniones con las condiciones objetivas de los entrevistados, aparecen algunas diferencias. Como señalamos, los dos aspectos esenciales de esta parte de la encuesta se referían al conocimiento sobre las instituciones urbanas y sus funciones, y la opinión sobre el desempeño de las mismas. Si bien las correlaciones no son estadísticamente significativas, algunas de las variables parecen tener mayor peso sobre la respuesta. Así, por ejemplo, los migrantes que vienen del campo (de localidades de menos de 5 mil habitantes), muestran un mayor grado de desconocimiento y son más escépticos que los que vienen de ciudades de provincia. El nivel de escolaridad influye sensiblemente; el grupo de los analfabetos muestra mayor grado de escepticismo e ignorancia, en tanto que los entrevistados con más escolaridad tienen más confianza. El género, por otra parte, no tiene ningún efecto sobre la evaluación de la capacidad de la alcaldía para resolver problemas (cuadro 8).

Los entrevistados expresaron también su opinión sobre aspectos tales como la geografía social de la ciudad, las relaciones sociales y las desigualdades socioeconómicas. En general la gente desconoce el número de habitantes de Puerto Príncipe. Sólo 7% de las personas entrevistadas evaluó correctamente la población del área metropolitana . Mucho más acertados son cuando clasifican socialmente a los barrios refiriéndose no sólo a Puerto Príncipe, sino al conjunto del Area Metropolitana. Esto indica la percepción adecuada de una realidad sociológica importante: los sectores acomodados se han refugiado en el extremo este de la ciudad e incluso

Cuadro 8

Opinión sobre la capacidad de la alcaldía para resolver problemas locales según escolaridad, género y origen

(En porcentajes)

La Alcaldía es capaz	Escolaridad				Género		Origen		
	Analfabeta	Primaria	Secundaria	Post-Sec.	Hombre	Mujer	Capital	Cd. Provin.	Rural
No	38,5	22,3	31,4	30,4	27,7	29,8	29,7	25,6	31,5
No sabe	30,8	23,3	15,7	15,2	21,4	20,2	14,9	21,1	25,9
Sí	30,8	54,4	52,9	54,4	50,9	50,0	55,4	53,3	42,6
Total	*100,0 (39)*	*100,0 (102)*	*100,0 (70)*	*100,0 (79)*	*100,0 (112)*	*100,0 (188)*	*100,0 (10)*	*100,0 (90)*	*100,0 (108)*
V de Cramer	V= 0,136				V= 0,023		V= 0,093		
Chi-Cuadrado	p < 0,10				p = n.s.		p = n.s.		

fuera de la misma, en tanto que los barrios populares se ubican en el centro y norte del Area Metropolitana (ver mapa 1). La gente utiliza las expresiones «arriba» para señalar los barrios ricos y «aquí abajo» para referirse a los populares. En realidad esto corresponde a la topografía del terreno que coincide con la ocupación social del espacio (21).

En este punto es necesario hacer algunas observaciones sobre la noción de «barrio» en Puerto Príncipe. En Haití existe una definición tradicional de barrio vinculada al nivel social de sus residencias, que fue utilizada hasta la década de los sesenta. Sin embargo, la brutal expansión urbana y la ocupación «por asalto» del espacio, cambió física y conceptualmente la noción de barrio. Los núcleos residenciales se vieron rodeados de asentamientos populares, por lo que el antiguo barrio se vio ahora compuesto de «varios barrios». Así, por ejemplo, Morne-a-Tuf contiene en la vivencia de la gente diversos barrios. La gente se refiere a Jalouise (asentamiento marginal contiguo a Petion-Ville) como un barrio distinto a sus alrededores residenciales inmediatos.

Por otro lado, la caracterización del barrio varía según la clase social del entrevistado. Los sectores medios y acomodados utilizan todavía la definición «clásica» de barrio, en tanto que los sectores populares lo delimitan con precisión en función de su homogeneidad socioeconómica. Por esta razón se introdujo en el cuestionario la noción de «barrio mixto», sugerida por las dificultades de los entrevistados, quienes con frecuencia se declararon incapaces de clasificar un barrio, ya que «ricos y pobres están mezclados en todas partes (22)». En general, la percepción que tiene la población de la geografía social de Puerto Príncipe es acertada.

El mosaico conformado por la mezcla social dentro de los mismos espacios se convierte en escenario de batallas cotidianas donde se confrontan los problemas específicos de los habitantes de la metrópoli y sus distintos intereses socioeconómicos. Son batallas silenciosas que reflejan la naturaleza de las relaciones entre las clases, y la lucha por el espacio y los servicios. Los pobres obtienen ilegalmente el agua, se conectan de la misma manera al servicio eléctrico e incluso al cable de televisión, al tiempo que ocupan cualquier espacio no construido. La calle y las aceras son gradualmente invadidas por mercados que impiden la circulación. En síntesis, en Puerto Príncipe se desarrolla una carrera encarnizada entre las clases por el control del espacio. El escepticismo de los sectores populares respecto a la

21. El 55% manifiesta su ignorancia total. Al parecer la gente se siente abrumada por la cantidad de habitantes con los que comparten la ciudad y pierde el sentido de las proporciones. Algunas expresiones comunes recogidas en el trabajo de campo señalaban: «Somos demasiados», «debe ser la mitad de la población del país».

22. Se pidió a los entrevistados nombrar tres barrios «ricos» y tres «pobres». Posteriormente, el equipo de investigación procedió a realizar una clasificación objetiva, basada en su conocimiento de la evolución de la ciudad, el valor de los terrenos, el nivel socio-profesional de sus habitantes, la presencia/ausencia de cinturones de pobreza. En el transcurso de esta labor de clasificación, y ante las dificultades que se produjeron, surgió la categoría de «barrio mixto». Esta fue aplicada a los barrios cuya heterogeneidad es tan grande que al subdividirlos se corría el riesgo de pulverizar el Area Metropolitana en fracciones infinitas, hasta perder el concepto mismo de barrio.

Mapa 1

Puerto Príncipe: espacio socioeconómico

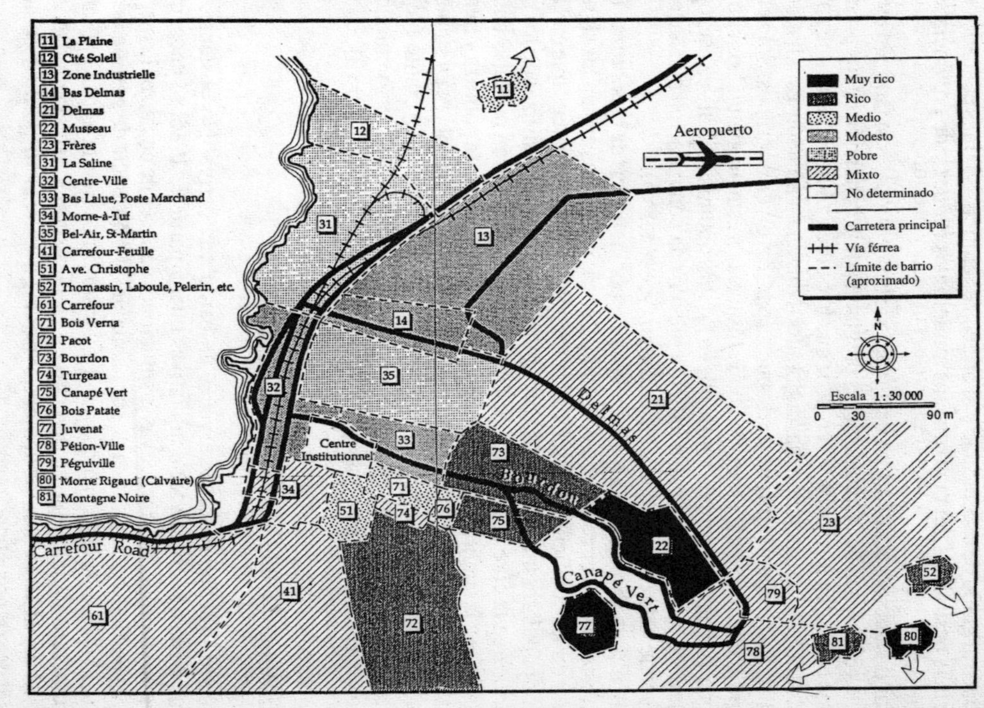

Sabine Manigat. Port-au-Prince (1992). Realización: François André (1993)

capacidad de las autoridades para resolver sus problemas se refleja en esta forma de ocupación del espacio.

Esta conciencia del carácter mixto de los barrios y de los espacios compartidos no significa de ninguna manera un acercamiento entre las clases. El 62,3% de los entrevistados considera que ricos y pobres viven tan separados como hace diez años. Sólo 25% piensa que la distancia social ha disminuido. Esta respuesta está asociada al grado de escolaridad y al origen geográfico. Los más educados tienden a ser más pesimistas, en tanto que los inmigrantes rurales y de provincia son más optimistas.

Las distancias sociales y las desigualdades económicas son también evidentes para los entrevistados. Cuando se les pregunta por la condición de los pobres, dos tercios contestan que éstos viven peor que hace diez años, en tanto que sólo 20% considera que su situación ha mejorado. Ninguna variación estadísticamente significativa se encuentra en esta respuesta para los diversos grupos. Sólo el origen geográfico parece estar asociado con la respuesta a esta pregunta. Los entrevistados que vienen de provincia son de nuevo los más optimistas. Tal vez este optimismo se debe al recuerdo de su condición previa, o la comparación que hacen entre el nivel de vida en la ciudad y en el campo (ver cuadro 9).

Por último se preguntó a los entrevistados por las causas de la pobreza. Tampoco en este caso se encontraron variaciones en las respuestas asociadas significativamente a las condiciones objetivas de los pobladores. Tal parece que en Haití los grupos populares más educados conceptualizan la pobreza utilizando los mismos criterios que la élite económica. En tanto que los grupos con menor escolaridad, los jóvenes y las mujeres, son más sensibles al problema de la pobreza y tienen una percepción más aguda de los obstáculos que enfrentan los pobres en su búsqueda de bienestar y progreso económico. No obstante, lo más interesante fue el alto porcentaje de respuestas que asocian la pobreza con causas estructurales tales como «el Estado», «los ricos» y «la injusticia social» (ver cuadro 10).

Ciudadanía y Estado: en busca de un encuentro

Puerto Príncipe recuerda a veces un barco a la deriva. No obstante, es una ciudad llena de actividades e iniciativas que, a partir de 1986, se encuentran en busca de un proyecto y de nuevas instituciones capaces de encauzar las aspiraciones y la participación política de sus habitantes. La ausencia de gestión urbana en Puerto Príncipe ha sido una constante en los últimos treinta años, a pesar de los movimientos sociales que en diversos momentos surgieron en la ciudad y que se reflejan en la tendencia de los entrevistados a colocar lo político como tema central de sus preocupaciones.

Puerto Príncipe, centro de poder, se afirma también como centro de antagonismos sociopolíticos, donde se enfrentan tres grandes proyectos de sociedad. Primero, el duvalierismo (el *statu quo*) que tiende a justificar sus prácticas retrógradas recurriendo a los valores propios de la nación haitiana, al «nacional-negrismo» y la falsa modernidad. Segundo, el proyecto tecnócrata-modernizador, apoyado por

Cuadro 9

Percepción sobre la evolución de la pobreza en los últimos diez años según edad, escolaridad y origen

(En porcentajes)

La condición de los pobres	Edad			Escolaridad				Origen		
	30-40	41-60	Más de 60	Analfabeta	Primaria	Secundaria	Post-sec.	Capital	Cd. provin.	Rural
Empeoró	72,2	60,5	63,0	74,4	68,0	65,7	63,3	73,3	62,2	63,9
Sigue igual	18,4	22,8	22,2	7,7	7,8	17,1	17,7	12,9	17,8	9,3
Mejoró	9,4	16,7	14,8	17,9	24,3	17,1	19,0	13,9	20,0	26,9
Total	*100,0 (158)*	*100,0 (114)*	*100,0 (27)*	*100,0 (39)*	*100,0 (103)*	*100,0 (70)*	*100,0 (79)*	*100,0 (101)*	*100,0 (90)*	*100,0 (108)*
V de Cramer		V = 0,09				V = 0,111			V = 0,116	
Chi-Cuadrado		p = n.s.				p = n.s.			p < 0,09	

Cuadro 10

Opinión sobre las causas de la pobreza según educación, edad y género

(En porcentajes)

Causas de la pobreza	Educación				Edad			Sexo	
	Analfabeta	Primaria	Secundaria	Post-sec.	30-40	40-60	Más de 60	Hombre	Mujer
Estructurales[1]	57,6	52,9	55,5	17,1	54,0	49,0	42,3	41,5	56,9
Semi-estructurales[2]	9,6	33,8	36,4	50,8	38,0	38,5	46,6	51,9	31,0
Personales[3]	12,1	13,2	8,2	21,4	8,0	12,5	11,5	6,6	12,1
Total	*100,0 (33)*	*100,0 (68)*	*100,0 (110)*	*100,0 (61)*	*100,0 (150)*	*100,0 (104)*	*100,0 (26)*	*100,0 (106)*	*100,0 (174)*

1. Incluye respuestas tales como: «los ricos», «la explotación», «la injusticia social», «el gobierno», etc.
2. Incluye respuestas tales como: «falta de trabajo», «los bajos salarios», etc.
3. Incluye respuestas tales como: «los vicios», «no quieren trabajar», «no tienen ambición», etc.

las clases medias y altas que intentan imponer su concepción de la vida y la política a través de un proyecto de democracia formal y liberalismo económico. Tercero, el proyecto popular, incipiente y mal formulado, que aspira a cambios pero que se encuentra trabado por el peso de antiguas prácticas y su desconfianza hacia la modernidad, la que considera privilegio exclusivo de los ricos.

Dentro de esta compleja trama, algunas veces se enfrentan y otras se mezclan los distintos proyectos. El popular es sin duda el más vulnerable. Las prácticas de lucha colectiva y la multiplicación de organizaciones populares y comités de barrio están lejos de convertirse en una sólida alternativa organizacional. Las organizaciones surgen, desaparecen y reaparecen a veces con perfiles diferentes. Sin embargo, es significativo que este movimiento empieza a interpelar al Estado. De hecho, la victoria de Jean Bertrand Aristide puede interpretarse como una avanzada de la sociedad sobre el Estado. Sin afiliación previa a una organización conocida, y con una trayectoria más comunitaria y pastoral que política, Aristide parece simbolizar la revancha del pueblo sobre el universo cerrado, hostil y excluyente de los políticos tradicionales.

En este contexto se vuelve muy importante conocer la inclinación y la opinión política de los entrevistados.

La situación de los sectores populares frente al Estado se indagó a través de tres preguntas interrelacionadas: a) la forma de participación más atractiva para la gente; b) el grado de participación; y c) la relación entre las actitudes políticas, la participación y la visión del Estado. El momento en que se realiza la encuesta ofrece una coyuntura privilegiada para conocer cuál es la percepción que del Estado tiene la población, el nivel de esperanza y confianza que depositan en él, y el grado en que la propia sociedad confía en la importancia y la eficacia de su intervención.

La participación de la ciudadanía en la política ha sido siempre analizada en función de la naturaleza del poder. Durante décadas, la literatura latinoamericana tendió a privilegiar las expresiones de la voluntad popular a través del estudio de los movimientos sociales (23). El surgimiento de «los nuevos movimientos sociales» propició teorías diversas acerca de su carácter antiestatal o revolucionario, como respuesta a la proliferación en la década de los setenta de Estados excluyentes y autoritarios (Portes/Itzigsohn, 1994).

En algunos casos, como en Brasil, esas experiencias dieron lugar a fuerzas capaces de interpelar al Estado o incluso competir por su control. Pero en la mayoría de los casos, cuando lograron consolidarse, los movimientos se limitaron al ejercicio de una presión más o menos exitosa sobre las autoridades para lograr la solución de problemas específicos. En general, los nuevos movimientos sociales no lograron concretar la función de creadores de poder alternativo que se les atribuía.

En el caso de Puerto Príncipe, como se observa en el cuadro 11, la población muestra un gran interés en la participación, ya sea comunitaria (en organizaciones

---

23. Una buena síntesis de esta literatura durante los años sesenta se encuentra en, Solari, et al., 1976.

Cuadro 11

La participación política: actitudes y realidades

(En porcentajes)

Variables	Favorece la participación en		Participa en	
	Organizaciones comunitarias	Partidos políticos	Organizaciones comunitarias	Partidos políticos
Edad:				
30-40	52,7	61,4	15,2	6,9
41-60	61,1	58,	6,1	1,9
Más de 60	68,0	66,7	18,5	0,0
	P= n.s.	P= n.s.	P<0,05	P<0,08
	V= 0,092	V= 0,046	V= 0,145	V= 0,133
Origen:				
Capital	55,2	62,4	8,9	4,4
Provincia	58,0	59,8	13,6	4,2
	P= n.s.	P= n.s.	P= n.s.	P= n.s.
	V= 0,059	V= 0,026	V= 0,067	V= 0,003
Ocupación:				
Patrón	53,8	78,6	7,1	0,0
Trab. formal	43,8	70,6	5,9	6,3
Trab. informal	59,6	50,9	5,7	2,0
Autoempleado	55,8	42,1	8,8	4,1
Desocupado	58,1	68,4	16,5	5,4
	P= n.s.	P< 0,2	P= n.s.	P= n.s.
	V= 0,076	V= 0,177	V= 0,146	V= 0,082
Educación:				
Analfabeto	59,5	56,4	5,1	0,0
Primaria	64,9	55,3	11,7	1,1
Secundaria	50,0	64,3	5,7	4,6
Post-secundaria	53,8	68,4	22,8	9,5
	P= n.s.	P= n.s.	P< 0,005	P< 0,02
	V= 0,111	V= 0,084	V= 0,208	V= 0,185
Autoidentific. de clase:				
Media	58,0	62,7	27,5	8,2
Trabajadora	53,6	54,2	5,1	3,8
Pobre	59,1	61,2	10,1	3,7
	P= n.s.	P= n.s.	P< 0,001	P= n.s.
	V= 0,048	V= 0,052	V= 0,225	V= 0,083

barriales), o directamente política (militancia en partidos) (24). Aunque los porcentajes que favorecen la participación en partidos son en general más altos, las diferencias no son sensibles (25). La ocupación es el único factor que muestra un cierto grado de asociación estadística como posible determinante de variaciones en la opinión sobre la importancia de la participación política. En el contexto de respuestas generalmente entusiastas aparece una inclinación a favorecer la participación directamente proporcional al nivel de seguridad ocupacional. Los desocupados, que son el grupo mayoritario de la muestra, son la excepción a este patrón pues un alto porcentaje considera muy importante la participación.

Sin embargo, este marcado rechazo a la apatía no necesariamente se traduce en una efectiva participación dentro del grupo entrevistado. El desfase entre opiniones y prácticas es general. A lo sumo se registra una participación relativamente significativa de los más escolarizados en la clase media. Por otro lado, este hecho confirma la debilidad de las tradiciones organizativas en Haití producto de décadas de dictadura (26). Esto explica la aparente contradicción de los entrevistados, quienes dicen apreciar el valor de las organizaciones barriales pero no participan en ellas. El mensaje parece ser: «las organizaciones barriales son importantes, son representativas, pero no pueden lograr gran cosa».

Los partidos políticos, por otro lado, no tienen mayor relevancia en Haití. En general no han aportado nada sustancial al cambio social. Un variado abanico de organizaciones partidarias irrumpió en la última década en el escenario político que se encontraba en plena redefinición, pero no fueron capaces de plasmar sus líneas políticas en prácticas reales de democratización. Sus bases sociales son débiles y su arraigo entre la población es prácticamente nulo, como se demostró en las últimas elecciones. Por esta razón, politización y actividad partidaria en Haití son procesos a menudo desligados, y el conocimiento de los partidos no es necesariamente un indicador del nivel de politización. En síntesis, las respuestas de la encuesta reflejan la aspiración de los capitalinos a una participación más activa y más amplia en los asuntos de Puerto Príncipe. Sin embargo, falta el espacio, las prácticas y los marcos institucionales para encauzar dichas aspiraciones. Estas respuestas podrían también ser expresiones de una nueva actitud hacia el Estado, una confianza renovada a raíz del último proceso electoral o, por el contrario, podrían ser reflejo del entusiasmo de los sectores populares por la figura de Aristide, más que un cambio de actitud hacia el Estado como institución.

Con el objetivo de aclarar el significado de estas respuestas, se determinaron

---

24. Este cuadro privilegia las preguntas que permiten recoger la opinión sobre cada tipo de participación por separado. Una sobre la representatividad de las organizaciones barriales, la otra sobre la importancia de la participación política. Esta elección permite aislar las actitudes hacia cada modalidad participativa *per se* y medir el sentimiento de la gente con respecto a cada tipo de participación.
25. En comparación con otros países incluidos en la investigación regional, solo Haití muestra esta ligera ventaja en la preferencia por los partidos frente a las organizaciones barriales, como lo señalan Portes e Itzigsohn (1994), quienes lo atribuyen al contexto político de Haití.
26. Además, conviene recordar que los comités de barrio han sido tradicionalmente el lugar de expresión de los jóvenes. La muestra los excluye ya que está dirigida a jefes de hogar quienes en general tienen una edad promedio muy por encima de la de los miembros habituales de esos comités.

tres categorías para el análisis de la pregunta «quién podría concretar sus aspiraciones a cambios positivos en la ciudad». Las respuestas que sólo mencionaban al Presidente fueron consideradas como la mera expresión de la coyuntura y por consiguiente sinónimo de que no ha variado la visión del Estado como institución. Las respuestas que incluían al Presidente y al pueblo fueron clasificadas como de «indecisos», por ser de índole menos personalista pero que aún no reflejan una concepción de Estado como cuerpo colectivo responsable. Finalmente, las respuestas que invocan entidades colectivas institucionales (como Estado, comuna, etc.) fueron valoradas como expresión de una «percepción institucional» del Estado.

Una vez realizada la clasificación se desarrollaron diversos análisis para indagar la incidencia de otras variables en la percepción del Estado. Los resultados aparecen en el cuadro 12 donde se muestra que algunas variables tienen cierto poder de predicción sobre este aspecto (27).

Un mayor grado de escolaridad determina una inclinación a percibir al Estado como entidad colectiva institucional. Los trabajadores formales se inclinan en la misma dirección exhibiendo más claridad respecto al Estado institucional que los informales. Al mismo tiempo, las percepciones personalistas son muy abundantes entre los desocupados y los menos escolarizados. Estos datos parecen confirmar la tesis invocada generalmente de que la base electoral de Aristide estuvo conformada por la población urbana, joven, pobre y desocupada.

Finalmente, se construyó un parámetro para medir la relación entre la situación económica objetiva y la percepción del Estado. Se dividió a los pobres en dos categorías: los que expresan una actitud «tradicional» (prevalece la apatía), y los que ostentan cierta conciencia de la responsabilidad que incumbe al Estado, «concepción moderna». Para ello se elaboró un índice, sumando los resultados de dos variables: percepción del Estado y disposición hacia la participación. Para esta última se consideró sólo la participación política, ya que las organizaciones barriales no necesariamente entrañan un elemento político. La atracción por la política puede ser considerada como indicio de una preocupación por el poder de decisión y el ejercicio de influencia sobre el Estado (28). Se buscó entonces determinar en qué medida las aspiraciones expresadas en favor de la participación

---

27. Se desarrollaron una serie de regresiones logísticas de acuerdo a variables seleccionadas (edad, educación, ocupación y autoidentificación de clase). Para llevar a cabo estas regresiones, la variable dependiente «percepción del Estado» se dividió en «visiones personalistas e indecisas» por un lado, y «visiones institucionales» por el otro. La columna Exp (B) registra los coeficientes estandarizados de significación, o el factor por el cual cambia la relación de la variable dependiente cuando se incrementa en una unidad el valor de la variable independiente. Los valores superiores a 1 indican capacidad de predicción sobre la variable dependiente. El predictor «origen» ha sido a su vez dividido en «provincia» y «capital». Sin embargo, para los predictores «clase» y «ocupación», lo que se lee es el efecto de cada una de sus categorías respecto de una «categoría base». Respectivamente, «clase trabajadora» e «informales».

28. La variable así construida «concepción moderna del Estado» es dicotómica. Se distingue entre los de concepción moderna: interés político aunado a una percepción institucional del Estado; y los de concepción tradicional: desinterés e indecisión en cuanto a participación política, aunados a una visión personalista del Estado.

Cuadro 12

Percepción institucional del Estado según predictores seleccionados

(Regresión logística)

Predictores	(B)	Sig	Exp(B)
Edad	0,0054	0,7713	1,0054
Educación	0,1302	0,0030	1,1390
Origen	-0,4225	0,2876	0,6554
Autoidentificación de clase			
Media	-0,4979	0,3289	0,6078
Pobre	-0,2629	0,5677	0,7688
Ocupación			
Patrón	0,2367	0,7963	1,2671
Trab. formal	1,1826	0,0705	3,2629
Autoempleado	0,7573	0,1679	2,1325
Desocupado	-0,5620	0,2660	0,5701
Constante	-2,6843	0,0123	

Predicción correcta: 83,86% de los casos.
Bondad de ajuste: Chi-Cuadrado 262,949
Grados de libertad 244
Sig P< 0,193

política van de la mano con la apatía o, por el contrario, con una concepción moderna del Estado. Los resultados aparecen en el cuadro 13.

Visto en conjunto, el perfil político de los ciudadanos vuelve a encauzarse dentro de esquemas tradicionales. La única variable con poder de predicción real es la escolaridad. Nuevamente son los más educados los que exhiben una concepción moderna y mayor interés en influenciar las políticas del Estado. Al comparar Haití con otros países de la región, se encuentra que junto con Guatemala registra los niveles más bajos de participación política, y actitudes similares respecto a la importancia de la participación comunitaria. Sin embargo, en relación con la participación política, los resultados fueron sensiblemente diferentes entre ambos países: entusiasmo en Haití, apatía y escepticismo en Guatemala. Esto nos lleva a la conclusión de que la coyuntura política en Haití influyó decisivamente en las respuestas, y confirma a la vez la magnitud de las esperanzas creadas por las primeras elecciones democráticas.

Cuadro 13

Concepción moderna del Estado según predictores seleccionados

(Regresión logística)

Predictores	(B)	Sig.	Exp. (B)
Edad	0,0182	0,1993	1,0184
Educación	0,1319	0,0002	1,1410
Origen	0,4240	0,1640	1,5280
Autoidentificación de clase			
Media	-0,3761	0,1602	0,6885
Pobre	0,1735	0,4855	1,1894
Ocupación			
Patrón	0,1175	0,8282	1,1247
Trab. formal	0,4154	0,3723	1,1247
Autoempleado	-0,1454	0,6508	0,8647
Desocupado	-0,2105	0,5047	1,2343
Constante	-2,6262	0,0016	

Predicción correcta: 71,03% de los casos.
Bondad de ajuste: Chi-Cuadrado 257,103.
Grados de libertad 242.
Sig P < 0,2411.

Conclusiones

Los sectores populares de Puerto Príncipe padecieron la crisis económica en todos sus aspectos: desempleo alarmante, alojamiento deplorable, ingresos bajos, inseguridad en el empleo. Esta crisis se desarrolla además en un contexto espacial caótico y una notoria carencia de servicios básicos. La encuesta revela que entre la población existe una clara conciencia de la situación, tanto de la ciudad como de la suya propia. El peso de los migrantes en la definición de la ciudad es decisivo. Sus costumbres, su cultura, su reciente desarraigo, son factores que contribuyen a moldear un medio social en perpetua transición, pero carente de dirección debido al virtual abandono y la ausencia del Estado. Este panorama global ha llevado a la formulación de tesis diversas sobre las particularidades del subdesarrollo haitiano.

No es adecuado hablar simplemente de «atraso» o «deformación» del desarrollo. Se trata más bien de procesos irreversibles que plantean sin duda serios retos a la evolución del país en general y de Puerto Príncipe en particular. La organización del espacio urbano en cualquier parte requiere de planificación, regulación, distribución de servicios, de medios de vida y de cuotas de poder. Sin embargo, esta lógica de la planificación se opone en la capital haitiana a las vivencias y las reglas que imperan en los sectores populares, mismas que, ante la indiferencia del Estado, parecen prevalecer en la ciudad. La ciudad se ha transformado en un ente caótico, donde los niveles de frustración (claramente visibles en las encuestas), agudizan las desigualdades y la competencia por el espacio, en vez de dar paso a soluciones colectivas. Esta situación se refleja claramente en los estudios de caso, ejemplos de la economía informal en la capital.

El primer rasgo que sobresale en el mundo de la economía informal es el carácter feroz de las relaciones económicas. Acceder al éxito, como en el caso de nuestros empresarios, significa transitar por los estrechos senderos de un individualismo exacerbado. Pocos lo logran. La reproducción de la fuerza de trabajo depende sólo parcialmente del salario en el taller. La mayoría de los trabajadores asegura su sustento a través de las redes de relaciones familiares, barriales, con la región de origen y otras. Esta situación se extiende a la inmensa mayoría de los trabajadores, no sólo a los del sector informal. En síntesis, la microempresa informal en Haití se desarrolla en un universo de encarnizadas luchas por la supervivencia. Los pocos casos de éxito no son suficientes para convencer de su potencial como posible motor de desarrollo económico equitativo.

El golpe de Estado en Haití en 1991 confirió una dimensión trágica a las opiniones expresadas por los pobladores respecto a la participación ciudadana. Huelga decir que la forma en que finalmente se resuelva la crisis política tendrá indiscutiblemente un fuerte impacto sobre la permanencia de esas actitudes y aspiraciones. La condición política haitiana ha reflejado, en gran parte, la actitud miedosa y condescendiente de los sectores acomodados que se resisten a pagar el precio del cambio. Por otro lado, los sectores populares, sin control sobre la instituciones públicas, no han logrado superar su desconfianza hacia ellas. Es sin duda esta ambivalencia entre el deseo de cambiar al Estado y el escepticismo respecto a las posibilidades de transformarlo la que se expresa en la visión que los metropolitanos tienen de su ciudad, sus problemas y de las autoridades responsables de su gestión.

Este panorama global dificulta considerablemente la formulación de posibles políticas tendientes a mejorar la condición de los sectores populares de Puerto Príncipe. En todo caso, es prioritario fortalecer las instituciones, en especial las de las autoridades públicas: ministerios, municipalidades. Al mismo tiempo, es urgente abrir canales que favorezcan la microempresa. Una etapa previa al desarrollo de la microempresa es el autoempleo, muy difundido en Puerto Príncipe, según revela la encuesta. Por consiguiente, en un contexto adecuado de regulación económica, la microempresa se vislumbra como una vía para aliviar la pobreza de la población. Esto supone el desarrollo de circuitos financieros adecuados, ampliación de mercados y, sobre todo, una legislación laboral que proteja al trabajador. Estas medidas podrían contribuir a contrarrestar las tendencias negativas, individualistas y en extremo competitivas que prevalecen en los círculos de microempresas. Ningún horizonte está para siempre cerrado, y hablar de procesos irreversibles no significa la imposibilidad de vislumbrar transformaciones. Sin embargo, la democratización efectiva de las instituciones y de la vida política en Haití es condición indispensable para cualquier cambio.

Este artículo forma parte de una investigación realizada entre 1991 y 1992 en cinco capitales de la cuenca del Caribe. El trabajo de campo debe mucho al equipo de investigación, en especial a Carole Sassine y Yolete Exil. Quiero agradecer además las observaciones y sugerencias de Alejandro Portes, Carlos Dore y José Itzigsohn, así como la asesoría metodológica y estadística de José Itzigsohn y Patricia Landolt. El contenido del artículo y las opiniones expresadas son responsabilidad exclusiva del autor.

Bibliografía

Banque de la Republique d'Haiti (1992) *Rapport Annuel*. Banque de la Republique d'Haiti. Port-au-Prince.

Blanc, B./Dansereau, F. (1991) La diversité des stratégies professionnelles et résidentielles des familles démunies: un défi pour les politiques d'Intervention dans les quartiers sous-intégrés. Mimeo.

Cabrera, J.G. (1988) *Profil socio-économique des micro-entreprises informelles: La Saline, Saint-Martin*. Mimeo. Port-au-Prince.

Castells, M./Portes, Alejandro (1989) World Underneath: The Origins, Dynamics and Effects of the Informal Economy, en A. Portes/M. Castells/L. Benton (eds.), *The Informal Economy: Studies in Advanced and Less Developed Countries*. The Johns Hopkins University Press. Baltimore.

Coll, F. (1989) Le secteur informel dans l'économie haitienne, en *Forum Libre*.

Cortes, F. (1988) La informalidad: ¿comedia de equivocaciones?, en *Nueva Sociedad* 97 (sept./oct.).

De Ronceray, H. (1979) Sociologie du fait Haitien, en *L'Action Sociale*.

Evans, P. (1994) Predatory, Developmental, and Other Apparatuses: A Comparative Political Economy Perspective on the Third World State, en A. Kincaid/A. Portes (eds.), *Comparative National Development: Society and Economy in the New Global Order*. The University of North Carolina Press. Chapel Hill.

Fass, S. (1990) *Political Economy in Haiti: The Drama of Survival*. Transaction Publishers. Fredricton, N.B.

Guarnizo, L. (1992) *One Country in Two: Dominican-owned Firms in New York and the Dominican Republic*. Ph.D. dissertation. Department of Sociology, The Johns Hopkins University, Baltimore.

Honorat, J.J. (1974) *Enquête sur le développement*. Imp. Centrale. Port-au-Prince.

Institut Haitien de Statistique et d'Informatique (1984) *Enquête Industrielle*. Port-au-Prince.

Lanzetta de Pardo, M./Murillo Castaño, G./Triana Soto, A. (1989) The Articulation of the Formal and Informal Sectors in the Economy of Bogotá, Colombia, en A. Portes/M. Castells/L. Benton (eds.), *The Informal Economy: Studies in Advanced and Less Developed Countries*. The Johns Hopkins University Press, Baltimore.

Laslett, P. (1969) *Un monde que nous avons perdu: les structures sociales préindustrielles*. Flamarion, Paris.
Manigat, S. (1980) Debilidades y fortaleza de un Estado en transición: Haití de la posguerra, en *Realidad Contemporánea* 12/13 (abril).
Portes, A./Itzigsohn, J. (1994) The Party or the Grassroots: A Comparative Analisis of Urban Political Participation in the Caribbean Basin, en *International Journal of Urban and Regional Research* 18.
Portes, A./Schauffler, R. (1993) The Informal Economy in Latin America: Definition, Measurements and Policies, en G. K. Schoepfle/J. Pérez-López (eds.), *Work Without Protections*. U.S. Department of Labour, Washington, D.C.
Portes, A./Sensenbrenner, J. (1993) Embeddedness and Immigration: Notes on the Social Determinants of Economic Action, en *American Journal of Sociology* 98.
Solari, P. et al. (1976) *Theory, Social Action and Development*. Siglo XXI Editores. México, D.F.
Tardieu, C. (1984) Evaluacion de l'Enquête Haitienne sur la Fécondité, en *Scientific Reports* 50 (Aug).
World Bank (1987) *Haiti: Examen des Dépenses Publiques*. World Bank. Washington, D.C.
World Bank (1990) Haiti: restoration of growth and development. Mimeo.

Lasch, P.M. (19[illegible]) [illegible]
Marqu[illegible], M. (19[illegible]) [illegible]
Portes, A. [illegible] (19[illegible]) The Party [illegible] Questions: A Comparative Analysis of Urban Political Participation in [illegible]. International Journal of Urban and Regional Research [illegible]
Portes, A. [illegible] (19[illegible]) The Informal Economy [illegible] American [illegible] Movements, and [illegible] Baltimore, MD.
Portes, A. [illegible] and Immigration: Notes on the Social Determinants of [illegible]. American Journal of Sociology [illegible]
[illegible] (19[illegible]) [illegible] Social [illegible]
[illegible] (198[illegible]) [illegible]
World Bank (19[illegible]) World Development Report [illegible]. World Bank, Washington, D.C.
World Bank (19[illegible]) [illegible] growth and development [illegible]

Apatía y esperanzas: las dos caras del Area Metropolitana de Guatemala

Juan Pablo Pérez Sáinz

La crisis de los años ochenta en América Latina y la subsiguiente reestructuración productiva que le ha seguido en el marco de la estrategia de ajuste estructural, ha tenido efectos significativos sobre los procesos urbanos de la región. En este sentido, se ha enfatizado la importancia creciente de ciudades intermedias como localizaciones de nuevos centros de acumulación; las redefiniciones del patrón de polarización socioespacial que el proceso modernizador generó en ámbitos mertropolitanos; y los límites del sector informal en absorber el desempleo generado por la crisis y la reestructuración (Portes, 1989). En el caso de Guatemala, estas tres tendencias se cumplen aunque de manera parcial. Así, en primer lugar, se observa una pérdida de primacía de la capital guatemalteca en el sistema urbano pero sin que se pueda identificar alguna ciudad secundaria que comience a desafiar tal primacía. Segundo, se mantiene el patrón poco nítido de segregación socioespacial en Ciudad de Guatemala que el crecimiento urbano había gestado durante el proceso modernizador aunque también se vislumbran ciertas tendencias hacia una mayor polarización. Y, tercero, si bien la crisis ha supuesto un incremento del desempleo abierto, se insinúa que la informalización ha sido el principal mecanismo de ajuste del mercado laboral capitalino en los ochenta (Pérez Sáinz, 1992).

Este trabajo pretende profundizar en la comprensión de estas dos últimas tendencias (1). Por un lado, desde la perspectiva socioespacial se quiere explorar las percepciones de los propios pobladores citadinos sobre distintos aspectos del proceso urbano de la capital guatemalteca en el contexto de crisis. Esto supone un desplazamiento del énfasis interpretativo desde lo situacional hacia lo subjetivo, lo cual se puede considerar novedoso ya que los análisis tienden a privilegiar dimensiones estructurales y/o a considerar a los sujetos sólo cuando se constituyen en actores sociales políticos. Esta exploración se apoya en la evidencia empírica recabada a través de una encuesta aplicada en tres asentamientos del Area Metropolitana que busca reflejar la heterogeneidad popular de ese espacio urbano. Por otro lado, se quiere abordar también la problemática de la informalidad tomando en cuenta casos de establecimientos dinámicos. Por razones que se justificarán en su momento, se ha seleccionado un universo de estudio fuera de la capital, en San Pedro Sacatepéquez; no obstante, como se apreciará, los establecimientos indaga-

---

1. Este texto se ha enriquecido con los comentarios pertinentes de Alejandro Portes, Carlos Dore y José Itzigsohn pero, obviamente, la responsabilidad es única del autor. Se quiere aprovechar para mencionar que la realización de esta investigación ha sido posible por la asistencia invaluable de Angela Leal en la fase de trabajo de campo. Y también hay un agradecimiento muy especial para José Itzigsohn por su generosa y eficiente ayuda en el procesamiento de la información.

dos están ligados a la economía metropolitana ya que su característica básica es su subcontratación por empresas localizadas en Ciudad de Guatemala.

Sectores populares y percepciones sobre la ciudad: evidencia a partir de tres colonias del Area Metropolitana de Guatemala

La profundización del análisis del proceso urbano del Area Metropolitana de Guatemala en el contexto de crisis, desde la perspectiva socioespacial, se quiere llevar a cabo privilegiando las percepciones de pobladores de origen popular sobre algunos aspectos básicos de tal proceso urbano. Para ello se ha aplicado una encuesta en tres colonias. Dos de ellas se encuentran en el municipio de Mixco, perteneciente al Area Metropolitana de Guatemala y conurbado físicamente por el propio municipio capitalino por lo que no hay separación física entre ambos ámbitos espaciales. La tercera se ubica en el municipio de Chinautla pero contigua a los municipios de Guatemala y al mixqueño. La localización de los universos es en el noroccidente del Area Metropolitana que constituye una de las zonas de mayor crecimiento en las últimas décadas. A pesar de compartir esta misma ubicación espacial las tres colonias se diferencian entre sí.

El Milagro surgió en la década de los cincuenta para dar respuesta al crecimiento poblacional de la capital. Esta colonia fue planificada por una urbanización privada que ofrecía soluciones habitacionales a sectores populares. Su poblamiento se completa en los setenta habiéndose generado un asentamiento más bien heterogéneo. Los datos censales de 1981 mostraban una población de 25.002 habitantes. La segunda colonia en crearse fue la Primero de Julio en la década de los sesenta. Es también un asentamiento planificado pero por una entidad estatal (el Banco de la Vivienda) destinado a sectores medios-bajos. Para 1981 la población estimada –con base también en datos censales– era de 21.352 habitantes. Y, por último, Tierra Nueva surge como fruto de una invasión que se produce en las cercanías de la aldea Lo de Fuentes a partir del terremoto de 1976 por personas que quedaron sin vivienda como resultado del sismo. En 1981 los datos censales mostraban una población de 4.561 habitantes en Tierra Nueva y 1.016 en Lo de Fuentes. Esta invasión es lo que se conoce como Tierra Nueva I ya que en 1986, al inicio del gobierno demócrata-cristiano, se produce una segunda ocupación de terrenos aún baldíos así como predios ubicados en Lo de Fuentes. Esta segunda invasión se la conoce como Tierra Nueva II y sus condiciones, en términos de infraestructura básica, son aún más precarias que las del primer asentamiento.

Por consiguiente, se han seleccionado tres asentamientos populares surgidos de diferentes formas y en distintos momentos del crecimiento urbano del Area Metropolitana de Guatemala; área que comenzó a configurarse a partir de 1950 cuando la capital dejó de ser una urbe de estirpe colonial (Roberts, 1968; Gellert, 1990). Estas diferencias de génesis insinúan que sus composiciones socioeconómicas, dentro del mundo de lo popular, deben ser distintas. Para verificar esta naturaleza heterogénea resulta pertinente analizar perfiles de estas tres colonias que remiten a dimensiones básicas de orden situacional (ver cuadro 1).

Dos rasgos son comunes en las tres colonias: su masculinización y el predominio de población migrante (2). El primero de ello se puede explicar por la selección de informantes, o sea jefes de hogar (3). El segundo, por su parte, reflejaría la localización periférica de los asentamientos que suelen constituir áreas de poblamiento de migrantes con cierto tiempo de estancia en la capital. Por el contrario, el nivel de instrucción presenta diferencias sifgnificativas que remiten al contraste entre la Primero de Julio, con una población de mayor educación como era de esperar, y las otras dos colonias. También la condición de ocupación de la población muestra distinciones significativas. Por un lado, es en la Primero de Julio donde los no ocupados tienen más peso y, al respecto, hay que mencionar que en la mitad de los casos se trata de personas ya pensionadas mientras que en las otras dos colonias remite –de manera mayoritaria– a amas de casa. Por otro lado, en términos de ocupación, la Primero de Julio se presenta como el asentamiento con una inserción laboral más formalizada debido a la incidencia del empleo público ya que dicha colonia fue creada para dar solución habitacional a este tipo de trabajadores (4). Por el contrario, en El Milagro predomina el trabajo por cuenta propia y se proyecta una imagen de mayor informalidad mientras Tierra Nueva correspondería a una situación intermedia reflejando –de manera clara– la heterogeneidad del mercado laboral metropolitano.

Pero es respecto a las dimensiones de orden espacial que las diferencias devienen más patentes. Así, en términos de servicios básicos Tierra Nueva se distingue de los otros dos asentamientos aunque El Milagro sufre también de problemas en la provisión de agua, que debe lograrse mediante la compra de toneles. Por su parte, la tenencia de la vivienda muestra situaciones diferenciadas entre las tres

---

2. En las tres colonias se obtuvieron mapas relativamente actualizados para delimitar los universos de estudio. En el Milagro, inicialmente, se identificaron 5.036 lotes pero hubo que excluir secciones enteras por problemas de seguridad personal de los encuestadores a la hora de realizar el trabajo de campo. Esta es una de las colonias de mayor nivel de delincuencia del Area Metropolitana en un país donde la violencia es un rasgo básico de la sociedad. Esto supuso reducir el universo a 3.749 lotes. Inicialmente, la encuesta se aplicó sólo a este universo con una muestra de 200 boletas ya que se pensó que esta colonia presentaba heterogeneidad socioeconómica. No obstante, los resultados mostraron que no había suficiente presencia de sectores medios-bajos ni de sectores pobres, debido esto último probablemente a la exclusión de secciones que hubo que hacer por razones de seguridad. Dadas estas limitaciones, se creyó conveniente extender la encuesta a otros dos asentamientos. Por un lado, se consideró a la colonia Primero de Julio, típica de sectores medios-bajos, tomándose en cuenta sólo el área más antigua que supuso un total de 2.863 lotes donde se pasaron 100 boletas. Y, por otro lado, se seleccionó Tierra Nueva, asentamiento de tipo precario. En este caso, el número de lotes considerados fue de 1.235 (ubicados tanto en el primero como en el segundo sector) y el número de entrevistas realizadas fue también de 100. En los tres asentamientos la selección fue aleatoria simple tomando a los lotes como unidad muestral. En las situaciones donde en un mismo lote había más de un hogar, se eligió también aleatoriamente sólo uno. El (la) informante fue la persona que se identificó como jefe(a) del hogar siempre y cuando tuviera 30 años o más.

3. Igualmente, tal selección explica que se esté ante predominio de personas en edad madura ya que, como se ha mencionado en la nota precedente, los informantes debían tener –al menos– 30 años de edad. No obstante hay diferencias entre las colonias, destacando la Primero de Julio por su población de mayor edad.

4. Se debe aclarar que las categorías formal/informal se han establecido de acuerdo a criterios de regulación tomando como variable definitoria la existencia o no de aportes al IGSS.

Cuadro 1

Autoidentificación de clase por familia y colonia

Variables	Primero de julio (a = 100)	El Milagro (a = 200)	Tierra Nueva (a = 100)	Total (a = 400)	p<1	J o Eta 2
Identificación social de la familia (%)					0,0000	0,394
Clase media	65,3	20,2	6,1	27,9		
Clase trabajadora	26,5	47,7	47,7	38,5		
Clase pobre	8,2	32,1	61,6	33,6		
Identificación social de la colonia (%)					0,000	0,408
Clase media	63,4	22,9	12,0	29,9		
Clase trabajadora	30,1	51,6	21,0	38,3		
Clase pobre	6,5	25,5	67,0	31,8		

1= Chi-cuadrado para variables nominales y ordinales y análisis de varianza para variables de intervalo.
2= V de Cramer para variables o variables y ordinales y Eta para variables de intervalo.

colonias resaltando en el caso de Tierra Nueva la importancia de la categoría de precaria que remite a la invasión como resultado del origen de este asentamiento (5). Esta distinción se reafirma –de manera nítida– con el índice de hacinamiento (cociente del tamaño del hogar entre número de cuartos que se utilizan como dormitorios).

Por consiguiente, respecto a este conjunto de atributos se detectan perfiles distintos que diferencian –sobre todo– a la colonia Primero de Julio del asentamiento de Tierra Nueva. Así, en aquélla encontramos personas de mayor edad con un mayor nivel de instrucción e insertas en relaciones laborales más formales. Estas diferencias se acentúan respecto a dimensiones de orden espacial donde Tierra Nueva presenta un perfil de clara precariedad: ausencia de legalización de la tenencia de vivienda, falta de servicios básicos en la misma y mayor nivel de hacinamiento. Por su parte, El Milagro representa, en la mayoría de los casos, una situación intermedia. Es decir, se puede afirmar que se está ante universos diferenciados en términos de dimensiones situacionales básicas y que permiten sustentar la idea inicial de que la selección de asentamientos refleja –en buena medida– la heterogeneidad socioeconómica del mundo popular del Area Metropolitana de Guatemala.

5. Hay que aclarar que en esta categoría se han incluido algunos casos de uso gratuito de la vivienda o por servicios referidos a la Primero de Julio y a El Milagro. Pero la casi totalidad de las situaciones remite a tenencia por invasión.

No obstante, se ha querido refrendar esta conclusión tomando en cuenta la valoración de los propios pobladores sobre su entorno socioespacial iniciando así el análisis de percepciones. En este sentido, en este mismo cuadro se han incluido dos variables de naturaleza no situacional, que intentan captar tal fenómeno. Así, en primer lugar, se puede observar como en la Primero de Julio la mayoría de los informantes identificaron a su propia familia como perteneciente a clase media mientras que en Tierra Nueva, en una proporción muy similar, lo han hecho en términos de clase pobre. Por su parte, en El Milagro se prioriza la identificación como clase trabajadora a la vez que se muestra más diversidad que en los otros dos asentamientos. Estos resultados son muy similares en relación con la clasificación social de la propia colonia. Por consiguiente, los imaginarios colectivos de estos asentamientos tienden a coincidir con la caracterización situacional que se ha realizado reforzando así la conclusión sobre la heterogeneidad del mundo popular que representan las colonias seleccionadas.

Manteniendo la dimensión espacial de colonia como referente analítico, en el cuadro 2 se explicitan las valoraciones de los pobladores de estos asentamientos sobre distintos aspectos de la vida en la ciudad. En primer lugar, tenemos percepciones referidas a servicios básicos. Ante todo, hay que resaltar que en relación con todos ellos predomina una valoración negativa reflejando que la mayoría de los pobladores consideran que el período de crisis de los ochenta ha supuesto un deterioro de estos servicios. No obstante, hay diferencias entre las colonias y, al respecto, habría que resaltar las valoraciones más positivas de los pobladores de Tierra Nueva que expresarían la situación típica de asentamiento precario que consigue, de manera paulatina, acceso a servicios básicos (6).

Por su parte, las dos últimas variables de este mismo cuadro muestran resultados opuestos: una valoración generalizada de que la gente vive peor en la ciudad que hace diez años pero un sentimiento, también generalizado, de estar conforme de vivir en su colonia. En ambos casos las diferencias entre asentamientos son significativas pero las más interesantes remiten a la última variable. Así, tanto en la Primero de Julio como en Tierra Nueva la gran mayoría muestra una valoración positiva. En el primer caso, se podría pensar en un sentimiento de satisfacción en términos de vivir en una colonia que, en la zona donde está ubicada, muestra una mejor integración a la ciudad y refleja mayor *status* socioeconómico; en el segundo caso, la principal razón habría que buscarla más bien en el valor otorgado al logro, a través de la invasión, de insertarse en el espacio urbano. Por el contrario, menos de la mitad de los habitantes de El Milagro están contentos de vivir en esa colonia; hecho que no debe sorprender conociendo el clima de violencia y zozobra que caracteriza tal asentamiento. Por consiguiente, contrastando los resultados de estas dos últimas variables, se podría decir que esta discrepancia de evaluaciones refleja percepciones diferenciadas de la ciudad según espacios. Así, en términos

6. Este ha sido, de hecho, el caso con los servicios escolares ya que en 1986 se creó en ese asentamiento una escuela de educación primaria y cuatro años más tarde un instituto de educación secundaria. De ahí que no es de extrañar que la mitad de los entrevistados hayan considerado que este tipo de servicios mejoró en los últimos diez años.

Cuadro 2

Valoraciones sobre servicios básicos y vida en la ciudad y en la colonia

(Por colonias)

Valoraciones	Primero de Julio (a = 100)	El Milagro (a = 200)	Tierra Nueva (a = 100)	Total	p< 2	V = 2
Transporte público (1)					0,0093	0,130
Mejor	41,0	30,0	43,0	36,0		
Igual	20,0	29,0	12,0	22,5		
Peor	39,0	41,0	45,0	41,5		
Servicios médicos (1)					0,0324	0,115
Mejores	19,0	30,5	37,0	29,3		
Iguales	27,0	26,5	29,0	27,3		
Peores	54,0	43,0	34,0	43,5		
Sistema escolar (1)					0,0000	0,225
Mejor	21,0	20,5	50,0	28,0		
Igual	26,0	28,5	30,0	28,3		
Peor	53,0	51,0	20,0	43,8		
Vida en la ciudad (1)					0,0000	0,140
Mejor	13,0	5,0	2,0	6,3		
Igual	6,0	19,5	5,0	12,5		
Peor	81,0	75,5	93,0	81,3		
Conformidad de vivir en la colonia					0,0000	0,337
Conforme	89,0	44,5	89,0	66,8		
Indiferente	11,0	45,5	7,0	27,3		
Inconforme	–	10,0	4,0	6,0		

1= Con respecto a diez años atrás.
2= Chi-cuadrado.
3= V de Cramer.

globales, la urbe es visualizada de manera ajena y hostil y, por tanto, valorada de manera severa. Por el contrario, el entorno urbano inmediato es apropiado y, por consiguiente, la valoración cambia de manera radical. Es decir, ciudad y barrio parecen tener significados distintos para los pobladores.

El cuadro 3 completa las percepciones de pobladores, según su pertenencia espacial, tomando en cuenta sus valoraciones sobre el accionar tanto de la municipalidad como de organizaciones comunitarias. Como se puede observar, ambas son evaluadas de manera negativa: la mitad de los pobladores piensan que la municipalidad satisface peor las necesidades de la población que hace diez años y

Cuadro 3

Valoraciones sobre acción de la municipalidad y de las organizaciones comunitarias por colonia

Valoraciones	Primero de Julio (a = 100)	El Milagro (a = 200)	Tierra Nueva (a = 100)	Total	p< 2	V = 2
Acción de la municipalidad					0,0003	0,162
Mejor	23,0	14,5	10,0	15,5		
Igual	36,0	40,0	22,0	34,5		
Peor	41,0	45,5	68,0	50,0		
Incidencia de organizaciones comunitarias					0,0000	0,291
Nada	72,0	86,5	42,0	71,8		
Algo	23,0	10,5	40,0	21,0		
Mucho	5,0	3,0	18,0	7,3		

1= Con respecto a diez años atrás.
2= Chi-cuadrado.
3= V de Cramer.

casi tres cuartos consideran que las organizaciones de tipo comunitario no inciden, en absoluto, en mejorar la situación de la gente. A pesar del predominio de este tipo de percepciones, sí existen diferencias entre las colonias. Al respecto, tal vez lo más interesante es resaltar las valoraciones de los pobladores de Tierra Nueva. Los mismos son los que evalúan de manera más severa a la municipalidad mientras que las actitudes respecto a las organizaciones comunitarias son más benevolentes. Esta diferencia estaría reflejando, probablemente, los orígenes de creación de este asentamiento donde la acción colectiva, a través de la invasión, jugó el papel determinante. Por el contrario, El Milagro reflejaría una situación de apatía al respecto, en ese clima de anomia creado por la violencia, y la Primero de Julio mostraría cierta confianza en la institución municipal como reflejo de una población que, en términos laborales y culturales, está más integrada a la ciudad y al ámbito de lo público.

Insistiendo en esta problemática de las percepciones sobre la ciudad, el cuadro 4 explora las valoraciones de la evolución de la pobreza en la capital durante los últimos diez años y las causas de la misma. Para ampliar la perspectiva analítica, distintas variables de orden situacional, que no se reducen a la dimensión espacial como es el caso de pertenencia a las colonias, han sido seleccionadas para llevar a cabo tal exploración.

La gran homogeneidad de los resultados implica que los comentarios al respecto sean inequívocos y breves. La casi totalidad percibe, indistintamente de cuál sea su condición situacional, que la pobreza en la ciudad ha empeorado con la crisis

(7). En el mismo sentido, casi tres cuartos de las personas piensan que las causas se deben a factores ajenos a las circunstancias personales de los individuos que remiten a procesos estructurales (8). Igualmente, no se detectan diferencias significativas según los referentes situacionales. Es decir, se puede hablar de una percepción generalizada de que la pobreza ha empeorado con la crisis y que tal deterioro se debe a procesos de orden estructural; incluso se podría decir que esta valoración forma parte del sentido común popular. Además, la identificación causal expresaría que los sectores populares del universo indagado privilegian una lectura situacional de la crisis y sus efectos.

Con el cuadro 5 se incursiona en el ámbito de la acción colectiva en sus dimensiones políticas y sociales. Ante todo hay que resaltar los porcentajes ínfimos de participación tanto en partidos políticos como en organizaciones comunitarias. Carencia que no parece explicarse por ninguno de los factores situacionales seleccionados con la excepción, respecto a la participación en organizaciones comunitarias, de la dimensión espacial (tenencia de vivienda). Como se puede observar en la categoría de «precaria» aparece un porcentaje que es casi tres veces superior al promedio global y que, si se recuerda el cuadro 1, debe remitir a pobladores de Tierra Nueva. Al respecto se debe también recordar el origen, por invasión, de este asentamiento y su actual situación de precariedad lo que explicaría la presencia de cierta acción comunitaria. Pero lo relevante de estos resultados es que reflejan de manera muy nítida, independientemente de la sinceridad de los informantes, la ausencia de participación en el sistema político y la desactivación generalizada de la sociedad civil en Guatemala a pesar del proceso de apertura democrática. Un hecho que debe explicarse por el patrón de dominación oligárquica existente desde hace varias décadas y que se ha plasmado en regímenes autoritarios militares caracterizados por un ejercicio brutal y despiadado de la violencia (Jonas, 1991).

Más esperanzadores son los resultados referidos a las actitudes hacia la acción colectiva (9). Prácticamente, la mitad de los informantes han expresado actitudes favorables a la misma; dentro de ellos los hay quienes se inclinan hacia los partidos

---

7. La pregunta que se realizó ha buscado saber si los pobres de la ciudad viven ahora mejor, igual o peor que hace diez años. Formulada de esta manera no capta si hubo o no incremento de la pobreza sino más bien si la miseria (pobreza extrema) ha ganado importancia respecto a la pobreza.

8. La respectiva pregunta daba once opciones entre las que la persona entrevistada debía elegir sólo una respuesta. Cinco de ellas (la falta de empleo, los bajos salarios, la injusticia social, la ineficiencia estatal y la explotación de los pobres por los ricos) se han considerado, para efectos interpretativos, como estructurales. Por el contrario, cuatro de estas opciones (la mala suerte, el exceso de hijos, los vicios y el no trabajar suficientemente arduo) se han estimado como individuales. Había otras dos opciones (no respuesta u otra causa que no se podía clasificar en las dos categorías anteriores) que no han sido consideradas en este cuadro.

9. En el cuestionario aplicado, la información sobre esta variable se ha recabado a través de una pregunta sobre el uso del tiempo libre planteando tres opciones: la participación en partidos políticos para la resolución de los problemas de la ciudad; el involucramiento en organizaciones comunitarias para mejora de la situación de la colonia; y el empleo de tal tiempo para trabajar en casa o socializar con amigos. Para efectos analíticos, esta variable se ha dicotomizado expresando la última opción actitudes contrarias a la acción colectiva mientras las dos primeras remiten a actitudes de signo contrario, o sea favorables a la acción colectiva.

Cuadro 4

Valoraciones sobre la pobreza en la ciudad y sus causas según variables seleccionadas

Variables	Mayor pobreza			Causas estructurales		
	%	p<1	v=2	%	p<1	v=2
Sexo		0,1198	0,078		0,8531	0,010
Hombres	87,9			73,4		
Mujeres	92,8			72,5		
Religión		0,7839	0,035		0,9509	0,010
Católicos	90,2			73,3		
Evangélicos	88,2			72,1		
No tienen	92,0			75,0		
Instrucción		0,2793	0,030		0,1596	0,098
Sin escolaridad	93,8			77,0		
Primaria	87,6			68,9		
Más que primaria	91,3			77,9		
Ocupación		0,1278	0,102		0,4818	0,062
Formal	90,7			77,4		
Informal	86,7			71,1		
No ocupado	94,0			72,1		
Autoidentificación de clase		0,0911	0,111	0,876	0,034	
Media	88,1			75,2		
Trabajadora	87,3			71,6		
Pobre	94,7			74,0		
Tenencia de la vivienda		0,8849	0,025		0,9006	0,023
Propiedad	89,4			72,5		
Alquiler	89,4			75,4		
Precaria	91,3			73,1		
Total	*89,8*			*73,1*		
	(400)			*(379)*		

1= Chi-cuadrado.
2= V de Cramer.

Cuadro 5

Participación política y comunitaria y actitudes favorables a la acción colectiva según variables seleccionadas

Variables	**Participación política**			**Participación comunitaria**			**Actividades favorables a la acción colectiva**		
	%	**p<1**	**v=2**	**%**	**p<1**	**v=2**	**%**	**p<1**	**v=2**
Sexo		0,3128	0,051		0,1582	0,071		0,0508	0,098
Hombres	3,2			5,6			52,8		
Mujeres	5,3			2,6			42,8		
Religión		0,3223	0,075		0,3426	0,073		0,8735	0,026
Católicos	3,0			4,2			49,4		
Evangélicos	6,4			6,4			49,1		
No tienen	4,0			0,0			44,0		
Instrucción		0,4657	0,062		0,4433	0,064		0,1298	0,101
Sin escolaridad	4,7		1,6				37,5		
Primaria	2,9			4,8			51,7		
Más que primaria	5,5			5,5			50,4		
Ocupación		0,1613	0,096		0,9204	0,020		0,0445	0,125
Formal	5,1			4,2			57,6		
Informal	1,8			4,2			48,5		
No ocupados	6,8			5,2			41,4		
Autoidentificación de clase		0,9047	0,023		0,2890	0,080		0,0089	0,156
Media	3,7			2,8			36,7		
Trabajadora	4,7			6,7			55,3		
Popular	3,8			3,8			51,9		
Tenencia de la vivienda		0,1514	0,097		0,0023	0,174		0,0031	0,170
Propiedad	3,9			3,5			42,9		
Alquiler	7,6			0,0			54,5		
Precaria	1,3			11,3			63,8		
Total	*4,0*			*4,5*			*49,0*		
	(400)			*(400)*		*(400)*			

1= Chi-cuadrado.
2= V de Cramer.

políticos pero la casi totalidad de este grupo se orienta hacia organizaciones de tipo comunitario como forma más adecuada de tal tipo de acción. Por otro lado, las actitudes contrarias hacia la acción colectiva no deben ser interpretadas, necesariamente, como opciones de tipo individualista ya que pueden remitir también a personas que resuelven sus problemas cotidianos de reproducción urbana a través de lógicas que suponen socialización en términos de movilización de recursos de subsistencia como pueden ser las redes de intercambio recíproco (familiares, vecinales, etc.).

Al contrario de las participaciones políticas y comunitaria, un cierto número de referentes situacionales presentan diferencias significativas interesantes. Así, los hombres parecen mostrar actitudes más favorables hacia la acción colectiva que las mujeres. Este resultado es, hasta cierto punto, sorpresivo ya que la acción comunitaria suele ser ámbito de participación femenina por representar una prolongación del espacio reproductivo. Por su parte, los trabajadores formales reflejan también actitudes más favorables hacia la acción colectiva que los trabajadores informales y, sobre todo, que los no ocupados. En este caso se puede argumentar las experiencias organizativas sindicales que caracterizan al mundo del trabajo formal, incluso en un país como Guatemala donde el movimiento sindical ha sido permanentemente hostigado y reprimido en las últimas décadas. Por otro lado, son conocidas las dificultades de configuración de identidades colectivas, y mucho más de este tipo de acción, en la informalidad. Y respecto a la categoría de no trabajadores hay que recordar que la misma está compuesta –fundamentalmente– de mujeres, cuyas actitudes ya han sido analizadas, y –en menor medida– de jubilados que, dada su avanzada edad, se puede suponer aspiran a un entorno social tranquilo. Por su parte, en cuanto a la dimensión de tenencia hay que rescatar el razonamiento hecho respecto a la participación en organizaciones comunitarias lo que explicaría las actitudes más favorables de los precaristas y la menor proclividad de los propietarios de viviendas. Finalmente, las personas que se autoidentifican como pertenecientes a la clase trabajadora muestran actitudes más favorables hacia la acción colectiva que las que se perciben como integrantes de clase pobre y, sobre todo, de clase media. Al respecto hay que llamar la atención que no se está ante una variable de orden situacional, como las anteriores, sino ante una dimensión de orden subjetivo. La misma puede ser resultado de condicionamientos situacionales tales como las condiciones de trabajo y vida. En este sentido, se podría argumentar que en el caso de personas con autoidentificación trabajadora su inserción ocupacional es mayoritariamente formal con posibles experiencias organizativas y sus condiciones de vida vienen signadas por cierta pauperización pero no de extrema escasez de recursos donde suelen generarse comportamientos atomizados. Esta podría ser, por el contrario, la situación que afectaría a la clase pobre que se encontraría en condición de miseria, o de extrema pobreza, además que, probablemente, su inserción laboral tiene lugar en el mundo de la informalidad. Por su parte, la clase media remitiría a una situación de cierta consolidación de nivel de vida que induciría actitudes de orientación no colectiva.

Con base en este conjunto de variables situacionales utilizadas en los dos cuadros anteriores, a las que se ha agregado edad y condición de migración, se ha llevado a cabo una regresión logística sobre actitudes favorables hacia la acción colectiva para determinar cuáles son las probabilidades de estos factores situacionales para predecir la presencia de tales actitudes (10). Con este conjunto de variables tenemos referentes sociales tanto de orden demográfico (sexo y edad), económico (empleo), espacial (migración y tenencia de la vivienda) y cultural (nivel de instrucción, religión y autopercepción de clase).

El cuadro 6 muestra los resultados de tal ejercicio de regresión. En primer lugar, hay que señalar que el modelo predice el 62,72% de los valores observados y cumple con la prueba de significación aplicada (11). Segundo, las dos primeras columnas, B y Exp (B), muestran la forma y magnitud de cómo las variables independientes inciden en la probabilidad de suceso de la dependiente (12). En este sentido se muestra que en términos demográficos serían los hombres y las personas con menos edad las más proclives a actitudes favorables a la acción colectiva. Por su parte, los trabajadores formales, al contrario de los informales, parecen tener mayores probabilidades de desarrollar tal tipo de actitudes que los no ocupados. Los migrantes también aparecen con actitudes favorables a la acción colectiva y las mismas tienen más probabilidades de acaecer en los precaristas que en los arrendatarios, mientras que con los propietarios de vivienda sucede lo contrario. Y, en términos socioculturales, las personas con menor educación muestran tales actitudes favorables y, en este mismo sentido, los católicos y los protestantes respecto a los no creyentes y los que se consideran pertenecientes a la clase trabajadora respecto a los de clase popular muestran más proclividad para la

---

10. Una variable dicotómica, como actitudes hacia la acción colectiva, puede ser interpretada en términos de probabilidades con valores 0 (para actitudes no favorables) y 1 (para actitudes favorables). De esta manera puede devenir en variable dependiente de un modelo de regresión múltiple. No obstante, tal ejercicio de regresión no puede basarse en el método de mínimos cuadrados ya que, en otras cosas, los valores obtenidos no tienen por qué interpretarse como probabilidades y, por tanto, restringirse a los valores dicotómicos. En este tipo de regresiones logísticas variables de no intervalo y no dicotómicas son tratadas como categorías, como es el caso con cuatro de las ocho variables del modelo: religión, ocupación, autoidentificación de clase y tenencia de la vivienda. Al respecto, no se estiman efectos absolutos de las mismas sobre la variable dependiente sino de sus distintas categorías respecto a una de ellas que se toma como base. Así, en el caso de religión la categoría de comparación son las personas que no tienen credo alguno y, por tanto, es respecto a este grupo que se estima si los católicos y los evangélicos tienen más o menos probabilidades de tener actitudes favorables para la acción colectiva. Las otras categorías tomadas como base de comparación son: no ocupados para ocupación, clase popular para autoidentificación de clase y arrendatarios para tenencia de la vivienda.

11. La bondad de ajuste busca que los efectos predichos no sean diferentes de los observados, por consiguiente que la hipótesis nula no se rechace.

12. El coeficiente B expresa el cambio inducido por un incremento de una unidad de la variable independiente en el logaritmo del cociente entre la probabilidad que el evento de la variable dependiente suceda (que haya actitudes favorables a la acción colectiva) y su probabilidad contraria (que no hayan actitudes favorables para la acción colectiva). Por su parte, Exp (B) muestra el factor por el que tal relación cambia con el incremento de una unidad de la variable independiente. Cuando el valor de Exp (B) es superior a la unidad, se supone que un cambio en la variable independiente incrementa la probabilidad de suceso de la variable dependiente. Cuando el valor es inferior a la unidad sucede lo contrario. Hay que recordar que en el caso de variables categóricas tales efectos se refieren sólo a cada una de las categorías, y no al efecto total, y se interpretan en relación con la categoría tomada como base como se ha mencionado en la nota 10.

acción colectiva. No obstante, en tercer lugar, sólo los resultados de dos de estas variables podrían considerarse significativos (13). Por un lado, estaría la edad y, por otro lado la tenencia de vivienda. Es decir, las personas más jóvenes, o sea en edad madura dados los criterios –en términos etarios– de selección de los informantes, y los precaristas son los que tienen mayores probabilidades de desarrollar actitudes favorables hacia la acción colectiva (14).

Por consiguiente, de los párrafos precedentes habría tres fenómenos a resaltar. Primero, se puede decir que forma parte del sentido común popular la idea de que la vida en la capital se ha deteriorado con la crisis. O sea, hay un sentimiento generalizado de insatisfacción. Segundo, también hay una percepción generalizada de que instancias como la propia municipalidad o las organizaciones comunitarias no tienen mayor incidencia en la resolución de los problemas urbanos básicos. Este sentimiento se refuerza con la ausencia de participación tanto en el sistema político como en la sociedad civil debido al terror y al clima de violencia imperantes en el país. Es decir, la desmovilización de los pobladores urbanos es casi total. Y, finalmente, la apatía tiende a predominar ya que se piensa que la resolución de los problemas no se debe hacer a través de la acción colectiva. No obstante, esta última apreciación debe matizarse ya que, respecto a ciertos determinantes situacionales tales como el género masculino, el empleo formal, la autoidentificación como clase trabajadora y, sobre todo, la madurez en términos de edad y la tenencia precaria de vivienda, se detectan actitudes favorables hacia la acción colectiva como medio para lograr la resolución de los problemas urbanos.

Estas conclusiones pueden valorarse en términos de comparación regional (15). Así, hay que resaltar que la participación política muestra claramente dos grupos de países. Por un lado, estarían aquellas sociedades (Costa Rica, Jamaica y República Dominicana) donde el sistema democrático se encuentra más estabilizado y en las que los porcentajes de participación política varían desde 21,3% en República Dominicana hasta un 98,1% en Jamaica. Por el contrario, Haití presenta el mismo nivel(4,0%) de participación política que Guatemala. Estas diferencias insinúan que hay cierta incidencia del sistema político como tal en la participación en el mismo. Es decir, aquellas sociedades de mayor consolidación democrática

---

13. La prueba aplicada para estimar la significación es el estadístico de Wald que representa el cuadrado del cociente entre el coeficiente B y su error típico. Este estadístico tiene una distribución de Chi-cuadrado.

14. Estos mismos resultados se confirman para otros métodos del mismo modelo que no incorporan todas las variables. Estos métodos son denominados de *step-wise* y la selección de variables se basa en la comparación de dos modelos, uno con la variable respectiva y otro sin ella. Si el cociente entre el resultado del test de *likelihood-ratio* para el modelo con la variable y el modelo sin ella es significativo se incorpora tal variable. El *step-wise* puede hacerse hacia adelante *(forward)* partiendo de un modelo con solo la constante e incluyendo, a cada paso, una nueva variable, o hacia atrás (*backward*) comenzando con un modelo que incluye todas las variables y extrayendo una en cada paso según el criterio anteriormente señalado.

15. Por regional, se entiende la cuenca del Caribe y, en concreto, los cinco países (Costa Rica, Guatemala, Haití, Jamaica y República Dominicana) tomados en cuenta en la investigación de la cual este estudio forma parte. Se debe aclarar que los datos que se presentan a continuación están tomados del análisis comparativo regional que la coordinación del proyecto está llevando a cabo.

Cuadro 6

Regresión logística de actitud favorable a la acción colectiva con base en predictores seleccionados

Variables independientes	B	Exp (B)	Sig.
Sexo	0,3567	1,4286	0,1460
Edad	-0,0224	0,9778	0,0292
Nivel de instrucción	-0,0046	0,9955	0,8809
Migración	0,3441	1,4108	0,1361
Religión:			0,6950
Católicos	0,3790	1,4608	0,3941
Evangélicos	0,3362	1,3997	0,4744
Ocupación:			0,5666
Formal	0,1850	1,2033	0,5820
Informal	-0,1107	0,8952	0,7046
Tenencia de la vivienda:			0,0927
Propia	-0,2780	0,7573	0,3454
Precaria	0,3560	1,4275	0,3195
Autoidentificación de clase:			0,1260
Media	-0,4020	0,6690	0,1720
Trabajadora	0,1547	1,1673	0,5449
Constante	0,2780		0,6734

	Chi-cuadrado	g.l.	Sig.
Bondad de ajustes	388,405	376	0,3186
% de casos predichos correctamente = 62,72%			

posibilitan una mayor participación partidaria mientras que en las más frágiles democráticamente lo que acaece es desmovilización política. Por otro lado, hay que resaltar que tanto en Haití pero mucho más pronunciado en Guatemala, tal desmovilización no se compensa con participación comunitaria. No obstante, este fenómeno de poca integración en la sociedad civil parece ser común a todos los países considerados; de hecho, el promedio regional de participación en organizaciones comunitarias es de apenas 7,3% (contra promedio de 47,0% en relación con la participación política). Esta evidencia estaría insinuando que el llamado fenómeno de los denominados nuevos movimientos sociales, de naturaleza predominantemente comunitaria, debería ser relativizado. O sea, parecería que se refuerza la posición de aquellos autores (Eckstein, 1989; Portes/Johns, 1986) que han argumentado que el desarrollo de tal tipo de movimientos viene condicionado por los espacios permitidos por el sistema político, sobre los planteamientos de quienes han suscrito que el fenómeno de los nuevos movimientos sociales supone una redefinición cualitativa de la relación entre Estado y sociedad civil (Evers, 1985; Slater, 1985; Friedmann, 1989). Por consiguiente, parecería que se reafirma la vieja tesis de Touraine (1987) de que en contextos de desarrollo dependiente como el latinoamericano no emergen movimientos urbanos en un sentido fuerte del término sino, más bien, luchas urbanas con horizontes más inmediatos y coyunturales.

Subcontratación y pequeña empresa en San Pedro Sacatepéquez

En esta sección se busca abordar tres tipos de cuestiones: ¿existen o no ejemplos de núcleos de establecimientos informales signados por lógicas de acumulación y con dinamismo sostenido?; en caso afirmativo, ¿qué naturaleza tienen tales tipos de establecimientos?; y, finalmente, ¿cuáles son sus posibilidades de mantener tal dinamismo?

Al respecto, hay que mencionar que la reflexión sobre la informalidad en América Latina se caracterizó, en un primer momento, por la identificación de este fenómeno con la pobreza. O sea, se entendía –fundamentalmente– la informalidad en términos de lógicas de subsistencia de la fuerza laboral urbana (Tokman, 1979; Portes/Walton, 1976). Durante la década de los ochenta, ante el impacto de la crisis y debido –entre otras cosas– al papel de ajuste del mercado laboral jugado por el empleo informal, la reflexión cambió de manera radical. El discurso predominante identificaba a los informales como agentes económicos de gran potencialidad empresarial y les confería el papel de salvadores de la crisis. Es decir, los informales pasaban de ser estigmatizados como villanos a ser erigidos en héroes. No obstante, la evidencia empírica recabada sobre el fenómeno informal y, sobre todo, la persistencia de una realidad signada por las desigualdades socioeconómicas ha llevado a reformular tales posiciones opuestas. Hoy en día, se postula más bien la existencia de la heterogeneidad del mundo informal donde actividades de subsistencia coexisten con establecimientos dinámicos (Mezzera, 1987; Portes/Schauffler, 1993). Incluso, a esta tipología básica se le puede incorporar una tercera modalidad de tipo subordinado compuesta por establecimientos ligados a empresas modernas bajo nexos de subcontratación que la reestructuración productiva orientada hacia la globalización estaría imponiendo (Pérez Sáinz, 1992).

En este sentido hay que mencionar que estudios sobre informalidad realizados por FLACSO han mostrado que el tipo predominante en Ciudad de Guatemala y en su área de influencia metropolitana es el de informalidad de subsistencia (Pérez Sáinz, 1991b; Bastos/Camus, 1993). Este hecho refleja la composición socioeconómica de la capital guatemalteca (como acaece también en San Salvador, Tegucigalpa y Managua) donde la demanda de bienes y servicios generados por este mundo laboral proviene, fundamentalmente, de sectores populares pauperizados.

Por el contrario, en los centros metropolitanos meridionales (San José y Ciudad de Panamá) de la región el peso significativo de sectores medios y su consumo de ciertos bienes y, sobre todo, servicios informales permiten el desarrollo de una informalidad dinámica (Pérez Sáinz/Menjívar Larín, 1993). Por consiguiente, la identificación en Guatemala de un universo de tipo dinámico había que buscarla en otro contexto.

Anticipando resultados, se puede decir que sí se ha logrado identificar un universo de establecimientos dinámicos. Su localización es en San Pedro Sacatepéquez, cabecera municipal próxima a la capital, compuesta por una gran mayoría de población indígena kaqchikel (16), tales establecimientos subcontratan con empresas maquiladoras ubicadas en Ciudad de Guatemala por lo que los mismos se encuentran, independientemente de su localización geográfica, inscritos en el espacio económico metropolitano. Los nexos de subcontratación son diversos y determinan distintos tipos de establecimientos. La incidencia de la dinámica de globalización, impuesta a través de las empresas subcontratantes, plantea sobre esta comunidad una serie de paradojas, en términos de la dialéctica entre tradicionalidad y modernidad, interesantes a analizar. En primer lugar, se encuentra la movilización por los sampedranos de recursos de origen comunitario para la consecución de una finalidad modernizante: su inserción en la dinámica de la globalización. La segunda paradoja remite a cómo se han generado percepciones de confianza y estabilidad, influenciadas por el localismo, ante un contexto tan cambiante y volátil como el de la globalización. Y, finalmente, se plantea también la utilización de procesos laborales que remiten a versiones primitivas de taylorismo en un marco supuestamente posfordista donde se busca la especialización flexible.

La información censal más reciente provee muy pocos datos del desarrollo socieconómico del municipio de San Pedro Sacatepéquez y, en concreto, de su cabecera. No obstante, la información provista a través de los casos de estudios realizados muestran que el comercio ha jugado un papel fundamental en las últimas décadas relegando, a un segundo plano, a la agricultura (17). A fines de los años cincuenta uno de los comerciantes sampedranos decidió aprender a confec-

---

16. Este fenómeno no ha pasado desapercibido y en el semanario de mayor circulación en el país, *Crónica*, en septiembre de 1988 ya se publicó un reportaje titulado «La revolución llega a San Pedro», donde se señalaba tal dinamismo. Este municipio, situado en el departamento de Guatemala, tiene una extensión aproximada de 30 km². La última información censal (1981) señalaba la existencia de una población de 12.741 personas de las cuales 92,9% era indígena y 42,1% vivía en la cabecera municipal (Pérez Sáinz/Leal, 1992; cuadro 1). La misma está situada a unos 25 km. de la ciudad capital conectada por una carretera en estado deplorable que está en reparación en la actualidad.

17. Este estudio tiene un carácter meramente exploratorio por lo que se ha basado en casos. Los contactos iniciales se hicieron a través de una empresa de maquila que subcontrata en San Pedro Sacatepéquez. A partir de los mismos se consiguieron nuevos contactos hasta completar 20 casos. También se debe mencionar que se realizaron tres entrevistas complementarias: dos con personas ya indagadas como casos de estudio pero que juegan un papel importante en el desarrollo económico de San Pedro Sacatepéquez; y la tercera con el alcalde del pueblo para lograr una visión más global del fenómeno: saber cómo la subcontratación ha afectado el desarrollo de la comunidad. Por el contrario, no se tuvo éxito en lograr una entrevista con un principal de la cofradía de San Pedro que hubiera aportado una visión muy interesante del fenómeno desde la perspectiva de la tradicionalidad.

cionar camisas. Después de un breve período de localización de su taller en la capital se trasladó al propio San Pedro donde su establecimiento ha constituido una verdadera escuela de aprendizaje para muchos de los productores de la localidad.

En términos concretos del desarrollo de la industria de la confección, que es la que interesa, se puede hablar de varios momentos e hitos importantes. Así, inicialmente, desde 1960 hasta 1967, se trataba de una producción basada en una tecnología rudimentaria, en concreto máquinas de pedal. El año 1967 supone la introducción de la electricidad gracias al comité organizado por la persona que fue pionera en el desarrollo de la actividad de confección. De esta manera se posibilita la adquisición de máquinas eléctricas (que fue una de las principales razones para lograr el fluido energético) y se inicia una segunda etapa signada por la modernización de la maquinaria. Dentro de la misma acaece el terremoto de 1976 con destrucción de viviendas y medios de trabajo. Esto supuso que en ciertos casos, por medio de préstamos, se tuviera que adquirir de nuevo maquinaria consolidándose así el proceso de modernización que ha supuesto la utilización de máquinas eléctricas especializadas por funciones (planas, abotonadoras, ojaleadoras, *overlocks,* etc.). El tercer hito es 1987 cuando se inicia –de manera sustantiva– en el país el sistema de maquila y comienza a generalizarse la subcontratación en San Pedro Sacatepéquez inaugurándose así la actual etapa de desarrollo de la industria de la confección (18).

En este último sentido hay que señalar que el proceso de reestructuración productiva que ha inducido la crisis y la estrategia de ajuste estructural en Guatemala ha supuesto el desarrollo de la industria de exportación. Es decir, el proceso industrializador ante el agotamiento en los años setenta del modelo sustitutivo de importaciones, de alcance controamericano, se ha reorientado hacia el mercado mundial. Tal giro se intentó incentivar desde esa misma década pero sin mayor éxito. Ha sido con el gobierno demócrata-cristiano del segundo lustro de la década pasada y, en concreto, con las medidas adoptadas en 1987 que este tipo de industrialización ha tenido un progreso espectacular. A ello ha contribuido –de manera significativa– la inyección de capital coreano que confrontado a una serie de problemas (reivindicaciones salariales en el contexto de apertura democrática en ese país, limitación de cuotas en Estados Unidos y competencia extranjera) eligió a Guatemala como su plataforma exportadora en la cuenca del Caribe (Petersen, 1992).

Esta nueva industria de exportación se concentra, casi exclusivamente, en prendas de confección que se destinan –en su casi totalidad– al mercado de Estados Unidos. En este sentido, se trata –en la gran mayoría de los casos– de procesos de ensamblaje, a partir de insumos importados, cuyo producto es exportado. Al respecto, se puede hablar de dos tipos de empresas: por un lado, subsidia-

18. Para 1988 se ha estimado que había en San Pedro alrededor de 200 talleres con un total de 3.000 máquinas lo que daría una idea del potencial productivo de esta comunidad. Aclaramos que la experiencia de subcontratación data de comienzos de los setenta. Al respecto, se informó que fueron comerciantes chinos de la capital quienes comenzaron a dar tela para confeccionar camisas que luego eran vendidas en sus tiendas.

rias de firmas transnacionales que realizan actividades de ensamblaje para la casa matriz; y, por otro lado, empresas locales que contratan sus servicios de ensamblaje con alguna firma industrial o comercial estadounidense (19). Este tipo de industrialización ha asumido, fundamentalmente, la modalidad de maquila dispersa y no concentrada en parques industriales, como en otros países de la cuenca del Caribe, por el fracaso de la experiencia de la Zona Franca de Santo Tomás. La misma creada en 1973, mostró la debilidad estructural del Estado guatemalteco para asumir proyectos de infraestructura y no logró despegar. Se estima que hacia 1990 operaban en Guatemala, bajo este régimen de maquila, unas 400 empresas que generaban unos 70.000 puestos de trabajo (CITGUA, 1991; Petersen, 1992; AVANCSO, 1993).

Una de las características de este sistema de maquila es la existencia de mecanismos de subcontratación que en algunos casos tiene lugar con pequeñas empresas. Es, justamente, este fenómeno el que se ha dado con los talleres de confección de San Pedro Sacatepéquez. Al respecto, el cuadro 7 muestra las principales dimensiones de los 20 establecimientos indagados en el estudio exploratorio realizado (20).

El establecimiento más antiguo corresponde, obviamente, a la persona que –como se ha mencionado– fue pionera e introdujo la industria de la confección en San Pedro; el mismo data de 1960. El resto, con un par de excepciones, surgieron en las décadas de los setenta y ochenta. Las causas que llevaron a que se iniciaran tales negocios son clásicas: por un lado, la necesidad de incrementar el ingreso ante mayores necesidades del respectivo hogar y, por otro lado, la experiencia que –en ciertos casos– va ligada a cierta tradición familiar. Las ayudas fueron el principal medio para tal inicio; en algunos casos se tuvo que recurrir a préstamos. Respecto a estos últimos hay que mencionar los créditos otorgados por instituciones estatales u organizaciones no gubernamentales. En cuanto a las ayudas, las mismas fueron proporcionadas –en la mayoría de los casos– por familiares, generando reciprocidad ya que o se devolvió el favor o se tiene conciencia de «deuda» al respecto. O sea, se puede pensar que han funcionado redes familiares en el inicio de algunos de los establecimientos. Se debe añadir que en sus comienzos la gran mayoría de los casos utilizó fuerza laboral del propio hogar pero este carácter familiar se fue relativizando con el crecimiento del establecimiento y la contratación de mano de obra ajena, pero no ha desaparecido totalmente como se verá en relación con otros aspectos.

Una segunda dimensión a considerar tiene que ver con la articulación mercantil de los establecimientos. Al respecto hay que mencionar –en primera instancia– que todos ellos están insertos en nexos de subcontratación. Es decir, son unidades productivas en posición de subordinación respecto a empresas. Este hecho es clave para comprender otras características y la dinámica de los establecimientos

---

19. Esta segunda modalidad puede ir más allá de la mera actividad de ensamblaje y desarrollar actividades de manufactura como tal.

20. Una descripción más detallada de estos establecimientos, incluyendo también otras dimensiones, se puede encontrar en Pérez Sáinz/Leal, 1992.

Cuadro 7

Perfil de establecimientos

Casos	Años de inicio	Tipo de subcontratación	Inversión en maquinaria	Número de empleados	Funciones en el negocio	Contabilidad
1	16	Maquila nacional	Sí	18	Administración	Cuaderno
2	13	Maquila extranjera	Sí	43	Administración	Cuad. contabil.
3	24	Maquila extranjera	Sí	30	Administración	Contador
4	7	Maquila nacional	Sí	9	Varias	Cuaderno
5	2	Maquila nacional	Sí	23	Administración	Cuaderno
6	10	Maquila nacional	Sí	7	Varias	Cuaderno
7	15	Maquila nacional	Sí	12	Administración	Cuaderno
8	31	Maquila nacional	Sí	30	Administración	Contador
9	18	No maquila	No	10	Administración	Cuaderno
10	18	Maquila nacional	No	14	Administración	Cuaderno
11	16	Maquila extranjera	Sí	20	Administración	Cuaderno
12	3	No maquila	Sí	25	Administración	No lleva
13	14	No maquila	Sí	10	Varias	No lleva
14	20	Maquila extranjera	Sí	18	Varias	Cuad. contabil.
15	6	Maquila extranjera	Sí	30	Administración	Cuad. contabil.
16	10	No maquila	Sí	12	Varias	Contador
17	8	No maquila	Sí	2	Varias	No lleva
18	7	No maquila	No	1	Varias	No lleva
19	14	No maquila	Sí	1	Varias	No lleva
20	6	No maquila	No	1	Varias	No lleva

Fuente: (Pérez Sáinz/Leal, 1992)

de este universo de estudio. Al respecto, se han desarrollado tres modalidades distintas. Una primera es la de aquellos establecimientos que maquilan para empresas extranjeras. Se han encontrado cinco casos que están confeccionando camisas para una misma firma norteamericana. Todos ellos pertenecen a un grupo de productores sampedranos que están organizados en la asociación comercial Vía Exportadora. El origen de esta experiencia se debió a la iniciativa de un ingeniero de una empresa comercializadora de máquinas de confección que alentó a algunos productores del pueblo a incursionar en el campo de la maquila cuando este tipo de industria comenzaba a desarrollarse en el país en el segundo lustro de los ochenta Gracias a esta persona se lograron contactos con esta empresa y, según se informó, intervino incluso la propia Presidencia de la República a través de la cual se ofreció capacitación en administración de empresas (21). Después de un período de prueba se logró consolidar la relación con la firma norteamericana. Inicialmente este grupo estuvo compuesto por 72 personas pero, al demorarse el acuerdo, quedó reducido a 21; en la actualidad maquilan para esta empresa 16 establecimientos. Fuera de este ejemplo no se ha encontrado presencia de otras firmas foráneas por lo que se podría estar ante una situación peculiar. No obstante, por su dinamismo esta experiencia tiene impacto y es significativa para San Pedro Sacatepéquez.

Una segunda situación detectada es la referida a establecimientos que también maquilan pero con empresas nacionales. En esta modalidad se han encontrado siete casos. Al respecto parece que el desarrollo de este tipo de subcontratación, con base en los casos indagados, ha respondido bien sea a iniciativa propia de los productores o a búsqueda de las mismas empresas subcontratantes, a partir de información suministrada por otros productores sampedranos. Es decir, se está ante una situación que se ha conformado de manera más individual y respondiendo a mecanismos propios del mercado. Y, finalmente, se encuentran los restantes ocho casos que corresponden a pequeños talleres que no maquilan ya que su producción está destinada al mercado nacional y no a la exportación. La subcontratación se realiza con firmas comerciales ubicadas en Ciudad de Guatemala. Al contrario de las dos situaciones precedentes los contactos para tales nexos se han originado –en la mayoría de los casos– a través de familiares y amigos. En este caso se insinúa la existencia de redes que han servido para lograr la inserción en procesos de subcontratación.

Se debe añadir que del total de los veinte casos, sólo tres comercializan todavía por su propia cuenta como se hacía antaño; además hay que señalar que este tipo de venta representa menos de la mitad de la producción. O sea, se sale a la capital o a lugares del interior para vender directamente la producción. Se señaló que todavía personas de edad operan de esta manera pero cada vez son menos. Al respecto hay que tener en cuenta que un problema que ha afectado a la pequeña industria de confección en Guatemala ha sido la importación de la llamada «ropa americana», o sea prendas de vestir usadas importadas de Estados Unidos que son vendidas a precios tan bajos que han desplazado del mercado a muchos productores locales.

21. Esta persona está considerada como el «padre de la maquila» en Guatemala y cierto número de empresarios nacionales se han iniciado en este tipo de actividad gracias a él.

Ante tal situación, la subcontratación emerge como una posible salida para estos productores.

Esta diferenciación está relacionada con la estacionalidad de la demanda, es decir con la existencia de ciertos meses donde la demanda desciende. Este fenómeno no ha sido significativo durante 1991 en el primer grupo y tuvo poca incidencia en el segundo. Por el contrario, en el tercero se detectan casos de demanda fluctuante. En los mismos la respuesta ha sido bajar la producción y esperar la recuperación del mercado. Es justamente este factor de fluctuación del mercado lo que hace que la gran mayoría de los informantes, indistintamente de sus nexos de subcontratación, valoren como positivo esta forma de inserción mercantil. O sea, la seguridad que ofrece trabajar por pedidos, especialmente cuando los mismos son para el mercado externo, es la gran ventaja que ofrece esta modalidad de operación respecto a la comercialización por su cuenta en el mercado nacional. También se ha enfatizado como ventaja del sistema de subcontratación, la provisión de insumos ya que se evitan los problemas generados por la inflación y las dificultades de comprar a crédito. No obstante, los informantes más lúcidos son también conscientes de que la subcontratación implica una posición de subordinación, de acceso no directo al mercado y que, por tanto, genera mucha vulnerabilidad.

En términos de medios de producción, la primera dimensión que se quiere reseñar es la referida a la inversión, donde se puede decir que estamos ante mayoría de establecimientos dinámicos guiados por lógicas de acumulación aunque se debe matizar según las distintas modalidades de subcontratación. Así, excepto en cuatro casos, todos ellos –después de tres años de haber iniciado el negocio– han invertido de nuevo en maquinaria. Justamente, tres de estos cuatro casos pertenecen a la modalidad de no maquila. Al respecto, hay que señalar que en el primer grupo la empresa norteamericana subcontratante adelantó, hace dos años, un préstamo de 90.000 dólares sin intereses para compra de maquinaria cuyo monto fue descontado del pago de la entrega de ropa. Esto ha permitido que en este grupo se encuentre la maquinaria más avanzada tecnológicamente. En general, se puede decir que la adquisición de maquinaria es para estos productores el símbolo, por excelencia, de progreso y, cuando se les pidió contabilizar su inversión la misma se limitó al valor de la maquinaria sin tomar en cuenta otros rubros como el local. En cuanto a éste, la mayoría ha invertido en la mejora o ampliación del mismo. Es en el tercer grupo donde se detecta el mayor número de casos donde tal tipo de inversión no se ha efectuado. Al respecto, es importante mencionar que con excepción de dos casos, en el resto los procesos laborales se localizan en la propia vivienda del dueño. No obstante hay que señalar que suele darse una clara división entre ámbitos productivos y habitacionales, o sea no parecería que se generen conflictos por este doble uso del espacio doméstico.

En cuanto a la gestión de los establecimientos, hay dos dimensiones a tomar en cuenta. Por un lado, en términos de contabilidad se detectan tres tipos de situaciones. Primero, la casi totalidad de los establecimientos que no maquilan no lleva ningún tipo de contabilidad. Segundo, la gran mayoría lleva cuentas en un cuaderno no contable. En estos casos tales cuentas se hacen semanalmente y tal ejercicio está ligado al pago de salarios; o sea la contabilidad que se lleva se limita a la de costos de mano de obra. Y, en seis casos –la mayoría pertenecientes al primer grupo– existe contabilidad formal, incluso llevada por un contable. Por otro lado, en cuanto a la división del trabajo existente, en un poco más de la mitad de los casos se puede hablar de cierto desarrollo de la misma ya que el dueño administra el establecimiento, lleva las relaciones con las empresas subcontratantes y transporta el material (tanto los insumos como las prendas confeccionadas). Por otra parte, existen supervisores y trabajadores. Por el contrario, en la casi totalidad de los establecimientos pertenecientes al tercer tipo, los propios dueños tienen que participar de manera directa en el proceso productivo y laboran a la par de sus empleados. Es decir la división del trabajo es aún incipiente. Por consiguiente, parecería que el tipo de subcontratación estaría relacionado con la modalidad de gestión del establecimiento siendo los casos de no maquila los que muestran una racionalidad menos empresarial.

Este segundo aspecto de la gestión remite –de manera inmediata– a la dimensión laboral de los establecimientos y son varios los aspectos que se pueden considerar. En primer lugar, en relación con el número de trabajadores con puestos fijos tenemos tres tipos de situaciones. Hay cuatro establecimientos de tamaño mediano que emplean a más de 30 trabajadores, llegando uno de ellos hasta 43 personas. Al respecto señalemos que tres de estos cuatro establecimientos pertenecen al primer grupo. La gran mayoría de los negocios tienen un tamaño menor, empleando entre 10 y 25 personas. Y en cinco casos laboran menos de diez personas. Cuatro de ellos pertenecen, justamente, al tercer grupo, y el quinto caso es el referido al establecimiento de más reciente creación con apenas meses de funcionamiento. Segundo, al contrario de lo que se puede suponer en industrias de confección bajo régimen de subcontratación que requiere fuerza de trabajo hábil pero también sumisa, las mujeres no suelen predominar como mano de obra. Al respecto hay que tener en cuenta la tradición sampedrana puesto que esta actividad de confección ha sido masculina. Sólo en los establecimientos más pequeños, del tercer grupo, hay predominio femenino (22). Tercero, con la excepción de cuatro casos, en el resto de los establecimientos hay presencia de familiares, especialmente de esposas. Obviamente, el peso de lo familiar gana importancia cuando el establecimiento es más pequeño. Es decir en el tercer grupo, en las unidades signadas por lógicas de subsistencia, es donde este factor gana importancia. También lo familiar se proyecta hacia el futuro, en algunos casos, en tanto que los informantes aspirarían a que su negocio fuese heredado por sus hijos y, por tanto, se detecta cierta presencia de lógicas de tipo patrimonial. Y, cuarto, en su gran mayoría los trabajadores son originarios de San Pedro Sacatepéquez. No obstante, los establecimientos afrontan cierta escasez de mano de obra local debido a la proximidad de la capital donde los jóvenes sampedranos son reconocidos por sus habilidades en la industria de la confección. Esto ha conllevado a que se contrate

---

22. Se indagó sobre la presencia de menores pero hubo cierta renuencia a responder a esta pregunta. Una de las personas entrevistadas informó que el año anterior alguien de Estados Unidos había estado indagando este fenómeno para luego denunciarlo como violación a los derechos laborales.

mano de obra tanto de otros municipios adyacentes, especialmente de San Juan Sacatepéquez y Santo Domingo Xenacoj, como de aldeas de la propia jurisdicción. Esta presencia de mano de obra no local muestra que San Pedro Sacatepéquez no parece ser una comunidad cerrada en sí misma aunque hay que aclarar que tales trabajadores no residen en esta localidad (23). Se debe añadir que, con excepción de dos establecimientos, en el resto la fuerza laboral fue identificada –en su totalidad– por el informante como indígena. Es decir, se está ante espacios laborales étnicamente homogéneos.

Resumiendo lo analizado en los párrafos precedentes, se puede decir que en San Pedro Sacatepéquez se detecta un universo heterogéneo de establecimientos cuya diversidad remite, básicamente, al tipo de inserción mercantil que es la dimensión clave para entender la dinámica de estos establecimientos.

En primer lugar, se ha visto la existencia de un grupo de productores organizados que maquilan para una firma norteamericana. Es en el mismo donde se ha detectado la mayor dinámica acumulativa además de racionalidad de tipo empresarial. Es decir se puede pensar que en este segmento es donde se encuentran establecimientos que pueden ser calificados como empresas pequeñas o medianas, dependiendo como se definan tales tamaños.

El segundo grupo lo constituyen los establecimientos que maquilan para empresas nacionales. Se podría postular que su nivel tecnológico, en términos globales, es inferior al del grupo anterior. Por otro lado, tampoco se puede decir que predominen racionalidades empresariales en el sentido fuerte del término. Es decir, estaríamos ante un estrato intermedio de transición hacia la constitución de empresas como tales aunque un par de casos serían asimilables a los del primer grupo.

Por último, encontramos talleres subcontratados por empresas comerciales locales que destinan su producción al mercado nacional. La maquinaria es limitada y relativamente sencilla, se padece de estacionalidad de la demanda y se puede hablar de predominio de unidades familiares con muy poca generación de empleo. Su dinámica acumulativa es limitada y se encuentran atrapados en un círculo vicioso ya que al no tener medios para obtener maquinaria más moderna no pueden aspirar a maquilar que es el nexo de subcontratación que otorga más dinamismo. Además, en este segmento es donde se encuentra la casi totalidad de los casos con división del trabajo aún incipiente y propietarios participando directamente en la confección de ropa.

Como se ha mencionado, este universo de establecimientos presenta toda una serie de paradojas en términos de la dialéctica entre tradicionalidad y modernización. En primer lugar, se puede apreciar cómo los sampedranos han logrado movilizar una serie de recursos de origen comunitario para logar una finalidad modernizante: su inserción en el actual proceso de globalización a través del mecanismo de subcontratación. Al respecto, se pueden resaltar dos fenómenos. Por un lado, estaría la experiencia acumulada durante décadas en este tipo de

23. Estaríamos ante una situación distinta a la de Totonicapán donde Smith (1990) ha señalado la reticencia a contratar mano de obra no local por miedo a perder la identidad comunitaria.

negocios que hace pensar que se ha conformado cierta cultura laboral que les ha permitido tal inserción. Por otro lado, se ha podido detectar la existencia de redes sociales en la creación de negocios, en el aprendizaje del oficio y en los contactos con empresas capitalinas. Es decir, se puede pensar que ha existido uso de capital social, de origen comunitario (tradicional), para lograr la inserción en el proceso (moderno) de globalización (24).

La segunda paradoja remite a la percepción de seguridad y estabilidad que ha generado trabajar por contratos tal como se ha podido apreciar. Tal vez, el tipo de sentimiento sea una reacción a las experiencias anteriores de comercialización de los sampedranos. Tradicionalmente, se trabajaba toda la semana y los fines de la misma se salía a distintos lugares a intentar vender lo producido (25). Esa antigua inseguridad de moverse en espacios económicos ajenos al ámbito comunitario se ha traducido en la actualidad en una situación que es percibida como estable en tanto que no se debe afrontar el mercado ya que la inserción en el mismo está medida por la subcontratación. Sin embargo, la paradoja radica en que tal percepción tiene lugar en un contexto de globalización donde algunos mercados, como precisamente el de prendas de vestir, se caracteriza por sus continuos cambios y volatilidad. En ese sentido, los productores sampedranos se encuentran, de hecho, en una situación de alta vulnerabilidad como sí es percibido por algunos de ellos con visión más lúcida.

Este problema de vulnerabilidad no reside en la existencia de mecanismos de subcontratación como tales sino en su naturaleza de dependencia vertical. La misma hace que los establecimientos sampedranos se encuentren –en términos efectivos– desvinculados del mercado mundial y sin incidencia alguna en la dinámica de globalización que se está configurando en Guatemala a través del desarrollo de la maquila. Distinto podría ser el caso si los lazos de subcontratación tuvieran una naturaleza más horizontal del tipo de sistema de órbita descrito por Piore/Sabel (1984) como uno de los posibles contextos de desarrollo de especialización flexible (26).

Esta naturaleza vertical de los mecanismos de subcontratación es sintomática del posible carácter espurio del tipo de globalización que estaría imponiendo la industria maquiladora en Guatemala. O sea la lógica de globalización se estaría sustentando en privilegios comerciales (cuotas u otros tipos de ventajas tales como las ofrecidas por la Iniciativa del Caribe) y, sobre todo, en el uso de fuerza laboral

---

24. Se entiende por capital social expectativas de acción en una colectividad que, aunque no se orienten a la esfera económica, afectan los fines y comportamientos económicos de sus miembros. Tal capital puede adquirir cuatro formas: introyección de valores, intercambios recíprocos, solidaridad confinada y confianza exigible (Portes/Sensenbrenner, 1993).

25. La propia capital era un primer lugar pero también los departamentos del interior, en especial los de la Costa Sur en épocas de cosecha cuando acaece la migración de campesinos indígenas del Altiplano a las fincas de esa región. Incluso se han detectado casos de comercialización en países vecinos tales como El Salvador y Honduras (Pérez Sáinz/Leal, 1992; p. 17).

26. La especialización flexible, según Piore y Sabel (1984), representaría un nuevo sistema sociotécnico, distinto de la producción en masa, donde primarían las pequeñas unidades productivas con tecnología informatizada y una fuerza de trabajo polivalente e involucrada que permitiría la adaptación a la naturaleza cambiante y volátil de los mercados actuales.

de bajo costo. Es, justamente, este último factor lo que resalta de los establecimientos sampedranos. Como se ha mostrado la maquinaria utilizada, en términos generales, es sencilla; no va más allá de máquinas semiautomáticas, lo que refleja el sesgo hacia una tecnología intensa en mano de obra. También se ha observado, en la mayoría de los casos, la existencia de una división del trabajo rudimentaria que podría calificarse como taylorista primitiva (27).

Esta última observación remite a la tercera paradoja: la existencia de procesos laborales de tal naturaleza taylorista primitiva dentro de un contexto de globalización supuestamente posfordista que busca la especialización flexible. Esta contradicción lleva a reflexionar, brevemente, sobre los tres tipos de modelos de relaciones laborales, con las respectivas lógicas de globalización que les subyacen, que se perfilan en Centroamérica y en Guatemala (28). En primer lugar, se vislumbra algunos casos de empresas donde el énfasis en la calidad del producto conlleva el involucramiento de la fuerza laboral en el proceso de trabajo a través de mecanismos como los círculos de calidad. En este tipo de situación se podría pensar en una estrategia de globalización no espuria, es decir en un proceso sostenible de acumulación siempre y cuando tal involucramiento de la fuerza laboral se acompañe de otros elementos como cierto desarrollo tecnológico y eslabonamientos hacia atrás basados en vínculos horizontales con establecimientos proveedores de insumos y subcontratados.

Una segunda modalidad, mucho más generalizada, la representaría aquellas empresas donde hay una aplicación plena de los principios fordistas de control de la fuerza de trabajo (29). Al respecto es importante recordar que en el marco de la industrialización anterior, basado en la sustitución de importaciones, no había necesidad de aplicación plena de tal control ya que existía una alta capacidad productiva ociosa debido a la insuficiencia de la demanda interna. La reorientación hacia el mercado mundial conlleva la desaparición de tal limitación e impone la necesidad de implementación plena de la producción de masa con sus conocidos efectos sobre el control de la fuerza laboral. En términos de globalización puede especularse que si esta situación se mantiene en sus presupuestos fordistas, se estaría ante una dinámica espuria; si, por el contrario, representa un paso necesario para evolucionar hacia el primer tipo de situación, puede contribuir a la gestación de una lógica de globalización sostenida y exitosa.

Finalmente, se encuentran los casos, también numerosos, de organización del

---

27. Se hablaría de taylorismo primitivo en tanto que si bien se da cierta división del trabajo, basada en los principios tayloristas de separación de las actividades de concepción y ejecución de la producción, la misma no se desarrolla suficientemente según criterios científicos de organización laboral.

28. Estas reflexiones expresan conclusiones preliminares del estudio regional que está llevando FLACSO sobre industria de exportación y fuerza laboral en Centroamérica.

29. Se está hablando de fordismo en un sentido restringido, en tanto que aplicación plena de los principios tayloristas (basados en la separación de las actividades de concepción y ejecución y simplificación de éstas últimas) a la organización laboral de la línea semiautomática de montaje. Pero, desde la perspectiva del enfoque regulacionista, que hizo famosa esta terminología, el fordismo no es sólo un sistema socio-técnico de organización de la producción sino que también implica un cierto modo de regulación del excedente (Dunford, 1990).

proceso laboral de acuerdo a un taylorismo primitivo asociado a una dinámica globalizadora de naturaleza claramente espuria. Desgraciadamente, como se ha mencionado, éste es el modelo que se ha observado respecto a los establecimientos sampedranos. Por consiguiente, de mantenerse este tipo de contexto pensamos que estamos ante un proceso que no lograría consolidar un tejido socioeconómico en San Pedro Sacatepéquez.

Conclusiones

Al final de la primera parte del presente trabajo se realizó un resumen de los principales hallazgos relacionados con las percepciones de sectores populares sobre el proceso de urbanización de la capital en el contexto de crisis. Como se mencionó, insatisfacción, desmovilización y apatía sintetizan tales hallazgos. Tal síntesis no provee mayores elementos para poder desarrollar algún tipo de reflexión cara a la elaboración de modelos de acción que busquen la solución de problemas urbanos en el Area Metropolitana de Guatemala.

Lo que queremos enfatizar de manera inequívoca es que mientras no haya una evolución real del proceso de apertura democrática en Guatemala, difícilmente se puede pensar en modelos de acción que incluyan un componente de movilización colectiva sea política o comunitaria. Mientras tanto sólo se puede pensar en intervenciones tradicionales a partir de instancias públicas, como el municipio, con las consabidas limitaciones que conlleva si se quiere que la resolución de problemas se traduzca, simultáneamente, en el fortalecimiento de la sociedad civil. Tal vez lo más esperanzador al respecto sea que hay actitudes positivas, en amplios sectores populares, hacia la acción colectiva y, en concreto, hacia la comunitaria. En este sentido se ha insinuado el perfil de un posible actor urbano caracterizado por su condición masculina, su inserción formal en el mercado laboral, su autoidentificación como miembro de la clase trabajadora y, sobre todo, por su madurez en términos de edad y su tenencia precaria de la vivienda. Es decir, existe una potencialidad societal en el Area Metropolitana de Guatemala pero mientras el proceso de democratización no se consolide generando prácticas y mentalidades que erradiquen la violencia, todo intento de activación de la sociedad civil se verá abortado por esa intolerancia siniestra que impera en la oligarquía y en el ejército guatemaltecos.

Por el contrario, el análisis del universo de pequeñas empresas dinámicas permite mayor optimismo y posibilita una serie de reflexiones en términos de modelos de acción. Reflexiones que se orientan a explorar las posibilidades de que San Pedro Sacatepéquez se pudiera configurar en una especie de «distrito industrial» entendido –de manera muy general– como entidad socioterritorial que combina de manera activa tanto una comunidad de personas como de empresas en un contexto geográfico e histórico determinado (Becattini, 1992). Sin embargo, hay que ser cuidadosos y no llevar demasiado lejos la analogía (ver Amin/Robins, 1991). Al respecto, se pensaría en dos factores existentes que pueden incidir de manera positiva en la configuración de una entidad de tal naturaleza.

En primer lugar, se estaría ante la existencia de una comunidad delimitada en el espacio e históricamente constituida. En este sentido, a pesar de la cercanía de la capital y que hoy en día se encuentra –de manera indiscutible– bajo el radio de su influencia metropolitana, en San Pedro Sacatepéquez se mantiene cierta dinámica comunitaria. Se podría postular que la base de tal cohesión lo constituye el elemento étnico, fenómeno que tendría una doble expresión. Por un lado, estaría la pertenencia al municipio que ha sido la constitución histórica de identidades étnicas impuestas desde la dominación colonial. Este hecho, en el caso concreto de San Pedro Sacatepéquez, se manifiesta en su rivalidad tradicional con el cercano municipio de San Juan Sacatepéquez que, hasta el comienzo del auge de la subcontratación, detentaba cierta superioridad económica basada en el cultivo de flores para el mercado capitalino, la existencia de pequeñas industrias dedicadas a la producción de muebles y el control del transporte del área (30). Por otro lado, y esto parecería ser más importante, en el estudio de casos realizado la totalidad de informantes se autoidentificaron, sin el menor titubeo, como indígenas remitiendo a dos tipos de apelaciones: la raza en términos de sangre maya y a los progenitores mostrando la importancia de los lazos familiares en esta cultura mesoamericana. Se podría pensar que la creciente inserción de los sampedranos en relaciones mercantiles, cuya culminación ha sido la actual situación de subcontratación para empresas maquiladoras, implicaría la erosión de su identidad étnica ante la imposición de valores universales propios al mundo mercantil. Por el contrario, se han detectado casos donde el actual éxito económico conlleva una afirmación de su pertenencia indígena y permite más bien su reivindicación como tal (Pérez Sáinz/ Leal, 1992; pp. 42-43) (31).

El segundo factor que se apuntaría tendría que ver con la manifestación de ciertas formas de capital social dentro de esta comunidad tal como ya se ha mencionado. La expresión más visible de este fenómeno sería la existencia de redes de solidaridad que se han manifestado en ciertos momentos tales como en los inicios de los negocios, en el aprendizaje del oficio y en los contactos con las empresas maquiladoras. Además se podría plantear –de manera hipotética– otras dos formas. Por un lado, estaría toda esa tradición mercantil de décadas que ha dado fama a los sampedranos de buenos negociantes y que podría haber generado cierta cultura económica al respecto. Y, por otro lado, la afirmación étnica mencionada en el párrafo anterior podría ser interpretada como manifestación de solidaridad confinada (Pérez Sáinz/Leal, 1992; pp. 38-41).

Si bien estos dos factores están presentes en San Pedro Sacatepéquez, no hay que olvidar que las experiencias de organización, en concreto Vía Exportadora, no han sido muy exitosas. O sea, parece que se necesitaría la intervención de un agente externo a este conjunto de productores para activar el capital social latente

---

30. Al respecto, se debe recordar que hoy en día se atrae mano de obra de San Juan Sacatepéquez como se ha señalado anteriormente.

31. No hay que olvidar que los informantes corresponden a una generación madura y que estas apreciaciones podrían cuestionarse respecto a generaciones jóvenes más expuestas a las socializaciones universalizantes de la capital.

y consolidar el tejido socioeconómico que se ha conformado. Al respecto se podría pensar en dos tipos de intervenciones.

Por un lado, estaría la acción de la propia municipalidad que sería lo más deseable ya que la iniciativa permanecería dentro de la misma comunidad. Al respecto hay que recordar que el tema de la descentralización es nodal en la estrategia propugnada por organismos financieros internacionales, tales como el Banco Mundial, por lo que habría un clima propicio para este tipo de iniciativa. De hecho, en Guatemala a partir del gobierno demócrata-cristiano las municipalidades reciben 8% del total del presupuesto nacional. No obstante, estos fondos suelen manejarse de acuerdo a intereses de clientelismo político y las obras que se realizan son las tradicionales de infraestructura pública. Es decir, se necesitaría un cambio en las modalidades de ejercicio del poder local para que la municipalidad haga suyo un proyecto de promoción de la pequeña industria existente (32). Por otro lado, se podría pensar en la intervención de alguna institución estatal central tal como el Sistema Multiplicador de Microempresas (SIMME) que ha sido el organismo de apoyo al desarrollo del sector informal en Guatemala. Las dimensiones (en términos de inversión y empleo generado) alcanzadas por gran parte de los establecimientos sampedranos hacen que los criterios de operación aplicados por esta institución los excluya como beneficiarios (33). Pero se podría pensar en la creación de un subprograma especial de apoyo a San Pedro Sacatepéquez ya que además no es el único caso de tal naturaleza en Guatemala.

Cualquiera que fuera el agente interventor pensamos que su acción debería orientarse en tres direcciones. Primero, debería ofrecer apoyo en servicios de comercialización buscando diversificar los nexos de subcontratación e insertando directamente a los productores sampedranos en mercados externos. Obviamente, el objetivo es que la propia comunidad maneje estos canales de comercialización y los expanda. Segundo, debería ofrecer créditos –en condiciones ventajosas– que permitan una auténtica renovación de la maquinaria existente. Pero esta acción debería plantearse un objetivo más ambicioso en el sentido de que en San Pedro se inicie cierta estrategia de desarrollo tecnológico por imitación tal como se ha hecho en otros contextos de industrialización tardía. Y, tercero, debería implementarse un proceso de capacitación de la mano de obra para que devenga polivalente y se puedan institucionalizar mecanismos de involucramiento de la misma en el proceso laboral; o sea se debería buscar que la ventaja comparativa del factor trabajo no sea su bajo costo sino su calidad.

32. Como se mencionó, entre las entrevistas a informantes clave se realizó una con el alcalde del pueblo. Esta persona mostró muy poco interés en el desarrollo económico del municipio y el gran objetivo de su administración es la instalación de agua para San Pedro Sacatepéquez. Señalemos que la persona que fuera su opositor en las elecciones municipales es, por el contrario, propietario de un taller de confección; probablemente de haber logrado la alcaldía habría más sensibilidad por este tema en las autoridades locales.

33. Hay que mencionar también que con la instalación del gobierno de Serrano, el SIMME entró en un proceso de redefinición de objetivos que paralizó la gran dinámica que se había impulsado en la administración anterior en lo que además constituyó el único programa estatal efectivo de compensación social. Habrá que esperar a la reorganización gubernamental de León Carpio para ver si este mecanismo se reactiva.

Una intervención de esta naturaleza podría activar el capital social presente en San Pedro Sacatepéquez y junto a la existencia de una comunidad étnica consolidar el tejido socioeconómico creado buscando que cooperación y competencia se combinen (34). La importancia de este caso no se limita a sí mismo sino que tiene posibilidad de generalizarse ya que, como ya se ha mencionado, hay contextos similares en el Altiplano guatemalteco como serían Totonicapán o San Francisco El Alto. Además, y esto sería lo más importante, este tipo de proceso permitiría la configuración de núcleos dinámicos de economía indígena insertos en una lógica de globalización sostenible y no espuria. De esta manera la problemática de la reivindicación de los derechos de los grupos indígenas no se limita a sus demandas culturales, fundamentales ya que remiten al elemento nodal de su identidad étnica, sino que también pueden plantearse en términos económicos, ofreciendo –a la vez– soluciones originales al proceso de reestructuración de la sociedad guatemalteca.

34. Esta combinación es uno de los rasgos centrales de los denominados distritos industriales y de las razones de su dinamismo. Para una explicación de esta aparente paradoja, ver Piore, 1992.

Bibliografía

Amin/Robins (1991) Distritos industriales y desarrollo regional: límites y posibilidades. *Sociología del Trabajo* número extraordinario.

AVANCSO (1993) El significado de la maquila en Guatemala. Elementos para su comprensión. Mimeo.

Bastos, S./Camus, M. (1993) Establecimiento y hogar en ciudad de Guatemala: enfoque de género, en R. Menjívar/J. P. Pérez Sáinz (eds.), *Ni héroes ni villanas. Género e informalidad en Centroamérica*. FLACSO. San José.

Becattini, G. (1992) El distrito industrial marchalliano como concepto socio-económico, en E. F. Pyke, en G. Becattini/W. Sengenberger (eds.), *Los distritos industriales y las pequeñas empresas.* Ministerio de Trabajo y Seguridad Social. Madrid.

CITGUA (1991) La maquila en Guatemala. Mimeo.

Dunford (1990) Theories of Regulation, en *Society and Space,* vol. 8, nº 3.

Eckstein, S. (1989) Power and Popular Protest in Latin American, en S. Eckstein (ed.), *Power and Popular Protest: Latin American Social Movements.* University of California Press. Berkeley.

Evers, T.E. (1985) Identity: The Hidden Side of the New Social Movements in Latin America, en D. Slater (ed.), *New Social Movements and the State in Latin America.* CEDLA. Amsterdam.

Friedmann, J. (1989) The Latin American Barrio Movement as a Social Movement: Contribution to a Debate, en *International Journal of Urban and Regional Research,* vol. 13, nº 3.

Gellert, G. (1990) Desarrollo de la estructura espacial en la Ciudad de Guatemala: desde su fundación hasta la Revolución de 1944, en G. Gellert/J. C. Pinto Soria, *Ciudad de Guatemala: dos estudios de su evolución urbana*. CEUR. Guatemala.

Jonas, S. (1991) *The Battle for Guatemala: Rebels, Death Squads and U.S. Power.* Wetsview Press. Boulder. (En castellano: *La batalla de Guatemala,* Editorial Nueva Sociedad, Caracas, 1994).

Mezzera, J. (1987) Notas sobre la segmentación de los mercados laborales urbanos. Documentos de trabajo, nº 289. PREALC. Santiago.

Pérez Sáinz, J. P. (1991a) Informalidad urbana en América Latina. Enfoques, problemáticas e interrogantes. Editorial Nueva Sociedad. Caracas.

Pérez Sáinz, J. P. (1991b) Informalidad urbana en Ciudad de Guatemala, en J. P. Pérez Sáinz/R. Menjívar Larín (eds.), *Informalidad urbana en Centroamérica. Entre la acumulación y la subsistencia.* Editorial Nueva Sociedad. Caracas.

Pérez Sáinz, J. P. (1992) Ciudad de Guatemala en la década de los ochenta: crisis y urbanización, en A. Portes/M. Lungo (eds.), *Urbanización en Centroamérica.* FLACSO. San José.

Pérez Sáinz, J. P./Leal (1992) Pequeña empresa, capital social y etnicidad: el caso de San Pedro Sacatepéquez, en *Debate,* nº 17.

Pérez Sáinz, J. P./Menjívar Larín, R. (1991) Informalidad y género en Centroamérica: una perspectiva regional, en R. Menjívar/J. P. Pérez Sáinz (eds.).

Petersen, K. (1992) The Maquiladora Revolution in Guatemala. Occasional Paper Series 2. Yale, Orville H. Schell, Jr. Center for International Human Rights at Yale Law School.

Piore, M. (1992) Obra, trabajo y acción: experiencia de trabajo en un sistema de producción flexible, en F. Pyke/G. Becattini/W. Sengenberger (eds.), *Los distritos industriales y las pequeñas empresas.* Ministerio de Trabajo y Seguridad Social, Madrid.

Piore, M./Sabel, C. (1984) *The Second Industrial Divide. Possibilities for Prosperity.* Basic Books. New York.

Portes, A. (1989) Latin American Urbanization during the Years of the Crisis, in *Latin American Research Review,* vol. 24, nº 3.

Portes, A./Johns, Michel (1986) Class, Structure and Spatial Polarization. An Assessment of Recent Urban Trends in Latin America, en Tijdschrift Voor Economische en *Sociales Geografie,* vol.77, nº 5.

Portes, A./Schauffler, R. (1993) Competing Perspectives on the Latin American Sector, en *Population and Development Review,* vol. 19, nº 1.

Portes, A./Sensenbrenner, J. (1993) Embeddeness and Inmigration: Notes on the Social Determinants of Economic Action, en *American Journal of Sociology,* vol. 98, nº 1.

Portes, A./Walton, J. (1976) Urban Latin America: The Political Condition from Above and Bellow. University of Texas Press, Austin.

Roberts, B. (1968) *Organizing Strangers.* Texas University Press, Austin.

Slater, D. (1985) Social Movements and a Rescating of the Political, in D. Slater (ed.), *New Social Movements and the State in Latin America.* CEDLA. Amsterdam.

Smith, C. A. (1990) Class Position and Class Conciousness in an Indian Community: Totonicapán in the 1970's, en C. A. Smith (ed.), *Guatemala Indians and the State, 1540 to 1988.* Texas University Press, Austin.

Tokman, V. (1979) Dinámica del mercado de trabajo urbano: el sector informal urbano en América Latina, en R. Kaztman/J. L. Reyna (eds.), *Fuerza de trabajo y movimientos laborales en América Latina.* El Colegio de México. México.

Touraine, A. (1987) *Actores sociales y sistemas políticos en América Latina.* PREALC. Santiago.

La vida mala: economía informal, Estado y pobladores urbanos en Santo Domingo

Wilfredo Lozano

Este trabajo resume los principales hallazgos y resultados de una investigación sobre el proceso de urbanización en los años de la crisis en la República Dominicana. Como la literatura económica latinoamericana en general (Tokman, 1981; Oliveira/Roberts, 1991) y dominicana en particular (Santana, 1991; Ceara, 1990) ha demostrado, tras las políticas de ajuste, los años ochenta representaron un período en la historia de la región de significativo descenso en el ritmo del desarrollo, con sus consecuencias directas en el aumento de la pobreza y en la caída del nivel de vida de la población. Por sus resultados, la crisis de los ochenta también implicó una significativa transformación de las estructuras sociales y políticas y un total reacomodo del modelo de desarrollo de base industrial sustitutivo de importaciones.

El nuevo esquema de inserción a la economía mundial ha fortalecido los procesos de informalización del mercado de trabajo. Como hemos demostrado en otra parte (Lozano/Fernández, 1990), esto es consecuencia de un triple proceso: 1) la desregulación de las relaciones entre el capital y el trabajo que provoca el debilitamiento del Estado en la nueva situación internacional; 2) la creciente terciarización de la economía, en un contexto de debilitamiento del sector industrial y creciente mercantilización del conjunto de actividades reproductivas de las familias trabajadoras; 3) el aumento de la pobreza y el descenso general del nivel de vida, con la consecuente mayor participación de la mujer en actividades de muy baja productividad.

Estos cambios sufridos por la sociedad dominicana en los años de la crisis han transformado la vida económica y social de las ciudades. En el presente trabajo nos proponemos analizar algunos de ellos, para el caso de Santo Domingo. Perseguimos así un propósito múltiple:

– por un lado, ofrecer un panorama del proceso de apropiación social del espacio urbano en Santo Domingo, sobre todo en los llamados años de la crisis;

– por otro lado, analizar las transformaciones sufridas por el mercado de trabajo, principalmente en sus implicaciones para los sectores más pobres de las clases trabajadoras;

– brindar algunas hipótesis relativas a la situación de ingresos de los pobres urbanos, particularmente en los mecanismos empleados por los pobres en la búsqueda de ingresos, destacando el papel de las remesas; y, finalmente,

– hacer un análisis del proceso de la intervención estatal en la vida urbana, en lo relativo a la participación política y comunitaria de los pobladores y su particular percepción de la vida en la ciudad, la desigualdad social y la acción política.

Uso del espacio y desigualdad social en Santo Domingo

La ciudad

A partir de 1950, el proceso de urbanización de Santo Domingo puede periodizarse en tres grandes etapas, en estrecha relación con la dinámica del desarrollo económico. La primera etapa cubre el período 1950-1960, en el que se verifica la primera fase expansiva de la industrialización sustitutiva de importaciones. La segunda cubre el período 1960-1980, en el cual reconocemos dos procesos principales: a) el masivo éxodo campesino hacia la ciudad capital, tras la muerte del dictador Trujillo en 1961; y b) la segunda y principal fase expansiva de la industrialización por sustitución de importaciones. La tercera etapa cubre el período 1980-1990 y se caracteriza por la crisis general de la economía y el descenso del nivel de vida urbana, así como por una creciente reducción del poder de intervención del Estado en la vida económica, sobre todo en el manejo de los servicios urbanos. Así mismo, en esta etapa asistimos a un proceso de terciarización de la economía urbana e informalización del mercado de trabajo.

Primera etapa: 1950-1960. En su fase inicial, en los años cincuenta, la industrialización sustitutiva de importaciones se apoyó en un espacio urbano cuyas funciones económicas eran esencialmente comerciales y burocráticas. De allí que, pese a que en esta etapa se crearon las primeras zonas industriales en Santo Domingo, en torno a los barrios La Fe, la Agustina, Villa Juana y Cristo Rey, en ellos no se concentraron masivamente trabajadores industriales, sino principalmente trabajadores involucrados con la vieja matriz comercial y burocrática, heredada del anterior esquema de organización de la economía urbana, articulado en torno a la actividad comercial y las exportaciones. Esos pobladores en modo alguno deben ser reconocidos como población marginal, ni como pobres urbanos (Lozano/Duarte, 1992). Dichos pobladores estaban sobre todo vinculados a la actividad comercial e informal y, en mucho menor medida, a la actividad propiamente industrial. Fue la zona norte de la ciudad la que principalmente asumió estas características (Cela/Duarte/Gómez, 1988).

Segunda etapa: 1960-1980. En esta segunda etapa Santo Domingo se expandió básicamente hacia el Oeste, en estrecha conexión con el crecimiento de la nueva área de instalaciones industriales de la zona de Herrera, que concentró el principal parque industrial sustitutivo de importaciones en su fase de mayor desarrollo (1968-1978) (Sagawe, 1985). La expansión hacia el Oeste también fue estimulada por el crecimiento de los estratos medios urbanos, los cuales se consolidaron bajo el estímulo del esquema de crecimiento industrial sustitutivo de importaciones, tras el fortalecimiento de las actividades financieras y burocráticas que acompañó a dicho esquema de desarrollo. Fueron estos estratos medios los que crearon el espacio de mercado para que las compañías constructoras privadas, en primer lugar, y luego las estatales, dieran paso a un masivo proceso de construcción de modernas urbanizaciones en barrios como Honduras, Quisqueya, El Millón, Piantini, Naco, etc.; sin olvidar que en este período la ciudad también se expandió hacia el Este, principalmente en la zona de Los Mina, Alma Rosa, etc.

De todos modos, la expansión hacia el Oeste no cambió la fisonomía urbana de Santo Domingo. En sus aspectos sociodemográficos fundamentales la población continuó concentrándose en la zona norte, en los barrios próximos a la riada occidental del río Ozama (en los barrios Capotillo, Simón Bolívar, 24 de Abril y en Los Mina). La clase media al alcanzar un gran poder social y una gran influencia política (Lozano, 1985), logró ampliar su dominio del espacio urbano. Las tierras del Oeste, sobre todo las más próximas al noroeste, eran las que más se prestaban para su ocupación, por ser las de menor poblamiento y las más comercializables, desde el punto de vista de la forma de la propiedad de la tierra (Valdez, 1988).

Tercera etapa: 1980-1990. En los años ochenta Santo Domingo no creció a un ritmo tan acelerado como en la etapa anterior (1960-1980). Sin embargo, continuó la expansión hacia el Oeste, acelerando así la conurbación con los Bajos de Haina, zona industrial y portuaria en desarrollo y con la ciudad de San Cristóbal. En esta última etapa, la gran densidad demográfica de la zona norte, con elevados índices de hacinamiento, presionó a los pobladores a dirigirse hacia áreas de menor poblamiento y fácil acceso, debido a la forma de la propiedad terrateniente urbana, como eran las tierras periféricas del Oeste y del noroeste, en barrios como Sabana Perdida, Maquiteria y Los Alcarrizos. Esto se facilitó en el lado oeste debido a una serie de factores: 1) la posición más cercana de los barrios que allí existían al eje sur; 2) la baja densidad poblacional de la zona; 3) en áreas como Herrera ya existían previamente asentamientos poblacionales, lo que facilitaba la creación de nuevos asentamientos; 4) en ese espacio se hacía más fácil para los pobladores recién llegados vincularse a las actividades productivas «de entrada» a la economía urbana, organizadas en torno a los servicios y al comercio; 5) finalmente, a mediados de los ochenta, el propio Estado estimuló estos asentamientos al trasladar poblaciones desalojadas de las áreas bajo remodelación urbana, desde barrios como Villa Juana, Villa Consuelo, San Carlos, Gualey y Villa Francisca, a lugares «transitorios», ubicados en el Oeste, Los Peralejos y Los Alcarrizos.

En la perspectiva de la ocupación del espacio, lo más significativo de esta tercera etapa son las transformaciones provocadas por los planes de remodelación urbana del Estado. Tras la remodelación, los barrios que de hecho han surgido, sobre todo en Villa Juana y San Carlos, constituyen hoy día una realidad social y económica muy distinta a la que se presentaba en el período previo a la remodelación. Por lo pronto, estos barrios han quedado «atravesados» por ejes viales rápidos, lo cual ha destruido la vida barrial y el autorreconocimiento de los pobladores como parte de una comunidad de pertenencia, como es el caso de Villa Juana. Así mismo, en torno a las vías rápidas poco a poco se han erigido zonas comerciales que modificaron la vida interna y cotidiana de los barrios, tales son los casos de Villa Francisca y San Carlos. La mayoría de los viejos pobladores de los barrios remodelados y afectados con los desalojos, no fueron los beneficiarios de los nuevos departamentos construidos por el Estado como parte del plan de remodelación. En su defecto, familias procedentes de otras barriadas, muchas de ellas vinculadas a grupos de poder político en el Estado, han sido las beneficiadas. Con ello la composición social del barrio se ha redefinido en perjuicio de los viejos pobladores (Lozano/Duarte, 1992).

La remodelación urbana de los años ochenta ha estimulado la periferización de los grupos marginales urbanos (Cela/Duarte/Gómez, 1988). En este sentido, el desalojo de viejos moradores de los barrios Villa Juana, San Carlos etc., ha fortalecido el crecimiento de barrios como Los Alcarrizos, Los Peralejos, Palma Real, situados en la zona noroeste de la ciudad. Esto se ha conectado con procesos observados ya en los finales de los años setenta, tras los cuales los pobladores inmigrantes que recién llegaban a la ciudad se concentraban en la periferia urbana, dando paso al crecimiento de nuevos barrios, como los mencionados, pero también contribuyendo a la incorporación al casco urbano de áreas antiguamente suburbanas como Guarícano, Sabana Perdida, Cancino e incluso Villa Mella (Cela/Duarte/Gómez, 1988) (1) .

Los pobladores urbanos

El proceso de urbanización de la ciudad de Santo Domingo arriba descrito es el condicionante macrosocial en función del cual fueron seleccionados los barrios objeto de nuestra investigación. La misma se apoyó en una encuesta realizada en la ciudad capital, entre los meses de octubre-diciembre de 1991, con una cobertura de 415 casos. Para la realización de la encuesta se seleccionaron cuatro barrios que tuvieran en común más de veinte años de vida urbana, pero que a su vez tuvieran importantes diferencias de tipo espaciales, poblacionales y económicas, a la luz del proceso de urbanización de la ciudad en los últimos diez años. Se asumió, pues, una estrategia metodológica que permitía apreciar cambios de largo plazo, dado el espacio temporal común de los cuatro barrios, a la vez que cambios más recientes y especificidades locales, dadas las diferencias de cada uno en su vinculación con el proceso de urbanización y la dinámica de cambios económicos, sociales y políticos de los últimos diez años. Los barrios seleccionados fueron: Buenos Aires, en el sector de Herrera; Gualey; Ensanche Luperón y Villa Juana (mapa 1).

En lo que sigue presentaremos una apretada descripción de las principales características sociodemográficas de los pobladores urbanos en los barrios encuestados. El promedio de edad de los jefes de hogar fue de 47,2 años, el del cónyuge de 42,5 años, mientras la edad promedio de los hijos fue de 21 años. Se trata, pues, de hogares que se encuentran en un proceso de transformación, e incluso de disolución, debido a que los hijos han entrado a una edad adulta en la que tradicionalmente se constituye pareja. Por ello el tamaño promedio de dichos hogares está un poco por debajo del típico de las familias dominicanas (5,4 miembros), alcanzando a 4,0 miembros promedio, con 3,8 hijos promedio por familia. Dicha característica es prácticamente la misma a nivel barrial (ver cuadro 1).

---

1. Ciertamente, en la medida en que se verifica un movimiento hacia la periferia urbana por parte de la población de los barrios afectados por la remodelación, se producen efectos de polarización social. Sin embargo, pese a los desalojos, no se puede afirmar que en un plazo mediato la política urbana del Estado produzca un efecto de polarización socioespacial, capaz de reconcentrar en la periferia urbana a la mayoría de los grupos «marginales» o pobres.

Mapa 1

Expansión de Santo Domingo, 1945-1991

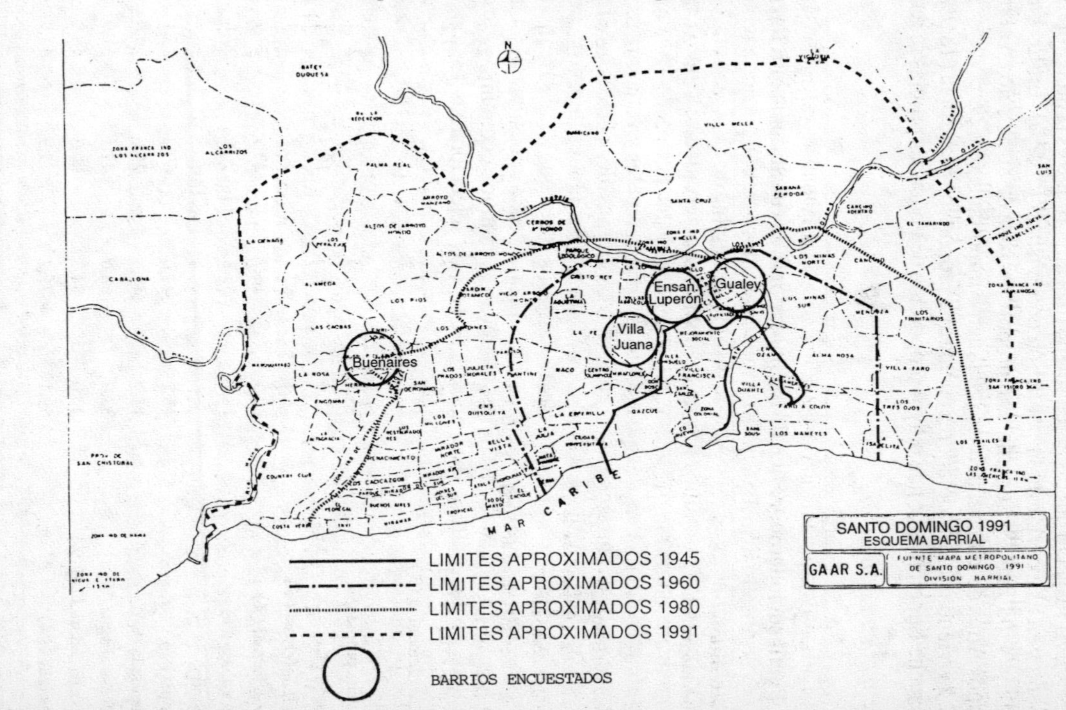

Fuente: MIVAH, 1990.

El nivel educativo de la población es bajo. Se trata de una población cuya mayoría puede considerarse analfabeta abierta o funcional. Su promedio de escolaridad es de 7 años, característica común a todos los barrios. El 52% no terminó la primaria, 22,3% no terminó la secundaria y sólo 25,6% culminó dichos estudios.

Según nuestro estudio, los pobladores urbanos en su mayoría eran migrantes (72,9%). Al respecto quizás el fenómeno más importante es la alta proporción de parientes en el exterior de la población entrevistada (76,7%). En los barrios de Gualey, Villa Juana y Luperón esta proporción pasa de 80%; sólo en el barrio de Buenos Aires desciende, pero es igualmente importante (61,2%).

La vivienda de los pobladores en una alta proporción era propia (48,9%). En el Ensanche Luperón es donde mayor proporción de viviendas propias se reconocen

Cuadro 1

Perfil sociodemográfico de los pobladores encuestados según barrios

Características sociodemográficas	**Barrios**				
	Gualey	**Villa Juana**	**Luperón**	**Bs. As.**	**Total**
Edad	46,0	49,4	49,7	48,1	47,2
Educación (años)	7,0	7,8	7,6	6,6	7,3
Tamaño hogar (miembros de la unidad doméstica)	3,7	3,8	4,0	4,1	4,0
Ingresos mensuales (en dólares)	164,4	138,2	225,7	140,3	161,0
Migrantes (%)	62,6	66,4	79,4	85,7	72,9
Parientes exterior (%)	81,7	82,0	80,9	61,2	76,7
Jefatura femenina (%)	39,1	37,2	39,7	35,7	38,0
Ocupación:					
Cuenta propia (%)	33,3	25,0	28,4	24,7	27,8
Patrón (%)	12,6	5,0	10,4	4,1	7,8
Asal. informal (%)	14,4	17,5	10,4	13,4	14,4
Asal. formal (%)	22,5	16,7	23,9	29,9	22,8
No trabaja (%)	17,1	35,8	26,9	27,8	27,1
Vivienda:					
Propia (%)	45,2	41,0	60,3	55,1	48,9
Alquilada (%)	41,7	44,3	25,0	29,6	36,7
Acceso al agua (%)	33,9	68,6	47,1	51,0	50,7
Acceso electricidad (%)	20,0	84,3	60,3	46,9	52,7
Desagües (%)	59,1	75,2	77,9	42,9	63,2
Total (%)	*28,5*	*30,2*	*17,0*	*24,3*	*40,3*

Fuente: encuesta urbana en Santo Domingo (EURBA), 1991.

(60,3%), y en segundo lugar en Buenos Aires (55,1%). En el acceso a los servicios hay diferencias significativas entre los barrios. El barrio de Gualey parece ser el que tiene peor dotación de servicios. En una situación intermedia se encuentran Luperón y Buenos Aires. El barrio Villa Juana es el que tiene la mejor dotación de servicios.

Los pobladores urbanos entrevistados tienen niveles de ingresos extremadamente bajos: 161 dólares mensuales para los jefes de familia. Se trata de una población compuesta por los pobres urbanos, cuyos niveles de ingresos se encuentran en el mínimo para no pasar a la extrema pobreza. Respecto al salario de pobreza de 1990, esto significa que los salarios de la población en estudio no lograban en su mayoría duplicar el nivel de ingresos de pobreza extrema calculado en 104,8 dólares para ese año. El ingreso familiar promedio era de 240,8 dólares. De esta manera, si estratificamos a la población de acuerdo al salario del jefe de hogar, apreciaremos tres grupos: 1) el grupo cuyos jefes de hogar reciben un salario o ingreso por debajo de la línea de pobreza (43%); 2) los que reciben hasta dos salarios de pobreza (30,8%); y 3) los que reciben dos o más salarios de pobreza (26,3%).

El último rasgo de la población que debe destacarse es la elevada proporción de mujeres jefas de familia: 38%. En gran medida esta elevada tasa de jefatura femenina de hogares es producto de la particular naturaleza sociodemográfica de la población entrevistada, la cual tiene 30 años de edad o más. Esto determina un tipo de hogares diferente al de las parejas jóvenes, pues se trata de hogares maduros e incluso en proceso de disolución. Sin embargo, no podemos menospreciar la creciente responsabilidad económica de la mujer en los hogares urbanos pobres (2). En este sentido, es muy significativa la alta proporción de jefes (as) de familia separados (as) (20,6%) o viudos (as) (9,4%), categorías que alcanzan, ambas, a 30% del total de jefes (as) de hogar. Naturalmente, esta situación afecta en particular a los hogares con jefatura femenina. Apreciamos así que del total de jefas de familia, 43,8% estaba separada y 20,3% eran viudas. Es decir, 64,1% de las jefas de hogar no tenían cónyuges a la hora de la entrevista.

Vivir en la ciudad: informalidad y pobreza

Ante el proceso de transformación urbana descrito, en esta sección trataremos de dar respuesta a varias interrogantes: ¿cómo afectó a los pobladores los cambios de la vida urbana en los ochenta, a propósito de sus condiciones de ingreso?, ¿cómo las remesas de los emigrantes han ayudado a los pobres urbanos a dar una respuesta a la crisis, en lo relativo a la generación de ingresos? ¿de qué modo la crisis de los ochenta modificó la estructura y dinámica de funcionamiento del

2. Debe puntualizarse que en América Latina una de las expresiones más significativas de la crisis de los años ochenta fue la acelerada incorporación de la mujer a actividades productivas (Oliveira/Roberts, 1991), pasando a ocupar un papel de primer orden como responsable económico de los hogares pobres, no sólo en la administración de los ingresos y del presupuesto familiar, sino también en la generación misma de los recursos monetarios de las familias.

mercado de trabajo, sobre todo con respecto al creciente papel del sector informal en la vida económica de Santo Domingo? y, finalmente, ¿cuál ha sido el papel de las llamadas microempresas como opciones de desarrollo o mecanismos de sobrevivencia ante los cambios socioeconómicos del mundo urbano en los ochenta?

Pobreza, género y remesas

En una situación como la descrita hasta aquí, es de esperar que la generación de ingresos en la familia involucre de modo significativo no sólo a los jefes y jefas de hogar, sino también a los miembros adultos que se encuentran en edad activa. Sin embargo, los datos manifiestan que sólo 19,2% del ingreso familiar promedio era cubierto por la población secundaria (los demás miembros de la familia excluido el jefe o jefa de hogar). El jefe (a) de hogar aportaba 66,8% del ingreso familiar y 14% era cubierto por las remesas. Sin embargo, vista así, la situación de ingresos resulta incompleta; apreciémosla más de cerca.

El cuadro 2 permite reconocer que hay una fuerte asociación entre los cambios en la situación del empleo del jefe familiar y la capacidad de ingresos individual y familiar. Con base en el salario de pobreza (104,0 dólares para 1990) el cuadro se ha organizado definiendo tres situaciones de ingreso: 1) por debajo de la línea de pobreza; 2) hasta dos salarios de pobreza; y 3) más de dos salarios de pobreza.

En el cuadro 2 reconocemos que las tres cuartas partes de los jefes de familia que trabajan se encuentran por debajo de la línea de pobreza. En cambio, los jefes de hogar que se encuentran en una situación de desocupación efectiva se reparten homogéneamente en tres cuotas prácticamente alícuotas en materia de ingreso. Al considerar el ingreso de la familia en su conjunto la situación descrita mejora significativamente para los hogares cuyos jefes no trabajan, pues 50,3% de los mismos se concentran ahora en el estrato superior de ingresos (de más de dos salarios de pobreza).

En cambio, en los hogares cuyos jefes trabajan la situación, aunque sufre una ligera mejoría, permanece relativamente igual: 42% de estos hogares se encuentran por debajo del salario de pobreza, aun cuando ahora 27,9% pasa a concentrarse en el estrato cuyo ingreso fluctúa entre 1-2 salarios de pobreza.

Por otro lado, el mismo cuadro 2 revela que en aquellos hogares donde el jefe de familia tiene un empleo secundario, su situación manifiesta un gran deterioro del salario, pues más de 50% de estos responsables de hogar reciben ingresos por debajo del salario de pobreza, mientras en los hogares en los cuales los jefes no recurren al empleo secundario la situación se mantiene relativamente homogénea, o más bien resulta indiferente a propósito de los ingresos. Sin embargo, desde el momento en que se considera el ingreso global de la familia, en aquellos hogares donde el jefe realiza una ocupación complementaria a su actividad principal, la situación mejora mucho, pues en este caso 46,1% de los mismos pasa a concentrarse en el grupo de ingreso de más de dos salarios de pobreza, mientras en los hogares donde el jefe de familia no realiza ninguna actividad complementaria a su empleo principal, la situación del ingreso familiar no mejora significativamente.

Finalmente, aquellos jefes que reciben ayuda del exterior (remesas) en su

Cuadro 2

Situación de ingreso de los jefes de familia y sus hogares, según condición del empleo y remesas recibidas

(En porcentajes)

Situación del empleo del jefe familiar	Ingreso del jefe(a)			Ingreso familiar			
	Debajo línea de pobreza	Hasta dos salar. de pobreza	Tres o más	Debajo línea de pobreza	Dos salar. de pobreza	Tres o más	Total
No trabaja	30,7a	6,5a	32,8a	16,6b	33,1b	50,3b	296
Trabaja	75,7a	15,0a	9,3a	42,1b	27,9b	13,9b	107
Con empleo secundario	51,8c	25,9c	22,4c	25,0d	28,9d	46,1d	228
Sin empleo secundario	30,4c	37,1c	32,0c	21,1c	40,0d	38,9d	175
Con remesas	50,5e	27,1e	22,4e	10,3f	38,3f	51,4f	107
Sin remesas	40,3e	31,4e	28,3e	28,6f	31,7f	39,7f	290

a) Chi cuadrado: 65,30; Sig. : 0,00; V de Cramer: 0,40
b) Chi cuadrado: 36,30; Sig. : 0,00; V de Cramer: 0,30
c) Chi cuadrado: 17,60; Sig. : 0,00; V de Cramer: 0,20
d) Chi cuadrado: 5,40; Sig. : 0,06; V de Cramer: 0,11
e) Chi cuadrado: 3,33; Sig. : 0,18; V de Cramer: 0,09
f) Chi cuadrado: 14,63; Sig. : 0,00; V de Cramer: 0,19

Fuente: EURBA, 1991.

mayoría (50,5%) son los que precisamente se concentran en los niveles de ingreso por debajo del salario de pobreza. Al tomar en cuenta los ingresos del hogar provenientes de las remesas, apreciamos una mejora sustancial del ingreso familiar pues los hogares que sí reciben esta ayuda se concentran en 51,4% en el grupo de ingresos de más de dos salarios de pobreza.

De esta forma, el análisis del cuadro 2 permite apreciar que: 1) son los ingresos del jefe familiar los determinantes básicos del ingreso de la unidad doméstica; 2) los ingresos por empleo secundario son más importantes en los hogares más pobres; 3) las remesas son importantes en los jefes de hogar en extrema pobreza, pero su importancia es mas determinante para los hogares con mayores ingresos. La remesa no parece ser, pues, determinante en la estrategia de sobrevivencia de los hogares en extrema pobreza, pero sí para la reproducción de los hogares con mejor situación económica. En los hogares más pobres este papel lo juega el empleo secundario.

Precisemos mejor el papel de las remesas en la generación de ingresos de la unidad doméstica. En el cuadro 3 reconocemos que si bien las remesas sólo aportan 14,8% del promedio general del ingreso familiar, en los hogares dirigidos

Cuadro 3

Estructura del ingreso según condición en el hogar y origen

(Promedios mensuales en dólares)

Población por tipos de ingresos	Promedios de ingresos Total	Hombres	Mujeres	Promedios de ingreso famil. Total	Hombres	Mujeres
Toda la población:						
Jefe	161,0	193,8	107,3	66,8	76,1	49,2
Secundaria	46,1	37,4	60,2	19,2	14,6	27,6
Remesas	33,7	23,4	50,5	14,8	9,3	23,2
Familiar	240,8	254,7	218,1	100,0	100,0	100,0
Recibe remesas:						
Jefe	137,1	158,5	109,8	45,4	56,3	33,5
Secundaria	38,1	25,5	54,2	12,6	9,0	16,5
Remesas	126,5	97,6	163,5	42,0	34,7	50,5
Familiar	301,9	281,1	327,6	100,0	100,0	100,0
No recibe remesas:						
Jefe	169,0	204,0	105,6	77,5	83,3	62,3
Secundaria	48,9	40,9	63,4	22,5	16,7	37,7
Familiar	218,1	244,9	169,5	100,0	100,0	100,0
Recibe ingresos secundarios:						
Jefe	144,9	188,0	97,8	56,2	64,0	45,0
Secundaria	81,5	78,7	84,5	31,6	26,7	38,8
Remesas	31,1	27,3	35,2	12,2	9,3	16,2
Familiar	257,5	294,1	217,6	100,0	100,0	100,0
No recibe ingresos secundarios:						
Jefe	181,9	199,1	130,8	83,0	91,0	59,6
Remesas	37,0	19,8	88,3	17,0	9,0	40,4
Familiar	219,0	219,0	219,2	100,0	100,0	100,0

Fuente: EURBA, 1991.

por mujeres esta proporción se eleva a 23%. Por otro lado, sólo 26,5% de los hogares recibían propiamente remesas. No es despreciable esta proporción de hogares que reciben remesas en el momento de la encuesta. Lo que es más importante, si observamos bien las cifras presentadas en el cuadro 3, reconocemos un conjunto de situaciones claramente diferenciadas: 1) los hogares que reciben remesas aumentan su ingreso en 20,2%, en relación con el promedio general; 2) en los hogares que reciben remesas la proporción del aporte del jefe de familia desciende a 45% del volumen total de ingresos familiares, elevándose el papel de las remesas 42%; 3) esto último revela que en dichos hogares las remesas pasan a ocupar un rol prácticamente igual al de los ingresos del jefe de hogar y significativamente más importante que los aportes de la población secundaria y que viven en la misma residencia; 5) el sutil atenuante de esta última situación no es menos importante: mientras las remesas suponen un ingreso que no demanda un gasto (3), el aporte de los otros miembros de la población tiene como recíproco un importante nivel de consumo de esta misma población secundaria en el gasto familiar total; 6) finalmente, el cuadro 3 revela que la función de la remesa se hace mucho más determinante para el ingreso familiar en los hogares dirigidos por mujeres que por hombres, al punto que en dichos hogares las remesas llegan a representar 50% del ingreso familiar. Es claro, pues, que en estos hogares la remesa pasa a suplir las carencias monetarias provocadas por la inactividad o la salida del mercado laboral, que es la principal característica de los hogares con jefatura femenina.

Con el propósito de medir los efectos que tienen la condición de género, la edad, la educación y el tipo de ocupación del jefe de familia en sus ingresos, hemos elaborado una regresión logística. La variable de resultados, los ingresos totales, tiene tres categorías: 1) ingresos por debajo del salario de pobreza; 2) ingresos de hasta dos salarios de pobreza; y 3) ingresos mayores que el doble del salario de pobreza.

El modelo de regresión (cuadro 4) revela que el sexo, la educación y la ocupación son predictores estadísticamente significativos del ingreso total del jefe de familia (nivel de 0,05). Las posibilidades de ascender una o más categorías en la escala de ingresos son tres veces mayores para los hombres que para las mujeres (2,99). Entre los informantes que son similares en todos los otros aspectos (edad, sexo, educación), los que trabajan por cuenta propia o de manera formal tienen cinco veces más probabilidades de subir una o más categorías de ingresos, mientras que los trabajadores informales tienen sólo tres veces más probabilidades de hacerlo. Las personas que trabajan como jefes y supervisores tienen las más altas posibilidades de ascender una o más categorías de ingresos (17,064).

---

3. No debemos olvidar que generalmente el acceder a las remesas puede haber demandado un gasto pretérito por parte de la familia, precisamente para poder enviar al miembro del hogar al extranjero. En este sentido, si bien la remesa en lo inmediato representa un ingreso neto, sin un correlato en el volumen del gasto familiar, en términos de la historia familiar ha tenido un costo, cuyos efectos económicos no pueden ser despreciados: en su historia la familia se vio forzada a restringir niveles específicos de consumo, a estimular y/o apoyar la emigración en beneficio de algunos de sus miembros y no de otros, con su consecuente correlato en el potencial de conflicto interno, etc.

Cuadro 4

Regresión de determinación del ingreso con base en predictores seleccionados

Variables independientes	B	Exp. (B)
Sexo	1,098	2,998
Edad (años)	0,005	1,005
Educación (años)	0,143	1,154
Ocupación:		
Patrón	2,837	17,064
Cuenta propia	1,675	5,339
Asal. formal	1,679	5,360
Asal. informal	1,104	3,016

Significancia de coeficientes p. 0,01
Log Likelihood = -355.11;1 Chi cuadrado = 157,06 p. 0,01
Grados de libertad = 6

Fuente: EURBA, 1991.

Cuadro 5

Nivel de ingresos según condición educativa

(En porcentajes)

Grupos de ingreso	Nivel educativo			
	Sin escolaridad	Primaria incompleta	Secundaria incompleta	Secundaria y más
Bajo línea de pobreza	61,5	53,5	36,7	21,8
1-2 salarios de pobreza	30,8	26,7	37,8	31,7
Más de dos salarios de pobreza	7,7	19,8	25,6	46,5
Total %	*100,0*	*100,0*	*100,0*	*100,0*
N	*(39)*	*(172)*	*(90)*	*(101)*

Chi cuadrado: 44,8, Sig.: 0,00, V de Cramer: 0,23.

Fuente: EURBA, 1991.

Finalmente, el cuadro 5 completa todos estos análisis. Apreciamos en el mismo que ciertamente hay una fuerte relación entre la educación y el nivel de ingresos. Sin embargo, el cuadro en cuestión, aun cuando sólo se refiere al ingreso del jefe familiar, obliga a reconocer que hay que atenuar el argumento respecto a la determinación del ingreso por la educación, pues entre los que tienen una educación secundaria completa hay más de 20% debajo de la línea de pobreza. Igual ocurre con los que tienen educación secundaria incompleta, pues 36% de este grupo se encuentra debajo de la línea de pobreza.

Migración internacional y movilidad social

Quizás el fenómeno más impactante desde los años setenta, y decisivo para la economía a partir de los ochenta, ha sido el de la migración internacional. En poco menos de veinte años República Dominicana se ha convertido en el principal país emisor de población caribeña a Estados Unidos, después de Puerto Rico (Báez Evertsz/D'Oleo, 1985; del Castillo/Mitchel, 1987; Chaney, 1986). Esto ha tenido significativas repercusiones para toda la economía nacional (Ravelo/del Rosario, 1986; Portes/Guarnizo, 1991), pero sobre todo ha contribuido a transformar radicalmente las estrategias de sobrevivencia de las familias campesinas y de las clases trabajadoras urbanas. En estas últimas las remesas se han constituido en un decisivo componente de las estrategias de generación de ingresos, principalmente en los hogares con mejor posición económica.

Las informaciones derivadas de nuestra encuesta revelan que 76,7% de los entrevistados declaró tener al menos un pariente en el extranjero. Lo significativo es que, como hemos expresado arriba, 26,5% de los hogares recibe alguna ayuda de dichos parientes, al menos una vez al mes. Por otro lado, los parientes emigrantes tienen un lazo parental cercano con las familias entrevistadas. Se trata de emigrantes que en su mayoría son hijos (as), hermanos (as), o compañeros (as), de los entrevistados.

La mayoría de estos parientes emigrantes residen en Estados Unidos. Pero la gama de países entre los que se distribuye la emigración es asombrosa. En Estados Unidos, los parientes se concentran esencialmente en Nueva York, Miami, y Boston. Pero también hay un significativo volumen de emigrantes en ciudades como Caracas, Madrid, Curazao, Roma y Atenas (4).

La realidad de la emigración no se limita a las remesas. Gravita sobre las expectativas de cambio del hogar y, en consecuencia, motoriza una serie de acciones tendientes a la movilidad social de sus miembros. Por lo demás, los hogares que reciben remesas entienden que las mismas constituyen un importante componente del presupuesto familiar. De esta manera, 69,1% de los entrevistados que reciben remesas afirmaron que las mismas son imprescindibles para lograr un

4. La lista se extiende a más de 15 países y alrededor de 40 ciudades. Entre los principales países receptores de la emigración dominicana figuran: Estados Unidos, Puerto Rico, Venezuela, Canadá, Saint Thomas, México, España, Grecia, Italia, Alemania y Aruba. Entre las principales ciudades cabe mencionar a: Nueva York, Boston, New Jersey, San Juan, Río Piedras, Caracas, Madrid, Toronto, Montreal, México, Roma, Hamburgo, Atenas.

equilibrio presupuestario en la familia. La ayuda de la emigración no se limita al ingreso monetario. Un 26% de los hogares recibe ayuda en bienes materiales al menos una vez al año, sobre todo electrodomésticos y ropa. De esta forma, la emigración ha ido constituyéndose en un elemento cotidiano de la sobrevivencia de muchos hogares pobres de Santo Domingo, sobre todo de los que tienen jefatura femenina, al tiempo que se ha definido como la principal perspectiva de la movilidad social (5).

El predominio de la informalidad

El ámbito de la economía urbana donde se concentra fundamentalmente la población encuestada es la actividad terciaria: el comercio (29,8%) y los servicios (21,6%). Sin embargo, la actividad manufacturera tiene un peso significativo (19,2%) (cuadro 6). De todos modos, la característica más relevante de la PEA es el peso del trabajo por cuenta propia (49,5%), claro indicador de la importancia que en la economía urbana poseen las actividades informales (Portes/Walton, 1981; Pérez Sáinz, 1991). La actividad «cuentapropista» de que se trata no es la típica del vendedor ambulante, sino más bien la del microempresario establecido en un lugar permanente. Igualmente importante es que la concentración de mujeres en actividades cuentapropistas de tipo permanente es mayor que la de los hombres, mientras estos últimos se concentran más en la actividad cuenta propia ambulante, típica de los vendedores callejeros, y todo tipo de venta popular al detalle (Duarte, 1986).

El análisis de las características sociodemográficas de la población, en atención a la situación ocupacional de los trabajadores, precisa mejor lo afirmado. En el cuadro 7 se aprecia que hay una significativa y fuerte asociación entre las principales características sociodemográficas de la población (básicamente la educación, la edad y los salarios) y la ocupación. Reconocemos así que: 1) pese al bajo nivel educativo de la población en conjunto, los asalariados (sobre todo los formales) tienen un mayor nivel educativo que los cuentapropistas y patronos, estos últimos concentran 36,8% de los analfabetos y 40,1% de los que sólo tienen primaria incompleta; 2) esto coincide con el hecho de que precisamente son los asalariados los más jóvenes, concentrando 54,9% de la población cuya edad es de menos de 40 años; 3) sin embargo, esta situación (la de poseer un mayor nivel educativo y ser más jóvenes) no le proporciona a los asalariados una sustancial mejora en el ingreso, pues al respecto los mejor situados son los patronos, aun cuando seguidos de los asalariados formales: pese a que los patronos sólo representan 17% de la población con ingresos mayores de dos salarios de pobreza, considerados como grupos particular, apreciamos que 58,1% se encuentra en esta

5. La literatura sobre la emigración dominicana a Estados Unidos (Grassmuck/Pessar, 1990; Portes/Guarnizo, 1991; Báez Evertsz/D'Oleo, 1985) ha demostrado que ésta es esencialmente de clase media. Los datos que hemos presentado demuestran, ciertamente, que entre los pobres son los hogares con mayor ingreso relativo los que reciben remesas. Pero también permiten reconocer que incluso en los hogares pobres, cuyos ingresos están por debajo de la línea de pobreza, las remesas tienen importancia. Esto, a su vez, es indicativo de que hay un significativo nivel de emigrantes cuyas familias son pobres.

Cuadro 6

Ramas de actividad según condición ocupacional

(Valores absolutos y %)

Ramas de actividad	Condición de actividad				Total
	Cuenta propia		Asalariado		
	Permanentes	Ambulantes	Jefes y capataces	Obreros y empleados	
Industria y energía	27,2	2,8	36,9	17,2	20,4
Alimentos, bebidas y tabaco	1,9	–	15,8	3,9	3,5
Textiles	16,5	–	10,5	3,9	8,3
Otras manufacturas	8,8	2,4	5,3	7,8	7,4
Energía	–	2,4	5,3	1,6	1,2
Construcción	1,0	17,1	15,8	2,3	4,8
Transporte	5,8	12,2	–	6,3	6,5
Comercio	31,3	24,4	–	16,4	21,6
Por mayor	4,9	12,2	–	11,7	8,5
Por menor	26,2	12,2	–	4,7	13,1
Servicios	12,5	12,2	31,6	46,1	29,8
Adm. pública, finanzas y educación	1,9	2,4	15,8	27,4	14,0
Diversión	6,0	2,4	–	2,3	3,7
Personales	3,9	4,8	5,3	4,0	4,1
Otros servicios	0,7	2,6	12,5	12,4	7,9
A.N.B.E.*	18,5	29,3	10,5	11,3	16,4
Total (N)	*100,0*	*100,0*	*100,0*	*100,0*	*100,0*
(103)	*(41)*	*(19)*	*(128)*	*(291)*	

(*) Actividades no bien especificadas.

Fuente: EURBA, 1991.

Cuadro 7

Ocupaciones según nivel educativo, edad y sexo

Educación edad, ingresos y sexo	Ocupaciones C. propia	Patronos	Asal. informales	Asal. formales	No trabaja	Total
Educación(a):						
Sin escolaridad	30,8	7,7	2,6	15,4	43,6	39
Pri. incompleta	30,2	11,0	10,5	11,6	36,6	172
Sec. incompleta	30,0	7,8	17,8	27,8	16,7	90
Sec. y más	15,8	11,9	18,8	38,6	14,9	101
Edad(b):						
Menos 40 años	25,5	9,8	21,6	33,3	9,8	153
41-60 años	31,9	7,4	12,9	19,6	28,2	163
60 y más años	24,1	5,1	3,8	8,9	58,2	79
Sexo(c):						
Masculino	26,0	14,8	12,8	27,6	18,8	250
Femenino	27,5	2,6	2,6	13,7	41,2	153

a) Chi cuadrado 49,54; V de Cramer 0,20 p. 0,01 DF 12.

b) Chi cuadrado 75,24; V de Cramer 0,30 p. 0,01 DF 8.

c) Chi cuadrado 29,60; V de Cramer 0,27 p. 0,01 DF 4.

Fuente: EURBA, 1991.

categoría. En cuanto a este último punto, los cuentapropistas tienen una repartición de su población muy homogénea: 23% tiene salario de pobreza, 33% tiene entre 1 y 2 salarios de pobreza, y 28% de los que obtienen mayores ingresos. Considerados como grupo ocupacional, 36% de los cuentapropistas obtiene salarios por debajo de la línea de pobreza, 27% supera tres veces dicho salario y 37% lo supera dos veces. Hay que hacer notar que respecto al ingreso son los asalariados informales y la población que no trabaja los peores situados. Este último grupo (los que no trabajan) es, además, junto al de las jefas de familia, el peor situado en materia educativa y el de mayor edad.

Hay, pues, un patrón relativamente consistente que permite sostener una serie de hipótesis generalizadoras de estos hallazgos empíricos. Pese al papel determinante de la educación en la generación de mayores ingresos, en los niveles más bajos de calificación la educación no parece constituir el principal y único determinante del nivel de ingresos. Aquí interviene en igual importancia el tipo de actividad laboral u ocupación. Respecto a esto último reconocemos dos situaciones básicas: 1) Las ocupaciones más inestables son las que generan menores ingresos, como es el caso del trabajo por cuenta propia y el trabajo asalariado informal; la contrapartida revela el mismo fenómeno: las ocupaciones más estables reportan mayores ingresos (patronos y asalariados formales); y 2) el bloqueo absoluto al empleo (la desocupación abierta, o el *status* de inactivo) o la condición femenina traduce directamente un importante deterioro del ingreso, que sólo es mitigado por el papel de las remesas.

Apreciamos así una significativa heterogeneidad del empleo u ocupación respecto a la situación de ingresos de los trabajadores. Básicamente podríamos reconocer dos grupos de ingresos: 1) en la base se encuentran los que carecen absolutamente de acceso a ingresos monetarios derivados del trabajo directo (desocupados e inactivos). A éstos se unen los que teniendo ingresos salariales, su condición de informales hace muy inestable el empleo y en consecuencia deteriora sus ingresos; en esta situación se encuentran trabajadores eventuales (llamados «chiriperos»), dependientes de pequeños comercios, vendedores callejeros subcontratados, etc.; y 2) los que tienen ingresos estables independientemente de su origen (actividades microempresariales o salariales). En dicho grupo son los patronos microempresarios (que contratan mano de obra asalariada) los de mayor nivel de ingresos. Estos hallazgos permiten sostener que el mundo de la informalidad no debe identificarse con pobreza (Portes/Castells/Benton, 1990) y que la estabilidad del salario no asegura ingresos elevados (es el caso del empleado del Estado, o del trabajador de zonas francas).

No podemos dejar de reconocer que en este esquema la condición de género constituye una variable condicional del ingreso. Es posible que esto obedezca a varios factores: en los hogares pobres, en la medida en que la unidad doméstica entra en una etapa de deterioro y desaparición, se eleva la proporción de mujeres jefas de hogar solas, responsables de los hijos. En parte esto se debe a la mayor proporción de viudez en las mujeres, pero sobre todo es el producto de la elevada tasa de divorcio y abandono de hogar por parte del hombre, lo que coloca a la mujer en una situación muy vulnerable, pues hace muy inelástica sus opciones ocupacionales, limitando sus fuentes y posibilidades de ingresos.

Detengámonos con mayor detalle en el análisis del trabajo informal por cuenta propia pues, como hemos apreciado, es esta la característica específica del predominio de la informalidad en el mercado laboral urbano. Sostenemos la hipótesis de que las actividades por cuenta propia de la población estudiada tienden a organizarse como microempresas de muy escaso tamaño y –posiblemente– muy baja capitalización (6). En una palabra, no se trata de microempresas de desarrollo (Portes/Castells/Benton, 1990), sino más bien de sobrevivencia (Pérez Sáinz,

6. Entenderemos por «microempresas» aquellas actividades productivas de bienes y servicios cuyos establecimientos se caracterizan por: 1) relaciones informales entre el capital y el trabajo a propósito de la regulación de la actividad productiva; 2) el predominio del trabajo por cuenta propia, se contrate o no mano de obra asalariada, y trabaje o no mano de obra familiar; 3) la reducida dimensión del número de trabajadores involucrados en la actividad económica: en nuestro universo empírico las microempresas no pasan de diez trabajadores; 4) el uso intensivo del factor trabajo, con poca formación de capital y bajo nivel de desarrollo tecnológico; 5) reducidas posibilidades de acumulación.

1989). El análisis individual de las entrevistas permite apreciar más claramente las cifras. En el cuadro 8 reconocemos que las actividades laborales de la población estudiada son esencialmente de tipo comercial, donde la venta ambulante al detalle tiene un peso determinante y, en el caso de establecimientos comerciales con puestos permanentes, se trata de negocios individuales en su mayoría de venta de alimentos en las mismas residencias y barrios de los «microempresarios». También hay una proporción importante de vendedores callejeros «tricicleros» en esta categoría. El segundo aspecto a destacar es la importancia de la rama de servicios, en la cual se concentra 20,8% de las llamadas microempresas. Este último grupo es muy heterogéneo, destacándose algunas subcategorías como los servicios de diversión y esparcimiento –que incluye rifas, «aguantes», «sanes» y toda forma de ahorro popular–, así como puestos de comida o pequeños restaurantes; por otro lado, aparecen servicios como los que ofrecen las lavanderas por cuenta propia, los guardianes que ofrecen sus servicios independientes, etc.; actividades estas últimas que por regla general son de simple sobrevivencia.

Hay dos ramas de la economía donde se concentran actividades microempresariales con posibilidades de desarrollo. En primer lugar, la manufactura y, dentro de ésta, sobre todo los textiles y vestidos y la construcción de muebles. Aquí se trata de artesanos típicos: modistas, costureras independientes, sastres cuenta propia, ebanistas cuenta propia con pequeños talleres, etc. Reconocemos también la actividad del transporte, donde los choferes propietarios de automóviles tienen mucha importancia en la oferta global de servicios en dicha rama. Todas estas actividades tienen posibilidades de constituir un segmento de microempresarios con posibilidades de desarrollo. Sin embargo, no podemos perder de vista que en general en la actividad textil en la región hay un peso significativo de subcontratación por parte de las grandes fábricas de tejidos y ropa (Benería, 1990). Esto potencia el trabajo familiar y a domicilio, principalmente como subproducto de la expansión de la industria de la ropa, y sólo en segundo lugar como resultado de la capacidad misma de las microempresas. Algo semejante puede ocurrir con los talleres de construcción de muebles, muchos de los cuales funcionan como empresas subcontratadas por las grandes firmas vendedoras de muebles. Lo mismo puede decirse de los choferes del transporte, ante el peso de la subcontratación que realizan las grandes empresas propietarias privadas en el sector.

La otra serie de indicadores que apoyan la hipótesis de que las microempresas en cuestión son predominantemente de sobrevivencia, es la naturaleza de los mercados a los que dirigen su producción y la dimensión del establecimiento. Sus ventas se dirigen básicamente al público (83,8%). Un reducido número de establecimientos son los que venden a otras empresas: 16,2%. Muy posiblemente en este último grupo sí se encuentren las microempresas de desarrollo, cuya principal esfera de actividad económica es el comercio (50%) y la manufactura de textiles (25%).

Las microempresas bajo estudio tienen un personal muy reducido. Generalmente, en dichos establecimientos el propietario es el principal y casi siempre único productor y operario: 89% son cuentapropistas que no contratan mano de obra. Apenas 11% contrata personal, familiar o asalariado. De las microempresas

Cuadro 8

Ramas de actividad, número de trabajadores y categorías de microempresas según destino de las ventas

Ramas de actividad	Destino de las ventas					
	El público		Empresas		Total	
	Abs.	%	Abs.	%	Abs.	%
Manufacturas:	26	83,8	5	16,2	31	100,0
Alimentos y madera	12	85,7	2	14,3	14	100,0
Textiles	14	92,3	3	17,7	17	100,0
Construcción	7	100,0	–	–	7	100,0
Comercio	37	86,0	6	14,0	43	100,0
Transporte	7	100,0	–	–	7	100,0
Servicios personales	29	96,6	1	3,4	30	100,0
Total (N)	*106*	*89,8*	*12*	*10,2*	*118*	*100,0*
Microempresas según contraten o no trabajadores:						
Cuentapropista	89	92,7	7	7,3	96	100,0
1 trabajador	16	88,8	2	11,2	100,0	
2-4 trabajadores	17	85,0	3	15,0	20	100,0
8-10 trabajadores	2	100,0	–	–	2	100,0
Total empresas con trabajad.	*124*	*91,2*	*12*	*8,8*	*136*	*100,0*
Microempresas según categorías de trabajadores contratados:						
1. Familiares sin sueldo	10	100,0	–	–	10	100,0
2. Familiares a sueldo	10	100,0	–	–	10	100,0
3. Empleados a sueldo	7	77,7	2	22,3	9	100,0
4. Propietarios	8	72,8	3	27,2	11	100,0

Fuente: EURBA, 1991.

que contratan trabajadores, consideradas como grupo particular, 45,7% sólo contrata un trabajador, y 94,2% no tiene más de cuatro trabajadores. Apenas 5,8% tiene más de cinco trabajadores. Ahora bien, de las microempresas que sólo contratan un trabajador, solamente 88% vende al público; de los que contratan entre 2 y 4 trabajadores, 85% sólo vende al público; e incluso las que contratan más de cinco trabajadores todas venden al público. Por lo visto, se trata esencialmente de microempresas individuales y familiares.

El último aspecto significativo de las microempresas cuenta propia es el de la regulación de las relaciones laborales. Si medimos la regulación de la relación capital-trabajo a través del tipo de prestaciones laborales a que tienen acceso los trabajadores, reconocemos que las relaciones laborales en las microempresas cuentapropistas tienen muy bajo nivel de regulación. De todos modos, es importante destacar que pese a esto en las microempresas hay un importante 30,2% de trabajadores que reciben aguinaldo navideño y 33,3% que recibe bonificaciones (cuadro 9).

Debe observarse que las prestaciones en cuestión son esencialmente las vinculadas directamente a la productividad del trabajo (bonificaciones) o a tradiciones muy propias de la cultura laboral y empresarial dominicana (aguinaldo). Donde más precaria es la situación del trabajador de las microempresas es en lo relativo al despido, los accidentes de trabajo, y la salud. No podemos perder de vista que las microempresas constituyen básicamente negocios de tipo familiar, donde la relación patrón-trabajador no es la típica de la moderna empresa capitalista (ver cuadro 10).

La microempresa urbana

Para completar el anterior análisis sobre la microempresa urbana y el sector informal en Santo Domingo, aquí se hará una evaluación de los principales hallazgos encontrados en el estudio sobre microempresarios textiles y artesanos urbanos, realizado, como complemento de la encuesta urbana. Dicho estudio tenía como objetivo central una evaluación del potencial de las microempresas como vehículos de desarrollo (7).

Como se sabe, las condiciones sociales en las cuales originalmente las microempresas se han desarrollado constituyen un elemento determinante de su posible éxito futuro (Portes/Castells/Benton, 1990). Los dos tipos de microempresarios estudiados en este trabajo (artesanos del ámbar y productores de ropa) para

7. En el presente apartado, cuando nos refiramos a los artesanos del ámbar y microempresarios textiles reconoceremos como microempresarios «exitosos» a aquellos productores cuyas microempresas: 1) hayan generado cierta capacidad de acumulación, reflejada en el aumento de sus niveles de inversión y/o beneficios, o 2) que la microempresa haya demostrado cierta capacidad de «permanencia» o sobrevivencia, en tanto actividad económica o empresarial –en nuestro caso, se trata de microempresas que tienen ya más de ocho años de actividad continuada en sus respectivas áreas productivas–; 3) finalmente, se trata de microempresas que proporcionan a sus dueños ingresos suficientes como para constituir la principal fuente de ingresos de la familia o unidad doméstica a la cual pertenece el microempresario. La cuestión de la subcontratación se trata extensamente en Portes/Castells/Benton, 1990.

establecerse contaron con acceso a redes sociales que posibilitaron los vínculos iniciales con el mercado (8). En ambos casos la participación en estas redes sociales definió la identificación con un tipo de cultura laboral donde la opción de la microempresa constituía una meta del grupo social más amplio.

Los artesanos del ámbar investigados en el estudio en su generalidad procedían de un «nicho» cultural donde tradicionalmente trabajar el ámbar había constituido la forma de vida económica de familiares cercanos. En tres de los cuatro entrevistados el origen migratorio común fue determinante: procediendo de una misma región (Neyba) antes de llegar a Santo Domingo ya se conocían. En Neyba algunos habían tenido experiencia artesanal con hermanos que ya eran viejos artesanos. Otros, al llegar a Santo Domingo, encontraron en sus amigos y «compueblanos» un apoyo para abrirse paso en la ciudad, de forma tal que la iniciación como aprendiz de la artesanía del ámbar se constituyó en la puerta de entrada al mercado laboral en Santo Domingo. En todos los casos la vinculación de tipo primaria, que proporcionaba el origen migratorio común, los unificó en un tipo de tarea productiva, permitiéndoles integrarse como grupo (Granovetter, 1985; Portes/Sensenbrenner, 1993).

Por lo demás, en los artesanos del ámbar se reconoce un *ethos* artesano que no aparece en otros microempresarios. Para estos productores el terminado de la pieza del ámbar no puede sacrificarse en beneficio de una mayor productividad (Granovetter, 1985). Cada pieza representa un esfuerzo productivo específico, y no un momento de una cadena laboral de piezas comunes, indiferentes en su terminado.

El caso de los productores de ropa es diferente. La industria de la aguja es más extendida que la artesanía del ámbar, su importancia en la economía es indiscutible, constituyendo una de las principales ramas de la actividad manufacturera tradicional. Pese a esto, en el sector textil los productores de ropa se concentran en pequeños establecimientos, que reúnen entre 2 y 10 personas. Cientos de talleres textiles producen en la práctica un volumen de mercancías tan importante como el de los grandes talleres o fábricas (Cabal, 1992). Lo más significativo es que muchos de estos grandes talleres, o fábricas, subcontratan con pequeños talleres el principal volumen de su producción. Se ha creado así un estable y significativo sector de pequeños empresarios textiles, estrechamente vinculado a las grandes y medianas tiendas de ropa y a los talleres de producción. En este mundo, los pequeños productores han producido así una cultura laboral común (Portes/Sensenbrenner, 1993; Portes/Castells/Benton, 1990) que dista mucho del *ethos* artesanal descrito arriba.

Es un rasgo común de los microempresarios del sector textil su origen obrero-fabril, como operarios en los grandes talleres de ropa. La cultura fabril en torno a

8. Se ha trabajado con dos grupos de microempresarios: los artesanos y los microempresarios de la aguja. En el primer grupo se entrevistaron cuatro artesanos que trabajan principalmente el ámbar, pero que a veces o de modo complementario, trabajan el larimar y el coral. En el segundo grupo se entrevistaron seis microempresarios que trabajan por subcontratación en la producción de camisas para grandes y medianas tiendas de ropa.

Cuadro 9

Prestaciones laborales de los trabajadores

(En porcentajes)

Prestaciones laborales	Reciben prestaciones laborales	
	Asalariados	Cuenta propia
Seguro de salud	63,7	15,1
Seguro desempleo	5,5	3,8
Seguro accidente de trabajo	30,8	11,3
Vacaciones	65,8	17,0
Jubilación	43,2	3,8
Aguinaldo navideño	79,2	30,2
Bonificación anual	41,1	33,3

Fuente: EURBA, 1991.

Cuadro 10

Categorías ocupacionales según sexo

Categorías ocupacionales	Hombres	Mujeres	Ambos
Cuenta propia en lugar permanente	33,2	40,2	35,4
Cuenta propia ambulante	15,1	12,2	14,1
Jefe o capataz asalariado	9,5	–	6,5
Obrero o empleado asalariado	42,2	47,8	44,0
Total	*100,0*	*100,0*	*100,0*
	(199)	*(92)*	*(291)*

Fuente: EURBA, 1991.

los textiles supone una disciplina de fábrica que los operarios aceptan en su actividad laboral cotidiana. La idea de la productividad y las grandes escalas de producción, como objetivo-meta del productor directo se constituye en un elemento dinamizador para el aprovechamiento de la jornada laboral, a través de su intensificación y extensión, a consecuencia de que, en la fábrica textil, la forma del salario es generalmente el pago por pieza, o a destajo. Todo esto supone una economía del tiempo, de la cual están conscientes no sólo los patronos, sino también los propios trabajadores. Finalmente, en este mundo laboral, la competitividad en el mercado pasa a constituir un elemento muy importante de la gestión empresarial, ya que en dicha rama existe un grado de monopolio mucho más bajo que en otras ramas industriales, como la metalmecánica, las bebidas y el tabaco.

Todos los microempresarios textiles entrevistados participaban de esa cultura laboral de la producción textil. En su trayectoria laboral han estado empleados en diversas empresas del ramo. Una vez insertos en los circuitos laborales del mercado de trabajo textil, casi no han tenido experiencias laborales fuera del ramo. Por otro lado, en su experiencia operaria previa, como asalariados textiles, han desarrollado una clara idea de la competencia por la mano de obra, a través de los mecanismos de la especialización productiva. Esto ha determinado que en la actividad textil se haya producido una «división» del mercado laboral que especializa a los operarios en tareas específicas (cortadores, pantaloneros, ojaleros, etc.). Con esta situación, en dicho mercado laboral se reduce la posibilidad de entrada, por parte de trabajadores procedentes de otras ramas, potenciándose la función de las redes de relaciones sociales para el acceso a los puestos de trabajo. La contrapartida de esta realidad es que en el mercado de trabajo textil se reconoce una gran adscripción o fijación al sector por parte de la mano de obra. Por esto, la mayoría de los microempresarios textiles: 1) proceden del mismo sector en su condición de operarios; 2) son viejos en la actividad textil; y 3) tienen buenas conexiones con las casas productoras y con las grandes tiendas. En casi todos los casos estudiados, por lo menos uno de los responsables de los talleres reunía al menos dos de estas tres condiciones.

Los talleres del ámbar expresan otra realidad. Generalmente son pequeños (9). Su modelo de organización es el típico del artesanado. El dueño del taller controla los momentos más difíciles y propios del diseño de la pieza, pero en todos los casos el artesano propietario está muy vinculado a sus aprendices en el proceso productivo. Lo que es más significativo: en la artesanía del ámbar la directa intervención del «capital social» (10) actúa como un condicionante societal del éxito del proceso productivo, no sólo de la empresa económica. Una visión sinóptica de la función del capital social para la actividad microempresarial la presentamos en la tabla 1. Ahora bien, por lo común un taller de ámbar tiene entre uno y tres trabajadores, incluido su dueño. Sólo en los momentos de un gran aumento de la producción los talleres contratan mano de obra extra, pero casi nunca el número de operarios es mayor de cinco.

---

9. Es posible que la dimensión del taller de ámbar, que normalmente no pasa de cinco trabajadores, sea el resultado de la pequeña escala de producción. Regularmente los artesanos del ámbar tienen poco capital de trabajo y les resulta difícil comprar grandes cantidades de materia prima. Sus compras normales fluctúan entre dos y tres libras de ámbar para el trabajo en una semana buena. Sólo en situaciones extraordinarias se compran más de diez libras de ámbar, lo que da lugar a la contratación de personal extra. Por otro lado, esta situación también es el producto del alto costo de las materias primas.

10. La noción de «capital social» se organiza en torno a las acciones y actitudes no orientadas directamente al lucro, que individuos pertenecientes a un grupo social determinado definen o articulan, afectando los propósitos económicos de los demás miembros del grupo en cuestión. Como se aprecia, la noción es tributaria de la perspectiva accionalista de la escuela alemana (Weber) y la antropología económica (Polanyi). Véanse Granovetter, 1985 y Portes/Sensenbrenner, 1993.

Tabla 1

Función del capital social en la microempresa

Categorías socioculturales	Categorías de microempresarios	
	Artesanos del ámbar	Microempresarios textiles
Grupo primario	Cohesión del grupo primario artesano	Funciona articuladora del grupo familiar como motivo de logro para la movilidad social
Cultura laboral	Cultura artesana	Cultura fabril
Capital social	Potenciación de mecanismos de reciprocidad y apoyo	Integración a la red de relaciones primarias artesanas del sector textil

Los artesanos del ámbar pueden trabajar en un solo establecimiento físico, pero en empresas (talleres) diferentes. Aquí la noción de taller se identifica con la gestión económica y la propiedad de algunos bienes de capital, sobre todo los motores de pulimento. ¿Por qué el propietario del local permite que en el mismo trabajen reunidos varios talleres? ¿Acaso esto no compite contra su propia clientela? Esto ocurre porque tal situación refuerza la solidaridad del grupo en períodos malos, a través de una distribución de costos en la crisis, períodos que son muy recurrentes. Permite también al dueño (y a los otros artesanos) encontrar opciones de trabajo cuando se le acaba la materia prima, pasando a trabajar como ayudante del compañero de taller. Esto último revela que en el taller del ámbar la noción de jerarquía ocupacional, propia de la fábrica y del taller manufacturero, prácticamente no existe. Esta intercambiabilidad de funciones en el espacio del taller (11) permite también que en los períodos buenos todo el grupo adquiera una posición más ventajosa respecto a las casas de venta (*Gift Shops*), a través del mayor volumen de oferta que pueden generar. Finalmente, la reunión de varios talleres en un solo local le permite a los productores asegurar los pedidos frente a los interme-

11. No debemos olvidar que en un mismo local se reúnen varios artesanos del ámbar. Todos comparten un mismo espacio. Muchas veces el dueño del local no les cobra por el alojamiento. La diferencia radica en la propiedad del motor: quien tenga motor tiene un taller. De este modo, en el mismo local varios motores propiedad de diversos artesanos permiten organizar varios talleres. Esta situación es la base de la intercambiabilidad de funciones ocupacionales en el taller: un dueño de taller que se quedó sin materia prima puede pasar a ser ayudante de otro en el mismo local y viceversa. Esto no es visto como algo «denigrante», ni genera conflictos. Más bien funciona como un mecanismo de sobrevivencia de los productores ante las fluctuaciones del mercado.

diarios, independientemente de la dimensión de su taller particular, ya que siempre el productor individual puede recurrir a los amigos que comparten el local para suplir la producción en el período acordado con el intermediario.

Para su sobrevivencia como empresas económicas, los talleres del ámbar dependen mucho de las relaciones de tipo primarias. Normalmente, en los períodos en que se requiere de mano de obra extra se contrata a conocidos cercanos, pero preferiblemente a familiares. El criterio para la selección de los contratados es el mismo: el conocimiento personal, el lazo parental, en una palabra, la confianza. Esto sólo en parte es producto del importante papel que en la artesanía del ámbar juega el capital social (Granovetter, 1985). Es también el resultado de la naturaleza misma del mercado. Como el ámbar que contiene fósiles es sustancialmente más caro y se vende mucho mejor que el normal, únicamente con trabajadores de confianza puede el dueño del taller asegurar que, cuando aparezca una piedra que contenga un fósil, la misma será entregada al maestro. Como bien afirmó uno de los entrevistados: «...la gente de confianza asegura que los fósiles no se lo robarán o dañarán. La gente de confianza es segura». Apreciamos aquí cuán decisivo es el sentimiento de pertenencia a un grupo para la acción económica exitosa.

El caso de los productores textiles es relativamente diferente al de los artesanos del ámbar. En primer lugar, pese a que también el taller del microempresario textil es pequeño, y es común que en el mismo también se empleen familiares, hay dos diferencias significativas con el artesano del ámbar. En primer lugar, la organización interna del taller textil se aproxima más al modelo de la fábrica, con la producción en serie y las jerarquías ocupacionales que le son propias. En segundo lugar, el papel de los lazos familiares y de las relaciones primarias en la contratación de la mano de obra es mucho menos significativo que en el ámbar. A la gente se le contrata, ciertamente, porque en parte se le conoce, pero sobre todo por acuerdos salariales que le son favorables al dueño del taller y por la experiencia del operario (12).

En un taller textil típico con relativo éxito económico trabajan pocas personas, entre dos a cinco. Sin embargo, estas funciones productivas en el taller textil tienen un carácter más permanente que en el taller de ámbar. El taller textil requiere de operarios a lo largo de todo el año, pero el de ámbar sólo en algunos momentos donde hay mucha demanda, o se ha conseguido materia prima para trabajar. De esta suerte, a diferencia de los artesanos del ámbar, el microempresario textil participa de una cultura fabril que le permite organizar su taller con base en un esquema de cálculo económico empresarial, donde los productores deslindan, con mayor claridad que en el ámbar, las exigencias de la acumulación y la gestión empresarial, de las tareas propias de la sobrevivencia.

Dominar el mercado es quizás la principal tarea del microempresario, pero

---

12. Como hemos referido, el taller textil típico tiene una jerarquía productiva que le aproxima al modelo de fábrica: 1) el dueño del taller y maestro corta y define los modelos; 2) los operarios ensamblan las camisas o pantalones en función del corte dado por el maestro; 3) existen algunos operarios especializados en funciones específicas: ojales, cuellos, puños, planchado; 4) la función de supervisión y control de calidad reside en el maestro; 5) este último, o un ayudante experto que él designe, tiene a su cargo el terminado de la pieza.

también su principal obstáculo. Sin embargo, la presencia del mercado varía en su significado económico y social, de acuerdo al tipo de microempresa de que se trate. En nuestro caso, mientras para los artesanos del ámbar el principal problema del mercado consiste en el monopolio de la materia prima y de la venta, para los productores textiles el principal problema que enfrentan es lo que inicialmente les ha permitido sobrevivir: la subcontratación (Benería, 1990).

Para el artesano del ámbar el costo de la materia prima es determinante. Sin embargo, por tratarse de madera petrificada, la misma sólo se localiza en determinados lugares del país, principalmente en Santiago y en Bayaguana. Este simple hecho determina que los dueños de los terrenos donde se extrae el ámbar tengan un poder monopolista. Según los propios artesanos, el ámbar bruto está controlado por los «sacadores», a quienes impropiamente definen como intermediarios. Sin embargo, tal parece que el poder monopolista del terrateniente propietario de los terrenos de extracción del ámbar está mediado por intermediarios mercantiles, quienes tienen el contacto directo con los «sacadores».

Por la información de los artesanos entrevistados, los productores de ámbar en Santo Domingo venden su mercancía a tiendas para turistas (*Gift Shops*), pero comúnmente esto se hace a través de intermediarios. Hay diversos tipos de intermediarios. Algunos en realidad son representantes de las casas vendedoras de ámbar, otros son agentes independientes, pero otros –los menos– son representantes de los propios artesanos.

Los artesanos saben que los intermediarios tienen un control del mercado que les resta un significativo margen de beneficios. Pero muchos prefieren que la venta de sus productos se haga a través de ellos. En parte porque –según sostienen los productores– sólo los intermediarios tienen un conocimiento del comportamiento del mercado, en parte porque si se dedicaran a esto perderían eficiencia en su trabajo de taller. Sin embargo, el principal problema, del cual muchos artesanos no tienen clara visión, es que esto también se debe a que sólo el intermediario es quien tiene el «monopolio del trato» con el dueño de los *Gift Shops*. De esta forma, el (libre) acceso al mercado del productor directo simplemente se encuentra bloqueado.

El hecho de que en la rama textil los microempresarios se desenvuelvan en un mercado cuya demanda es más estable no asegura el éxito del microempresario. Como hemos afirmado, para los microempresarios de la ropa el principal problema del mercado es precisamente la subcontratación por parte de los grandes talleres y las casas vendedoras de ropa. Sin embargo, al igual que en el ámbar, la reducida escala de la producción le dificulta a los productores del ramo el dominio del mercado.

Por lo general el mecanismo de vinculación de los talleres textiles a las grandes tiendas se ha producido a través de las redes sociales articuladas al inicio del negocio con los primeros clientes. Con estos contactos, comúnmente los microempresarios textiles han expandido su espacio de mercado llevando su mercancía a las oficinas públicas, bancos, etc. A partir de allí han establecido contactos con las grandes y pequeñas tiendas. Como se aprecia, el vínculo con las casas subcontratantes se ha originado de manera directa, sin la mediación de terceros agentes económicos. En una palabra, en el caso de la producción de ropa, y a diferencia de la artesanía del ámbar, la función del intermediario es mucho más limitada, y más flexible la situación del productor directo. Sin embargo, la libertad del microempresario en cierto modo llega hasta ahí.

La microempresa textil exitosa comúnmente depende del flujo regular de demanda de las tiendas y talleres. Estos fijan el volumen de la demanda, pero también regulan los precios. En parte, esto es consecuencia de la escasez de capital del pequeño productor. De hecho la subcontratación se funda en la entrega de materia prima a los pequeños talleres para la confección de camisas o pantalones (13). Con ello el subcontratante organiza un verdadero *putting out system* moderno: gracias al monopolio de la materia prima y al avance de capitales a los pequeños talleres, el comerciante impone precios, controla el ritmo de la producción con los acuerdos de entrega y los volúmenes de materia prima base de las actividades productivas en el taller.

La contrapartida de esto es que el pequeño productor textil encuentra un flujo permanente y seguro de trabajo, pero bajo una modalidad extrema de subordinación y control monopólico del capital comercial (14). Corolario de esto es que el pequeño taller es sometido a una disciplina de fábrica por el capital comercial, sin una regulación y control productivo directo. Esto explica lo extenso de las jornadas laborales de operarios y dueños de talleres textiles: regularmente trabajan entre 9 y 10 horas, y en períodos de mucha demanda llegan a agotar jornadas de 14 y 16 horas.

¿Cómo responden los microempresarios a estos bloqueos «monopolistas» del mercado, derivados en un caso del papel de los intermediarios (ámbar), en otro de las tiendas subcontratistas (textiles)? Ambos tratan de escapar de la jaula de hierro del mercado a través de la especialización flexible, que le facilita la pequeña escala productiva de sus microempresas (Piore/Sabel, 1984). Sin embargo, la forma del mercado en que se mueven los productores constituye un elemento fundamental del éxito de esta estrategia.

Los artesanos del ámbar que han tenido más éxito lo han logrado diversificando la producción en sus talleres. Para esto han tenido que encontrar formas asociativas que vayan más allá de los «espontáneos» mecanismos de reciprocidad y apoyo del taller artesano típico. Han tenido que establecer negocios más formales, organizados y estables que los simples talleres de ámbar. Se han visto forzados a conjugar variadas experiencias laborales y especializaciones artesanas en procesos comunes, como por ejemplo la joyería del larimar, que unifica en un solo proceso productivo la experiencia propiamente artesana del larimar con la orfe-

---

13. Regularmente los pequeños talleres subcontratados lo que producen es camisas. La confección de pantalones por la vía de la subcontratación es más difícil, puesto que el proceso de confección de pantalones implica inversiones en equipos más sofisticados que los requeridos para la producción de camisas. Por consiguiente, impone inversiones de capital difícil de lograr por los microempresarios.

14. El poder de las casas comerciales es tan grande que es común que éstas le adelanten a los pequeños productores dinero con el cual compran sus máquinas de coser modelo industrial. De hecho, el capital comercial establece una modalidad de crédito informal que le asegura una mano de obra «cautiva» y barata.

brería, produciéndose así mecanismos laborales y productivos más complejos al interior del taller. Estas experiencias aproximan al pequeño taller al esquema del trabajo manufacturero-fabril.

La especialización flexible del productor textil es de otra naturaleza. Para escapar de la subcontratación el microempresario textil se tiene que valer de ella. Gracias a los acuerdos informales con las grandes casas, muchos pequeños productores consiguen adelantos que les permiten ampliar las dimensiones del taller. A las casas comerciales esto le es conveniente y, en realidad, constituye una de las consecuencias normales del *putting out system* clásico. Sin embargo, al ampliarse el taller, algunos productores pueden ampliar sus márgenes de ahorro, con lo cual pueden dirigir una cierta inversión a la compra de materiales para confeccionar prendas de vestir por su propia cuenta. Como la clientela se encuentra establecida, ellos pueden colocar esta producción en pequeñas tiendas. De esta forma, logran mayores márgenes de beneficio que los que le proporcionan las casas comerciales. Sin embargo, ¿cuál es la base económica real en la que se sostiene esta estrategia, pues es evidente que no todos pueden lograrlo?

En primer lugar, es decisivo el margen de ahorro que puede alcanzar el pequeño productor capaz de convertirse en inversión en materia prima, sin poner a peligrar la sobrevivencia del hogar y la estabilidad del negocio. Sólo contados productores pueden lograr este margen. En segundo lugar, es muy importante la red de relaciones sociales que el productor haya logrado establecer con viejos clientes que le aseguren el acceso a las tiendas que pueden demandar su producción. Para esto se necesita, ciertamente, mucha destreza y habilidad empresarial. No todos los pequeños productores alcanzan esta habilidad. En tercer lugar, interviene la propia experiencia en la producción textil del microempresario. Esta experiencia dota a muchos empresarios de habilidades organizativas, pero también de complejos conocimientos tecnológicos, que permiten una cierta fragmentación del proceso productivo dentro del taller, aumentando la productividad y los márgenes de beneficio (15).

Esta última condición, junto al conocimiento del movimiento del mercado (que se apoya en el manejo de redes sociales), es la determinante de la opción por la especialización flexible. Es de este modo que el pequeño productor puede producir camisas, pantalones o «chacabanas» de mayor calidad que los grandes talleres, pero por ello más caras. Su conocimiento del mercado le permite detectar cuáles tiendas demandan estos géneros, su conocimiento tecnológico y experiencia laboral le permiten producirlos.

---

15. Cabe aquí recordar la tesis de Piore y Sabel (1984) respecto al papel central de la tecnología en la estrategia de especialización flexible. No puede perderse de vista que dicha tesis tiene como referencia central actividades microempresarias con alta tecnología, como es el caso de la Italia del norte en la Emilia Romagna. En nuestro caso, el acceso a la tecnología por parte del microempresario textil encuentra más obstáculos, en parte debido a la precaria formación de los recursos humanos en todo el sistema laboral dominicano, pero también resultado de la insuficiencia de capital, dados los bloqueos para el acceso a un crédito seguro y con bajos intereses. De aquí que en estos casos el acceso a la tecnología derive precisamente de la experiencia laboral (lo cual toma tiempo) y en mucho menor medida de la formación educativa formal, o de la transferencia de tecnologías, a través de programas especiales de entrenamiento.

Como puede deducirse de nuestra argumentación, artesanos del ámbar y productores textiles, en el caso de tener éxito económico como microempresarios, se encuentran expuestos a un elevado y permanente riesgo económico. En esencia, esto es el resultado de su escasez de capital y de su posición subordinada en el mercado. La pequeñez de la microempresa, y lo reducido de su escala de producción hacen más frágil esta posición. La especialización flexible como estrategia de competencia en el mercado, frente a intermediarios y grandes comerciantes, puede ser efectiva de manera limitada y, en definitiva, a nuestro juicio, puede llegar a asegurarle al segmento más eficiente de los microempresarios un margen de competitividad que estabilice su empresa, pero es muy difícil que como estrategia le permita al conjunto de pequeños productores una posición semejante. Esto demandaría de la intervención de agentes sociales y económicos externos que apoyen de manera institucional la flexibilización de la producción microempresarial.

Sin la racionalidad empresarial que asegure el ahorro y la inversión, la microempresa perece. Esto no depende únicamente de factores de orden técnico o del acceso al crédito formal. Remite a una realidad social en la que se encuentra involucrada la familia del microempresario, la dinámica intervención del capital social que potencia un *ethos* cultural que estimula la acción del microempresario, pero también lo dota de un espacio social que le protege de los agentes económicos que controlan el mercado y, en caso de éxito, le permite generar opciones de diversificación y especialización flexible con las cuales enfrenta a los monopolios o la subcontratación. Pero todo esto, más temprano que tarde, termina en el fracaso, de no existir un apoyo sistemático e institucional de agentes externos al sector, que aseguren la continuidad del esfuerzo microempresario, pero adaptándose a las especificidades que presenta este tipo de gestión económica. En esta función cabe al Estado un papel determinante. En este sentido, es imprescindible una consciente y organizada voluntad estatal a fin de convertir el potencial productivo y gerencial del microempresario en una opción de desarrollo coherente, que contribuya a una exitosa reinserción productiva de los países periféricos en el nuevo escenario económico internacional. Los casos de los artesanos del ámbar y de los pequeños talleres textiles de Santo Domingo ilustran ese potencial del microempresario como opción de desarrollo, pero también revelan con claridad los serios obstáculos que enfrentan.

Conocimiento de la vida mala: Estado, imágenes urbanas y pobladores

En este apartado final nos proponemos evaluar la percepción que los pobladores urbanos tienen de los cambios sociales, económicos y políticos ocurridos en el país en los últimos diez años. Particularmente interesa analizar cómo la imagen de la vida urbana de los pobladores se vincula a la posición que ocupan en la estructura urbana, en lo relativo a su situación de clase, ingresos y nivel educativo. Finalmente, analizaremos la relación de los pobladores con el Estado y su potencial de movilización social y política.

Nuestra hipótesis central sostiene que en los últimos diez años el sistema político dominicano ha venido sufriendo una crisis de representación. Esto ha redefinido las relaciones de los partidos tradicionales con los pobladores urbanos. Se trata de una verdadera crisis del sistema populista en torno a las modalidades de lograr la hegemonía a través de la clientela y la prebenda (Lozano/Fernández, 1990). Todo esto se expresa en la imagen que de la vida política y social tienen hoy día los pobladores de la ciudad. Imagen que se caracteriza por su escepticismo respecto a la acción política como vehículo de solución de los problemas básicos de la vida urbana, tanto respecto del poblador individual, como de las comunidades barriales. Esta situación ha generado una efectiva desmovilización política de los pobladores urbanos, aun cuando éstos expresan un gran potencial de movilización social en torno a los problemas de la comunidad barrial.

Imagen de la vida mala

Para la población entrevistada en nuestro estudio la vida en la ciudad se ha deteriorado dramáticamente en los últimos diez años. Según los pobladores, este deterioro se observa principalmente en los servicios de transporte y educativos. Igualmente estiman que hoy día la ciudad es más violenta.

Los pobladores aprecian que este deterioro de la calidad de la vida les ha afectado directa y profundamente. Sin embargo, esta «imagen» del deterioro del nivel de vida varía de acuerdo a la situación social del poblador, y en algunos aspectos como los relativos a la salud los pobladores entienden que la situación ha mejorado.

Los cuadros 11, 12 y 13 proporcionan una síntesis de la visión general de los problemas urbanos de los pobladores. Se aprecia que tanto hombres como mujeres tienen una visión muy positiva de las mejoras de los servicios de salud, independientemente de su condición de ingreso, autoclasificación de clase o sexo. Al respecto sin embargo, hay sus matices, puesto que son los que se consideran miembros de la clase pobre, los hombres y las personas que tienen mejores ingresos los que tienen una imagen más positiva de los servicios de salud. Este hallazgo es consistente con otros estudios (del Rosario/Gámez, 1987) que demuestran que en los noventa algunos servicios médicos, pese al deterioro general de los servicios de salud, han tenido una mejora relativa. A esto debe añadirse que aun cuando los servicios hospitalarios de carácter público han sufrido un significativo deterioro, las campañas de vacunación y algunos programas preventivos han sido exitosos, siendo los beneficiarios de los mismos los sectores más empobrecidos.

De todos modos, salvo el caso de los servicios de salud, la imagen del poblador respecto a los otros servicios como el transporte y la educación es la de un total deterioro, cualquiera sea el nivel de la comparación elegido: la ocupación del informante, su sexo, nivel de ingreso o autoimagen de clase. Vale la pena hacer la precisión de que son los trabajadores formales el único grupo donde se concentra un significativo estrato de personas (20,5%) que opinan que los servicios de transporte han mejorado.

Cuadro 11

Imagen de la vida urbana y autoidentificación de clase

(En porcentajes)

Visión de los servicios	Autoclasificación de clase		
	Media	Trabajador	Pobre
Transporte (a):	100,0	100,0	100,0
Mejor	15,3	22,6	6,3
Igual	6,8	4,4	1,1
Peor	78,0	73,0	92,6
Total (N)	*(59)*	*(159)*	*(176)*
Salud (b):	100,0	100,0	100,0
Mejor	85,0	91,4	97,2
Igual	10,0	3,3	1,1
Peor	5,0	5,3	1,7
Total (N)	*(60)*	*(151)*	*(176)*
Educación (c):	100,0	100,0	100,0
Mejor	5,0	6,8	2,9
Igual	5,0	0,6	1,1
Peor	90,0	92,5	96,0
Total (N)	*(60)*	*(161)*	*(175)*
Violencia (d):	100,0	100,0	100,0
Mejor	10,0	4,4	6,8
Igual	1,7	4,4	4,0
Peor	88,3	91,3	89,3
Total (N)	*(60)*	*(160)*	*(177)*

a) Chi cuadrado: 25,1; Sig. 0,00; V de Cramer: 0,13.
b) Chi cuadrado: 14,5; Sig. 0,00; V de Cramer: 0,13.
c) Chi cuadrado: 8,7; Sig. 0,06; V de Cramer: 0,14.
d) No significativo.

Fuente: EURBA, 1991.

Cuadro 12

Imagen de la violencia por condición ocupacional

Visión de la violencia	Cuenta propia	Patrón	Asalariado Informal	Asalariado Formal	No trabaja
Mejor	10,9	9,7	10,7	2,2	2,8
Igual	3,6	3,2	–	4,5	6,6
Peor	85,5	87,1	89,3	93,3	90,6
Total (N)	*(110)*	*(31)*	*(56)*	*(89)*	*(106)*

Chi cuadrado: 14,22; Sig. 0,07; V de Cramer: 0,13.

Fuente: EURBA 1991.

Cuadro 13

Imagen de la vida urbana según sexo y nivel de salarios

(En porcentajes)

Visión de los servicios	Sexo Hombres	Mujeres	Por debajo línea de pobreza	Salarios 1-2 salarios de pobreza	Más de dos salarios de pobreza
Transporte:	100,0a	100,0a	100,0b	100,0b	100,0b
Mejor	13,1a	16,4a	13,5b	15,8b	14,2b
Igual	4,1a	2,0a	2,3b	2,5b	5,7b
Peor	82,9a	81,6a	94,2b	81,7b	80,2b
Total (N)	*(245)a*	*(152)a*	*(171)b*	*(120)b*	*(106)b*
Salud:	100,0c	100,0c	100,0d	100,0d	100,0d
Mejor	95,0c	89,2c	92,3d	91,5d	95,2d
Igual	1,7c	6,1c	5,3d	0,9d	2,9d
Peor	3,3c	4,7c	2,4d	7,7d	1,9d
Total (N)	*(242)c*	*(148)c*	*(169)d*	*(117)d*	*(104)d*
Educación:	100,0e	100,0e	100,0f	100,0f	100,0f
Mejor	5,7e	3,3e	3,5f	6,6f	4,7f
Igual	2,8e	-e	-f	2,5f	3,8f
Peor	91,5e	96,7e	96,5f	91,0f	91,5f
Total (N)	*(247)e*	*(152)e*	*(171)f*	*(122)f*	*(106)f*

a) No significativo. b) Chi cuadrado 2,94; Sig. 0,56; V de Cramer 0,06. c) Chi cuadrado 6,22; Sig. 0,04; V de Cramer 0,12. d) Chi cuadrado 10,78; Sig. 0,02; V de Cramer 0,11. e) Chi cuadrado 5,69; Sig. 0,05; V de Cramer 0,11. f) No significativo.

Fuente: EURBA, 1991.

En lo relativo a los servicios educativos son los trabajadores informales y los desempleados los que tienen una visión más crítica y negativa al igual que las mujeres y los trabajadores de menores ingresos.

La situación ocupacional es el eje determinante de la imagen de la violencia. De este modo, apreciamos que pese a que toda la población está de acuerdo en que la situación presente es más violenta que hace diez años, son los trabajadores asalariados formales e informales y los que no trabajan los que principalmente así piensan. Debe observarse que son precisamente estos trabajadores los que tienen un contacto más dinámico con la ciudad, pues su movilidad física es muy alta, precisamente a consecuencia de la naturaleza de sus oficios: empleados públicos que diariamente cruzan la ciudad hacia los centros burocráticos del Estado, vendedores callejeros subcontratados, trabajadores de la construcción, choferes del servicio público, etc. En cambio, las personas que no trabajan son las que tienen un contacto cotidiano más cercano con la vida de los barrios. De esta suerte apreciamos que quienes tienen un contacto más directo con la vida económica de la ciudad y con la vida de los barrios son los que sostienen una imagen de mayor violencia en la ciudad. Aun así no puede perderse de vista que en general todos los pobladores tienden a percibir la vida de la ciudad como más violenta que en el pasado reciente.

En otra perspectiva, los principales factores que los pobladores entienden han contribuido a agravar la situación de pobreza se resumen en el cuadro 14. En dicho cuadro apreciamos que el poblador atribuye a determinantes económicos objetivos el deterioro de la situación (desempleo: 17,8%; bajos ingresos: 33,9%). Sin embargo, un importante segmento atribuye esta situación a factores políticos y sociales donde la intervención estatal, y la noción de la desigualdad de clase, constituyen los elementos determinantes. El 31,4% entiende que es la política del gobierno la responsable de la situación, mientras 7,4% entiende que es el producto de la desigualdad de clase. Si comparamos las dos partes de que consta el cuadro 14 (las «causas» y los factores personales responsables de la pobreza), apreciamos que cuando el poblador transita del señalamiento de las causas a la definición de «los factores personales» de la pobreza los determinantes de tipo estructural aumentan, se hace más importante la intervención del gobierno como aspecto decisivo de la situación de pobreza, pero pierden importancia los determinantes de tipo clasista. La población entiende, pues, que el deterioro del nivel de vida es el producto de la situación objetiva (estructural) en la que se encuentran y en mucho menor grado obedece a determinaciones de tipo individual o personal.

El cuadro 15 dicotomiza los diversos ítems que miden la opinión sobre las causas de la pobreza presentadas en el cuadro 14 en dos valores: causas individuales y causas estructurales. A la vez, en dicho cuadro se relaciona la causa de la pobreza con las únicas tres variables que resultaron tener un grado de asociación significativo: la edad, los salarios y el sexo. En el cuadro 15 se reconoce que si bien los pobladores aprecian que son causas estructurales las que inciden en su condición de pobres, esta opinión es más alta en los jóvenes que en los viejos, en los hombres más que en las mujeres y en los pobladores de mejor posición económica que en los más pobres. De esta forma, la pobreza, la condición de género y la edad tienden a mitigar la imagen de la desigualdad: indigentes, mujeres y viejos tienen

— Cuadro 14 —

Determinantes de la pobreza

(En porcentajes)

Criterios	Determinantes de la pobreza: Causas de la pobreza	Determinantes de la pobreza: Factores personales responsables por la pobreza
La falta de empleo	28,9	17,8
Los bajos salarios	17,5	33,9
La sociedad injusta	4,7	5,1
El gobierno	17,5	31,4
Los ricos	12,0	1,3
La mala suerte	2,2	1,3
Número de hijos	2,5	–
El alcohol/vicios	8,0	2,1
La haraganería	1,5	–
Otros	–	3,8
No sabe	1,0	1,3
Total (N)	*100,0* *(384)*	*100,0* *(231)*

Fuente: EURBA, 1991.

— Cuadro 15 —

Opinión sobre determinantes de la pobreza según edad, salarios y sexo

(En porcentajes)

Edad, salarios y sexo	Determinantes de la pobreza: Individuales	Determinantes de la pobreza: Estructurales	(N)(*)
Edad (a):			
Menos de 40 años	8,7	91,3	149
41-60 años	14,7	85,3	156
Más de 60 años	28,0	72,0	75
Salarios (b):			
Por debajo línea pobreza	21,0	79,0	162
1-2 salarios pobreza	10,3	89,7	117
Más de 2 salarios pobreza	10,9	89,1	101
Sexo (c):			
Hombres	12,1	87,9	232
Mujeres	19,6	80,4	148

(*) Hay ligeras variaciones en los totales debido a los casos «no válidos».
a) Chi cuadrado 14,5; Sig. .01; V de Cramer: 0,19.
b) Chi cuadrado 7,9; Sig. .01; V de Cramer: 0,14.
c) Chi cuadrado 4,0; Sig. .04; V de Cramer: 0,10.

Fuente: EURBA, 1991.

opiniones sobre su condición de pobres vinculada a su situación personal, mientras hombres, jóvenes y pobladores con mejores ingresos aprecian que la desigualdad es resultado de determinantes estructurales que trascienden el horizonte individual.

Puede sostenerse, pues, la hipótesis de que hay una conciencia de la pobreza, pero no una clara conciencia de la desigualdad social en las relaciones de clase. La conciencia de la pobreza lleva a identificar situaciones sociales y determinantes económicos que producen la pobreza, pero en el plano político a lo sumo permite identificar al Estado como responsable de la misma. No es que la gente esté conforme con su situación de vida, pero la conciencia de la pobreza no produce como su correlato inmediato y «seguro» una visión crítica del mundo donde el conflicto social sea el que organice su contenido. Esta crítica se dirige sobre todo al Estado, pues el mismo es un Jano: el responsable último de los problemas del barrio, de la ciudad y de la crisis económica, pero también se le aprecia como el principal generador de empleos y como la instancia de la sociedad que de alguna manera puede proteger a la población de los especuladores comerciales y otros actores sociales que intervienen cotidianamente en la vida de los pobres (burócratas del gobierno, policías y militares, políticos y delincuentes en el barrio). En el mundo de los pobres urbanos, la política de la clientela y el autoritarismo estatista tiene efectivos resultados: no sólo para los partidos políticos y el Estado, sino también para los propios pobladores que saben hacer buen uso de la misma en su lucha diaria por la generación de ingresos seguros. La reflexión de Touraine (1989) aquí es pertinente en el sentido de que la ambivalencia de la acción comunitaria (su rechazo de la política y su dependencia del Estado) expresa precisamente la condición de exclusión social a la que se encuentran sometidos los pobladores urbanos de bajos ingresos.

Autoimagen de clase y condición social

La información que hemos podido analizar hasta ahora ciertamente permite reconocer que la situación económica y social del poblador condiciona su visión o «imagen» de la ciudad, como su percepción de la desigualdad social. Sin embargo, hay algunas cuestiones al respecto que debemos precisar. Si bien la condición laboral es muy importante en la determinación de la autoidentidad de clase, esta identificación no forzosamente establece que los trabajadores colocados en una peor situación laboral y económica se autoidentificarán con los más pobres. Por ejemplo, en el cuadro 16 apreciamos que hay muchos más trabajadores cuenta propia que se asumen como clase pobre, que trabajadores desocupados y asalariados informales (que no reciben seguridad social) que se identifiquen como tales. Ciertamente, los asalariados formales (con seguridad social) en su mayoría se autoidentifican como clase trabajadora, pero también lo hacen los patronos.

Algo semejante ocurre con la evaluación de la situación económica a partir de la condición laboral. Prácticamente todas las categorías laborales asumen por igual que sus ingresos no les alcanzan para cubrir sus presupuestos, aun cuando ciertamente los patronos representan el único grupo que en una parte significativa entiende que sus ingresos les alcanzan bien para cubrir sin problemas su presupuesto.

De esta forma apreciamos que la situación laboral no necesariamente es el factor que determina la autoimagen de clase del poblador, ni tampoco asegura una común visión de la situación económica del grupo social en el que éste se inserta. Pese a que la misma situación se repite en el caso de las relaciones entre el nivel educativo y la evaluación de la condición económica, en este caso es claro que un mayor nivel educativo permite una evaluación distinta de la situación económica. Sin embargo, es casi seguro que esto sea el producto de que las personas con un mayor nivel educativo obtienen mayores ingresos y por ello equilibran mejor su presupuesto. La educación aquí, como variable objetiva, condiciona la imagen de la situación económica, pero esto se encuentra mediado por variables como el ingreso.

La hipótesis que salta a la vista es que entre los pobres de la ciudad hay una significativa inconsistencia de *status*. El cuadro 17 lo revela. Al respecto lo verdaderamente significativo es que en los estratos sociales más empobrecidos es donde más significativa es la inconsistencia de los determinantes del *status*, aun cuando también en los estratos que ganan más de dos salarios de pobreza hay un significativo grupo que se reconoce como clase pobre.

Los pobres urbanos y el Estado

El Estado es para los pobres urbanos el principal referente de la política urbana. A través de su relación con el Estado es que propiamente el poblador se vincula a la sociedad política global. De esta manera la política en la ciudad depende del «diálogo» entre el Estado y los pobladores. Sin embargo, la conciencia de ese diálogo dista mucho de ser clara. Que el poblador reconozca que es el Estado su principal interlocutor en la vida política, no quiere significar que tenga una clara conciencia de sus consecuencias. Por lo demás, el poblador urbano no tiene una clara visión de las instancias de poder en las que se organiza el Estado y sobre las cuales él tiene la posibilidad de influir en la política urbana. Su visión de ésta última se encuentra dominada –valga la paradoja– por los grandes problemas nacionales, no por las inmediatas y directas dificultades de la vida urbana (Touraine, 1989).

Esto determina que la conducta del poblador urbano, y su consecuente opinión política, respecto a los problemas propios de la ciudad, se subordine a su visión de la política nacional (16). Para el poblador uno y otro nivel no tienen mayores diferencias. En gran medida no se equivoca: la política urbana del Estado es una

16. Esto es lo que explica que en la encuesta 80% de los entrevistados no hayan podido reconocer cuál es el cargo de mayor jerarquía municipal. La razón es simple: para ellos la autoridad municipal prácticamente no tiene posibilidades de intervención en la vida de la ciudad. Por esto, 70% ha identificado al presidente Balaguer como la máxima autoridad de la ciudad, lo cual es un error en la nomenclatura del poder municipal, pero es un certero conocimiento acerca del lugar donde descansa el verdadero poder. La gente conoce muy bien a los principales actores políticos, aunque no tenga una visión clara y precisa del lugar que ocupen en la jerarquía del poder.

Cuadro 16

Situación económica, autoidentidad de clase y polarización espacial según ocupación

(En porcentajes)

Situación económica, autoidentidad de clase y polarización espacial	**Ocupación**				
	Patrón	**Asalariado formal**	**Asalariado informal**	**Cuenta propia**	**No trabaja**
Situación económica (Ingresos) (a):					
Alcanzan bien (ahorran)	12,4	4,5	8,8	2,7	1,9
Alcanzan justo (sin problemas)	22,6	30,3	26,3	27,3	26,7
No alcanzan:	64,5	65,1	64,9	70,0	71,5
con problemas	(48,4)	(53,9)	(49,1)	(52,7)	(42,9)
con graves problemas	(16,1)	(11,2)	(15,8)	(17,3)	(28,6)
Autoidentidad de clase (b):					
Clase media	29,0	19,1	8,8	9,3	15,2
Trabajador	41,9	47,2	39,3	38,3	38,1
Pobre	29,0	33,7	51,8	52,3	46,7
Polarización espacial (c):					
Más mezclados		18,0	31,5	26,9	23,6
que 10 años atrás	35,5	82,0	68,5	73,1	76,4
Tan mezclados como					
10 años atrás	64,5				

a) Chi cuadrado: 20,08; Sig.: 0,06; V de Cramer: 0,13.
b) Chi cuadrado: 16,40; Sig.: 0,04; V de Cramer: 0,14.
c) No significativo.

Fuente: EURBA, 1991.

Cuadro 17

Nivel de ingresos según autoidentificación de clases

(En porcentajes)

Grupos de ingreso	**Autoclaidentificación de clase (%)**			**N**	
	Media	**Trabajadora**	**Pobre**	**%**	**Abs.**
Bajo línea de pobreza	12,4	34,7	52,9	100,0	170
1-2 salarios de pobreza	11,5	41,0	47,5	100,0	122
Más de dos salarios de pobreza	23,4	49,5	27,1	100,0	107
Total (%)	*15,0*	*40,6*	*44,4*	*100,0*	*399*

Fuente: EURBA, 1991.

simple consecuencia de su política nacional. Por esto, la jerarquía del poder estatal (Ejecutivo-Congreso-Judicatura-Municipios), resulta una abstracción carente de significado.

A partir de su relación con el Estado, es como puede comprenderse la capacidad de movilización social y política de los pobladores. Los cuadros 18 y 19 proporcionan valiosa información al respecto. El primer hallazgo significativo es el bajo potencial de militancia partidaria y comunitaria de los pobladores, independientemente de su nivel educativo, edad, ocupación y nivel de ingresos (cuadro 18). Pero esto tiene importantes diferencias. Por lo pronto, y como es común en otras sociedades latinoamericanas (Touraine, 1989), el cuadro 18 revela que son las personas más instruidas y jóvenes las que tienen un mayor nivel de militancia política y mayor presencia en las organizaciones comunitarias y en acciones de protesta y movilización barriales. Con el propósito de medir el nivel de movilización y participación política, en el cuadro 19 se han manejado dos variables y en ambos casos se han dicotomizado sus valores: 1) la participación o la abstención en las elecciones nacionales de 1990; y 2) la participación o no en reuniones y protestas relativas a los planes de remodelación urbana del Estado y los desalojos barriales. El cuadro 19 pone de manifiesto que son precisamente las personas más pobres y las que se reconocen como pobres, las que tienen un menor grado de movilización social y política.

Pese al bajo nivel de participación política de los pobladores, su potencial de movilización parece ser alto. Esto se revela en el cuadro 20 que expresa la opinión respecto a la participación política y comunitaria. En la construcción de dicho cuadro se han manejado tres valores: 1) preferencia por la participación política; 2) preferencia por la participación comunitaria; y 3) rechazo a cualquier forma de participación. Como el cuadro 20 permite observar, tanto mujeres como hombres son de opinión de que la gente no debe participar en ningún tipo de organización política o comunitaria. Aquí también son los más pobres los que tienen opiniones más conservadoras: 54,5% de los que opinan que no debe participarse en la política ni en acciones comunitarias son pobres. También de nuevo son los más jóvenes los que revelan un mayor potencial de movilización, tanto política como comunitaria. Podemos apreciar así que los pobladores tienen una visión de la vida social y política de la ciudad no exenta de contradicciones y ambigüedades, pero no por ello menos eficaz en muchos planos de su vida cotidiana.

En el plano político y en lo referente a la vida municipal, pese a que formalmente ellos no tienen un adecuado conocimiento de la jerarquía político-institucional, en torno a la cual se organiza la vida de la ciudad, tienen el conocimiento suficiente para darse cuenta dónde radica realmente el poder. Por esto su visión de la eficacia de los programas sociales del Estado es muy escéptica y, en la práctica, participan poco de dichos programas. Sin embargo, pueden reconocer los beneficios que determinadas políticas urbanas del Estado le generen, sobre todo en la política habitacional. De todos modos, su posición no resulta muy clara: creen que la acción del Estado es positiva en términos globales, pero son muy críticos en el plano concreto, sobre todo en lo que se refiere a los beneficios directos que de dichas políticas puedan derivar (obtener un departamento, acceder a programas de

Cuadro 18

Participación política y comunitaria según educación, edad, ocupación y salarios

(En porcentajes)

Educación, edad ocupación y salarios	Participación política y comunitaria: Militancia partidaria Sí	Militancia partidaria No	N	Pertenencia a organizaciones barriales Sí	Pertenencia a organizaciones barriales No	N
Educación:						
Analfabeto	23,1a	76,9a	39	-b	100,0b	39
Prim. incomp.	22,4a	77,6a	170	8,7b	91,3b	172
Sec. incomp.	25,8a	74,2a	89	11,1b	88,9b	90
Secundaria y más	15,8a	84,2a	101	20,8b	79,2b	101
Edad:						
<40 años	21,3c	78,7c	155	18,7d	81,3d	155
41-60 años	24,1c	75,9c	166	7,8d	92,2d	167
Más de 60 años	16,5c	83,5c	79	4,9d	95,1d	81
Ocupación:						
Cuenta propia	26,4e	73,6e	110	7,3f	92,7f	110
Patrón	22,6e	77,4e	31	6,5f	93,5f	31
A. informal	19,6e	80,4e	56	15,8f	84,2f	57
A. formal	28,1e	71,9e	89	17,8f	82,2f	90
No trabaja	12,3e	87,7e	106	103,f	89,7f	107
Salarios:						
<línea pob.	15,3g	84,7g	170g	9,3h	90,7h	172
hasta dos sal. pob.	29,3g	70,7g	123g	12,1h	87,9h	124
<2 sal. pobreza	22,4g	77,6g	107g	14,0h	86,0h	107

a) No significativo.
b) Chi cuadrado 15,0; Sig. 0,00; V de Cramer: 0,19.
c) No significativo.
d) Chi cuadrado 13,6; Sig. 0,00; V de Cramer: 0,18.
e) Chi cuadrado 9,2; Sig. 0,05; V de Cramer: 0,15.
f) No significativo.
g) Chi cuadrado 8,3; Sig. 0,01; V de Cramer: 0,14.
h) No significativo.

Fuente: EURBA, 1991.

Cuadro 19

Potencial de movilización política y comunitaria según educación, edad, ocupación y salarios

(En porcentajes)

Educación, edad ocupación y salarios	Movilización política y comunitaria					
	Participación en las elecciones nacionales de 1990		N	Participación en reuniones y protestas barriales		N
	Sí	No		Sí	No	
Educación:						
Analfabeto	61,5a	38,5a	39	7,7b	92,3b	39
Prim. incomp.	68,8a	31,2a	170	7,1b	92,9b	168
Sec. incomp.	71,1a	28,9a	90	3,3b	96,7b	90
Secundaria y más	75,0a	25,0a	100	16,8b	83,2b	101
Ocupación:						
Cuenta propia	63,6c	36,4c	110	8,3d	91,7d	109
Patrón	77,4c	22,6c	31	12,9d	87,1d	31
A. informal	78,6c	21,4c	56	10,5d	89,5d	57
A. formal	77,5c	22,5c	89	9,0d	91,0d	89
No trabaja	65,1c	34,9c	106	7,6d	92,4d	105
Autoimagen de clase:						
Clase media	86,7e	13,3e	60	8,3f	91,7f	60
Clase trabajadora	68,3e	31,7e	161	9,9f	90,1f	161
Pobres	66,5e	33,5e	176	8,0f	92,0f	175

a) Chi cuadrado: 2,6; Sig. 0,4; V de Cramer: 0,08.

b) Chi cuadrado:12,1; Sig. 0,00; V de Cramer: 0,17.

c) Chi cuadrado: 8,5; Sig. 0,07;V de Cramer: 0,14.

d) Chi cuadrado: 1,0; Sig. 0,90; V de Cramer: 0,05.

e) Chi cuadrado: 0,4; Sig. 0,81; V de CramerV: 0,15.

f) Chi cuadrado: 2,6; Sig. 0,44; V de CramerV: 0,03.

Fuente: EURBA, 1991.

Cuadro 20

Preferencias sobre participación política y comunitaria según sexo, edad, ocupación y salarios

(En porcentajes)

Sexo, edad ocupación, salarios	Preferencias sobre la participación			N
	Política	Comunitaria	Ninguna	
Sexo (a)				
Hombres	16,4	61,9	21,7	244
Mujeres	8,0	61,3	30,7	150
Edad (b):				
<40 años	15,6	66,9	17,5	154
41-60 años	14,5	60,0	25,5	165
>60 años	5,3	54,7	40,0	75
Ocupación (c):				
Cuenta propia	17,9	63,2	18,9	106
Patrón	12,9	64,5	22,6	31
A. informal	14,0	75,4	10,5	57
A. formal	10,1	60,7	29,2	89
No trabaja	10,7	51,5	37,9	103
Salarios (d):				
<Línea pobreza	11,4	56,3	32,3	167
1-2 sal. pobreza	18,2	64,5	17,4	121
>2 sal. pobreza	10,4	67,0	22,6	106

a) Chi cuadrado: 7,9; Sig.: 0,01; V de Cramer: 0,14.

b) Chi cuadrado: 15,9; Sig.: 0,00; V de Cramer: 0,14.

c) Chi cuadrado: 20,2; Sig.; 0,00; V de Cramer: 0,16.

d) Chi cuadrado: 11,3; Sig.; 0,00; V de Cramer: 0,12.

Fuente: EURBA, 1991.

venta de alimentos baratos, vincularse a programas de salud y asistencia social en los barrios, etc.) (17). Es claro que en el fondo esto responde inteligentemente a la estrategia clientelista del propio Estado, que sobre todo persigue ganar votos. Los pobladores lo saben y sencillamente también tratan de sacar provecho de la situación. El resultado es la articulación de un esquema de movilización política poco participativo y que en la práctica excluye a los pobladores (18).

Conclusiones

En el presente trabajo el lector ha podido apreciar que el análisis del proceso de urbanización dominicano debe asumirse en estrecha relación con el cambiante y dinámico proceso de desarrollo capitalista de los últimos cuarenta años. En muchos sentidos, el paisaje urbano que actualmente podemos contemplar es el resultado de un particular estilo de desarrollo industrial-exportador, donde hasta principios de los ochenta la industrialización sustitutiva de importaciones jugó un papel dinámico. Modelo que se caracterizó por su tendencia monopolista en la economía y acentuada centralización espacial de los recursos del desarrollo. Fruto del proceso de crecimiento industrial, como del gran éxodo campesino hacia Santo Domingo desde 1950, pero sobre todo en el período 1960-1980, la ciudad de Santo Domingo surgió como el principal espacio económico centralizador de la dinámica industrial, hacia donde se dirigían las principales corrientes migratorias y donde se concentraban los principales rubros de las inversiones del Estado. Durante casi cuarenta años Santo Domingo sostuvo así una acentuada primacía sobre el conjunto de las ciudades dominicanas que integran la red urbana nacional.

A partir de los años ochenta esta situación comenzó a cambiar. La crisis de la industria sustitutiva y el surgimiento de un modelo alternativo de inserción al mercado mundial, a través del turismo y las zonas francas, modificaron muchos de los patrones característicos del sistema urbano nacional. Por lo pronto, la descentralización de las inversiones productivas, de las zonas francas y el turismo,

17. Para brindar sólo una sencilla ilustración de lo afirmado: si bien 60% de los pobladores cree que los beneficiados con los multifamilares construidos por el Estado son personas de fuera del barrio y, en tal sentido, 78,6% entiende que esto ha perjudicado a los desalojados, los mismos pobladores estiman en 68% que esta política de construcción estatal y remodelación urbana era necesaria.

18. Es muy significativo el elevado grado de abstencionismo de la población en las elecciones de 1990: 30%. Hacemos esta afirmación porque la población entrevistada tenía treinta o más años de edad, lo que significa que la misma ha estado en posibilidad de votar por lo menos en los últimos tres certámenes electorales. Por lo demás, en República Dominicana tradicionalmente los mayores índices de abstención electoral se encuentran en la población joven (18-25 años). Lo verdaderamente significativo es la razón de la abstención. La mayoría de la gente no votó porque tenía una visión muy escéptica respecto a la eficacia de su voto. Descreía del mecanismo de las elecciones: porque no le gustaran los candidatos, porque rechazara a los partidos, porque dejó de creer en las elecciones o no le interesaba votar. Esto revela, como hemos sostenido, un grave problema del sistema político para legitimarse ante la población de la ciudad de más escasos ingresos. No debemos olvidar que más de 25% de los que no votaron en 1990 declararon que ello se debió a razones técnicas: no tenían carnet electoral o no aparecieron en los registros electorales en las casetas de votación.

cuestionó la tendencia centralizadora del anterior esquema de desarrollo urbano. Se fortalecieron así ciudades como Puerto Plata, en el Norte, en torno al turismo, o La Romana y San Pedro de Macorís, en el Este, en torno a las zonas francas.

La expansión de las actividades informales urbanas en Santo Domingo no debe asumirse sólo como una respuesta de los trabajadores, en el plano de la sobrevivencia, a la crisis de la economía en los ochenta, particularmente a la caída del empleo en los sectores dinámicos de la industria y los servicios. Esta expansión de las actividades informales es también el fruto del predominio de las funciones mercantiles por sobre las productivas en los espacios urbanos. De esta manera, la informalidad como opción de sobrevivencia ha encontrado un caldo de cultivo propicio en la terciarización de la economía (Lozano/Duarte, 1992).

El estudio del mercado laboral en la ciudad de Santo Domingo, en sus sectores de base, predominantemente informales, enseña que no puede verse de manera estática la situación de los trabajadores urbanos de bajos ingresos. Bajo esta óptica, lo que principalmente caracterizaría a los trabajadores situados en estos niveles es la pobreza relativa y extrema. Sin embargo, nuestro análisis muestra un mundo muy dinámico, donde las estrategias de inserción laboral y de búsqueda de ingresos de los pobres urbanos son, ciertamente, cambiantes, pero bien articuladas, donde, pese al rol determinante del jefe familiar, la composición de la unidad doméstica juega un papel importante.

Otro punto que nuestro estudio ha logrado sacar a la luz es el de la heterogeneidad de la pobreza. No puede verse a los pobres urbanos como una masa uniforme. Por el contrario, podemos apreciar diferentes situaciones. 1) En primer lugar, entre los pobres urbanos hay diferencias razonablemente apreciables en los niveles de ingresos de las familias, que no son únicamente el resultado de un mayor nivel educativo, de las diferencias de edad, o la condición migratoria, sino también el producto de la desigualdad de acceso a las ocupaciones. 2) En torno a ello se definen estrategias diversas de inserción ocupacional del conjunto de miembros de la unidad doméstica, pero siempre en estas estrategias el jefe de familia guarda un lugar central. 3) Es significativo la creciente participación de la mujer como jefa de hogar, pero con una muy precaria situación económica y laboral respecto a los hombres. 4) La remesa juega un papel central en el equilibrio económico de los hogares pobres, sobre todo en aquellos dirigidos por mujeres, donde llegan incluso a sustituir el papel del ingreso secundario y superan la contribución de la jefa de hogar. Es natural que en este caso esto sea así, pues es en las mujeres donde mayor presencia de inactividad o desocupación hay en la población. Pero esto no puede oscurecer que principalmente las remesas se dirigen hacia los hogares con mejor situación económica.

Son estas evidencias las que permiten sostener que la visión de la situación del trabajador en niveles muy bajos de ingresos como inestable y extremadamente cambiante es por lo menos incompleta. Entre los pobres la ocupación pasa a constituir parte de una cadena de relaciones entre individuos, familias y grupos, cuyos principales elementos articulantes son la propia unidad doméstica, las redes de relaciones primarias (el barrio como red de relaciones) y las conexiones sociales logradas tras la experiencia laboral previa. El trabajador más pobre logra así proveerse de mecanismos de sobrevivencia en la búsqueda de ingresos que le permiten un grado de competencia no despreciable, en condiciones de muy bajo nivel de productividad e ingresos, a partir de una formación o bajo nivel educativo. Allí donde los estratos socioprofesionales compiten en el mercado laboral a través de las calificaciones o las redes sociales institucionalizadas (asociaciones, gremios, etc.), los pobres urbanos lo hacen por medio de redes sociales «informales», o no institucionalizadas, pero efectivas en materia de movilización de informaciones, conocimientos de necesidades o demandas de trabajadores, e incluso de movilización de ingresos en situaciones extremas, tal es el caso de las remesas. Se logra de este modo definir eficaces mecanismos de acceso a las ocupaciones y de producción de ingresos. Uno de los conceptos clave para comprender este cambiante y dinámico proceso es el de «capital social».

En este último aspecto, la problemática de la microempresa urbana, como opción alternativa de desarrollo, asume una gran importancia política. Con el estudio de los productores artesanos del ámbar y los microempresarios textiles, creemos haber demostrado que si bien la microempresa en muchos casos puede constituir una opción de desarrollo, lo es sólo en circunstancias especiales. En todo caso, nunca la microempresa podrá sustituir a la producción industrial moderna y relativamente en gran escala. Para que la microempresa se constituya en una vía razonable de desarrollo se requiere de una particular experiencia societal donde el capital social juegue un papel dinamizador y articulante de la gestión económica microempresaria. Pero sin la ayuda sistemática de agentes externos, sobre todo sin la ayuda del Estado, la microempresa como opción de desarrollo no tiene futuro.

Pero la ciudad es también una realidad social y política. A este respecto, como hemos apreciado, nuestro estudio se concentró en la cuestión de las identidades colectivas. Toda nuestra argumentación se apoyó en tres ideas básicas: 1) En primer lugar, vimos cómo los pobladores tienen una adecuada y clara conciencia de su condición de grupos y estratos sociales marginales o pobres. 2) Pero esta conciencia de la pobreza –el conocimiento de la «vida mala»– se apoya en una cultura que siendo muy eficaz en materia de movilización de recursos en la búsqueda de ingresos, no lo es tanto en lo relativo al plano organizativo a nivel barrial, comunitario y ciudadano. 3) Esto se conecta a una visión muy escéptica del potencial de cambio de su mundo, en el cual la imagen y el papel del Estado cumple una función bifronte: a) se reconoce como el principal responsable de los problemas económicos y societales, b) pero también se le atribuye una virtud solucionadora de los problemas, lo que desmonta el posible diálogo participativo en la acción del poblador, a lo cual se une una cultura personalista y autoritaria, que organiza y sostiene el sistema (político) de la clientela.

En la elaboración de este estudio contamos con las valiosas críticas, comentarios y sugerencias de Alejandro Portes, Carlos Dore y José Itzigsohn, que enriquecieron notablemente el texto. La ayuda de José Itzigsohn fue decisiva en el diseño y elaboración del material estadístico. A todos nuestro agradecimiento. Como se dice en estos casos: ellos no son responsables de los errores; éstos corren por nuestra cuenta.

Bibliografía

Báez Evertsz, Franc/D'Oleo, Francisco (1985) La emigración de dominicanos a los Estados Unidos. Determinantes socioeconómicos y consecuencias (1950-1985). Fundación Friedrich Ebert. Santo Domingo.

Benería, Lourdes (1990) La subcontratación y la dinámica del empleo en la ciudad de México, en Portes/Castells/Benton, *La economía informal en los países desarrollados y en los menos avanzados.* Editorial Planeta. Buenos Aires.

Cabal, Miguel (1992) Microempresas y pequeñas empresas en la República Dominicana. Fondo para el Financiamiento de la Microempresa. Santo Domingo.

Cela, Jorge/Duarte, I./Gómez, C. (1988) Población, crecimiento urbano y barrios marginados en Santo Domingo. Fundación Friedrich Ebert. Santo Domingo.

Ceara, Miguel (1984) Tendencias estructurales y coyuntura de la economía dominicana, 1968-1983. Fundación Friedrich Ebert. Santo Domingo.

Ceara, Miguel (1990) La reactivación desordenada. Mimeo. Centro de Investigación Económica. Santo Domingo.

Chaney, Elsa (1986) Migration from the Caribbean Region: Determinants and Effects of Current Movements. Hemispheric Migration Project. Occasional Paper Series. Center for Inmigration Policy and Refuge Assistance. Georgetown University Washington.

de Oliveira, Orlandina/Bryan, Roberts (1991) The Many Roles of the Informal Sector Ineconomic Development. Evidence from Urban Labor Market Research, 1940-1989. Mimeo.

del Castillo, José/Mitchel, Cristopher (eds.) (1987) La inmigración dominicana a los Estados Unidos. CENAPEC. Santo Domingo.

del Rosario, Gumersindo/Gámez, S. (1987) Estructura impositiva y bienestar social. Fundación Friedrich Ebert. Santo Domingo.

Duarte, Isis (1986) Trabajadores urbanos. Universidad Autónoma de Santo Domingo. Santo Domingo.

Granovetter, Mark (1985) Economic action and social structure: The problem of embeddednes, en *American Journal of Sociology* 91.

Grassmuck, Sheri/Pessar, P. (1990) Between Two Island: Dominican International Migration. University of California Press. Berkeley.

Lozano, Wilfredo (1985) El reformismo dependiente. Editora Taller. Santo Domingo.

Lozano, Wilfredo/Duarte, Isis (1992) Proceso de urbanización, modelos de desarrollo y clases sociales en República Dominicana: 1960-1990. Documento de Trabajo nº 5. FLACSO Santo Domingo.

Lozano Wilfredo/Fernández, Otto (1990) Informalidad urbana y protesta social en la República Dominicana de los años ochenta. Seminario Sector Informal y Movimientos Sociales en la Cuenca del Caribe, FLACSO, Programa República Dominicana. Santo Domingo.

Llado, Juan (1989) Estudio Sobre el Sector Turismo. Proyecto DOM/07/009; Programa de Naciones Unidas para el Desarrollo (PNUD). Santo Domingo.

Pérez Sáinz, J. P. (1989) *Respuestas silenciosas.* Editorial Nueva Sociedad. Caracas.

Pérez Sáinz, J. P. (1991) *Informalidad urbana en América Latina.* Editorial Nueva Sociedad. Caracas.

Piore, M./Sabel, C. (1984) *The Second Industrial Divide.* Basic Books. New York.

Portes, Alejandro/Walton, John (1981) *Labor, Class and the International System.* Academic Press. New York.

Portes, Alejandro/Castells, Manuel/Benton, L. (1990) *La economía informal en los*

países desarrollados y en los menos avanzados. Editorial Planeta. Buenos Aires.
Portes, Alejandro/Guarnizo, Luis (1991) Capitalistas del trópico. Editora Amigo del Hogar. Santo Domingo.
Portes, Alejandro/Sensenbrenner, Julia (1993) Embeddeness and Inmigration: Notes on the Social Determinants of Economic Action, en *American Journal of Sociology,* vol. 98 (mayo).
Ravelo, Sebastián/del Rosario, Pedro Juan (1986) Impacto de los dominicanos ausentes en el financiamiento rural. Mimeo. Universidad Católica Madre y Maestra. Santiago de los Caballeros.
Santana, Julio (1991) Reestructuración neoliberal, zonas francas y proceso de urbanización en la Región del Cibao: el caso de Santiago, República Dominicana. Mimeo. FLACSO. República Dominicana.
Sagawe, Torsten (1985) El desarrollo industrial en la República Dominicana. Una perspectiva espacial, *EME-EME, Estudios Dominicanos,* vol. XIII, ndesarrollo y clases sociales en República Dominicana: 1960-1990. Documento de Trabajo nº 77, marzo-abril.
Souza, Paulo Renato (1980) *Emprego, salario e pobreza.* Editora Hacitec-Fundacao de Desenvolvimiento da Unicamp. São Paulo.
Touraine, Alain (1989) *América Latina política y sociedad.* Espasa Calpe. Madrid.
Tokman, Víctor (1981) Estrategias de desarrollo y empleo en los años ochenta, en *Revista de la CEPAL* nº 15, diciembre.
Valdez, Cristóbal (1988) Modelo de desarrollo urbano y organización interna del espacio en Santo Domingo. IDDI-Fundación Friedrich Ebert. Santo Domingo.

La urbanización en Jamaica durante los años de crisis

Derek Gordon
Patricia Anderson
Don Robotham

En este capítulo ofrecemos las conclusiones obtenidas de una encuesta de casi 800 casos levantada en los barrios de clase media-baja, clase trabajadora y pobre en el Area Metropolitana de Kingston, así como los resultados de la observación de ocho pequeñas firmas del sector exportador de alimentos procesados. La encuesta incluye información sobre las condiciones de vida de los sectores populares en la ciudad más grande y capital de Jamaica y describe su percepción de la vida en la ciudad y sus opiniones sobre las causas del crecimiento de la pobreza urbana. El estudio etnográfico realizado en las pequeñas empresas permite dar una somera mirada a la cadena de articulaciones entre los actores de la economía formal e informal en el conjunto de la economía jamaiquina y observar hasta qué punto éstas encierran un potencial para su desarrollo, cimentado en la cooperación y la confianza mutua. Empezaremos por describir el actual contexto político y urbano en el cual se llevaron a cabo ambas fases del estudio.

El escenario

Desde 1969, la ciudad de Kingston extendió un brazo de pobreza hacia la adyacente parroquia de Santa Catarina, llegando a abarcar en su sobrepoblación nuevas zonas residenciales dentro del área conocida como Portmore a través de la Bahía de Kingston. Bajo el estímulo de desarrolladores privados, el Area Metropolitana de Kingston creció de la misma manera que una desgarbada adolescente, cuyas proporciones repentinamente se disparan más allá de toda expectativa. En Portmore, por lo menos diez conjuntos habitacionales fueron apretadamente establecidos entre 1969 y 1978 de tal forma que su población creció de 2.200 habitantes en 1970 a 67.000 en 1982. Para 1991, cuando el censo de población fue levantado de nuevo, el número de residentes de Portmore se había extendido hasta llegar a 96.700.

Esta ambiciosa empresa era reflejo de la filosofía de los setenta, cuando el derecho a vivienda fue considerado como una necesidad básica. Dentro del marco del socialismo democrático, el gobierno buscó responder a la insatisfecha demanda de vivienda de la población proveyendo la mayor parte del financiamiento o realizando acciones directas de construcción. Sin embargo, con la profundización de la crisis económica en 1977 y la concomitante devaluación de la moneda, la capacidad del Estado para participar directamente en la construcción de vivienda fue severamente restringida. Aun así, los setenta sirvieron para cambiar el paisaje urbano de manera significativa al remover uno de los principales cuellos de botella para la redistribución de la población, y al modificar las oportunidades de movilidad para muchos pobladores que de otra manera habrían permanecido atrapados en decadentes barrios urbanos.

La construcción de complejos viales a lo largo de la Bahía de Kingston fue una hazaña de ingeniería que permitió a la parroquia de Santa Catarina entrar de lleno en contacto con las áreas comercial e industrial de la ciudad, situadas a lo largo de la costa oeste en el puerto de Kingston. El complejo vial proporcionó acceso rápido e inmediato a una vasta área que anteriormente no tenía más que zonas pantanosas y terrenos baldíos. Al ofrecer una ruta alternativa de acceso al sistema de carreteras que se había desarrollado alrededor del eje Washington Boulevard-Spanish Town, se reforzó el patrón de crecimiento hacia el Oeste donde ya se había iniciado un firme desarrollo de conjuntos habitacionales de clase media y media baja, a lo largo de la principal carretera que conduce fuera de Kingston. Los nuevos desarrollos habitacionales de Portmore y Washington Boulevard, situados en las afueras de la ciudad, sirvieron para alterar los patrones residenciales tradicionalmente clasistas en los cuales los pobres tendían a ocupar las tierras bajas en la periferia, o a estar hacinados en sitios atestados junto a las zonas de clase media y acomodadas. El área nueva, en cambio, se componía de un mosaico de residentes de clase media, media baja y trabajadora, en tanto que los pobres originales habían sido dejados atrás en los tugurios subdesarrollados de Newlands, Balmagie, y Penwood, o habían sido forzados a reubicarse presionados por la violencia urbana.

Mientras que el inicio de la crisis económica puede ser fechado en 1974, junto al rápido incremento en los precios del petróleo por la OPEP, la reestructuración de la economía jamaiquina, que buscaba reducir el déficit fiscal y adquirir mayor competitividad, fue la dura experiencia de los ochenta. Desde la perspectiva de la población, el proceso de estabilización y ajuste se tradujo en despidos masivos en el sector público, la declinación de los servicios sociales básicos y la rápida inflación. Esto trajo además una nueva conciencia del papel que jugaban las agencias internacionales de crédito en la determinación del marco económico del país y las limitaciones que imponían a la tradicional estructura clientelista de la política jamaiquina.

El mercado de trabajo sufrió una reestructuración radical, los trabajadores pasaron a trabajar por su cuenta o se emplearon en trabajos no protegidos por la ley. A pesar de la retórica de ajuste estructural con medidas dirigidas a amortiguar sus efectos, el limitado alcance de los programas de mejora y su orientación explícita hacia los sectores más necesitados, significó que éstos no sirvieran para contrarrestar la creciente presión en los sectores de clase media baja, clase trabajadora o incluso en la masa de pobres. Para estos sectores, el acceso a los beneficios sociales que habían estado disponibles y dados por hecho a través de las provisiones del sector público, eran ahora cuestionados o marcados con un precio. La dependencia general de la población en el transporte público, incrementada por la explosión urbana, fue exacerbada por el fracaso en los intentos del país por desarrollar un eficiente sistema de transporte manejado por la iniciativa privada.

En un trabajo anterior mostramos que el ajuste estructural en Jamaica, antes que haber sido simplemente un proceso de empobrecimiento masivo, fue tal, que cambió el equilibrio de las oportunidades para las diferentes clases. Más aún, este proceso está lejos de haberse completado en tanto que el ajuste continúa. Por lo tanto surgen preguntas críticas: ¿cuáles son los grupos que pueden beneficiarse con los cambios en el marco institucional? ¿quién constituye el nuevo sector pobre? ¿cómo se adaptan a las nuevas condiciones? ¿los desarrollos urbanos han reducido la polarización espacial entre ricos y pobres? ¿los partidos políticos son todavía vistos como la solución a las desventajas de clase tanto individuales como sociales?

Estas son algunas de las preguntas planteadas por el equipo jamaiquino dentro del proyecto «La urbanización del Caribe durante los años de la crisis». La combinación de la encuesta y las fuentes etnográficas para este proyecto de investigación permiten una evaluación del impacto de la sostenida crisis económica en los medios de sustento económico, en las oportunidades de movilidad, y la percepción de la población en relación con su situación social y el comportamiento colectivo.

Diseño de la muestra

La encuesta en las comunidades urbanas se basó en una muestra de 785 entrevistados, seleccionados en 22 barrios en el área de Portmore-Washington Boulevard. El área contiene, dentro de un espacio físico relativamente pequeño, una amplia variedad de condiciones socioeconómicas representativas tanto de la «vieja pobreza» en el propio Kingston, como de los nuevos asentamientos en sus expansivos suburbios del Oeste. La muestra utilizó un diseño estratificado en dos etapas; el primer paso consistió en seleccionar comunidades de diferente nivel socioeconómico, basado en los datos disponibles sobre las condiciones físicas y la calidad de las viviendas. Estas comunidades de Kingston son clasificadas como «áreas especiales» por el Instituto de Estadística de Jamaica (STATIN por sus siglas en inglés). STATIN define una área especial como una comunidad de especial interés ya sea por razones económicas, sociales o históricas.

El segundo paso en la selección de la muestra fue escoger un número aleatorio de distritos dentro de cada área y distribuir las entrevistas en relación con el tamaño de la población de cada comunidad. En el momento de la encuesta, los datos más recientes disponibles para la población de las áreas especiales estaban basadas en el censo de 1982, y éstos fueron usados para determinar una distribución apropiada de las entrevistas. La distribución de la muestra por comunidad y la categoría de clase de los barrios es presentada en el cuadro 1. En el análisis, estas categorías de clase son usadas para agrupar las 22 comunidades dentro de tres grupos más amplios: clase media-baja, clase trabajadora y pobre.

Debido a que fue considerado recomendable entrevistar a un número más o menos igual de mujeres y de hombres, se pidió a los encuestadores implementar una cuota aproximada cuando procedieron a seguir la ruta definida en cada comunidad. Se dirigieron directamente al jefe de familia, y como no era posible hacer una segunda visita, se implementó un sistema de sustitución. Es necesario recono-

Cuadro 1

Descripción de la muestra y distribución de las entrevistas por área y barrio

	Area de Washington Boulevard (Kingston)	N	Area de de Portmore (Parroquia de Sta. Catarina)	N
Areas de clase media y media baja	Washington Gardens	39	Edgewater	20
	Patrick City	40	Bridgeport	30
	Arlene Gardens	9	Independence City	20
	Pembroke Hall	30	Passage Fort	30
Subtotales		148		100
Areas de clase trabajadora	Duhaney Park	49	Waterford	118
			Portsmouth	20
			Garveymeade/Westport	29
			Breaton	60
			Dawkins Pen	10
Subtotales		49		237
Areas pobres	Balmage	79		40
	Seaward Penn	20		21
	Penwood	10		
	New Haven	20		
	Maverley	61		
Subtotales		190		61
Totales		*387*		*298*

cer que esta cuota de género debilitó alguna de las cualidades aleatorias de la muestra, pero no esperamos que ello tenga un efecto significativo en los resultados, dada la alta proporción de jefes de familia mujeres en los barrios pobres de las zonas urbanas.

El lugar y la gente

En esta sección se analizan las características físicas y sociales de las comunidades elegidas, su ubicación y el nivel de servicios proporcionados por la ciudad, así como sus medios de supervivencia. Como era de esperar, encontramos que las viviendas en las áreas más pobres tendían a tener un menor número de cuartos y un número mayor de personas por habitación, así como menos acceso a agua por tuberías y drenaje, y mayor probabilidad de estar conectados ilegalmente al sistema eléctrico. Estos diferenciales, que se muestran en el cuadro 2, son indicadores de la validez de nuestra clasificación de los barrios, basada en los censos.

Sin embargo, el cuadro 2 también pone al descubierto otros interesantes aspectos de la muestra, ya que si bien las viviendas de clase media-baja tienen más cuartos, son las que en promedio cuentan con el mayor número de habitantes por casa. En las áreas de ingresos medio-bajos, el tamaño promedio de la vivienda es de 5,41 personas, en contraste con 4,69 en las áreas pobres. Así mismo, mientras que 59,2% de los entrevistados de la clase trabajadora dijeron ser propietarios de sus viviendas, 36,7% de los de ingresos medio-bajos vivían en casas de renta. El promedio en el número de años de residencia en la comunidad en las áreas de clase media-baja era de 9,69, en comparación con los 11,64 años de los habitantes de las comunidades de clase obrera. Esta diferencia se produce a pesar de que la mayoría de las viviendas de clase media se construyeron a principios de los setenta, en tanto que el establecimiento de las de clase trabajadora no empezó antes de 1975.

Estos patrones de comportamiento sólo pueden ser entendidos si se comprende que el traslado a los suburbios de Portmore es un paso en la movilidad ascendente para muchas familias de ingresos medios. Aunque algunas de estas familias probablemente compraron viviendas en Portmore con el propósito inicial de invertir, acabaron viviendo en ellas por cierto período. Sin embargo, el aumento en el valor de sus propiedades en Portmore les permitió realizar sus objetivos y regresar a viviendas más caras en Kingston.

El alto porcentaje de arrendadores en nuestra muestra de clase media-baja y su mayor número de habitantes por vivienda, tanto en Portmore como en el área de Washington Boulevard, sugiere que estamos presenciando una réplica de esos patrones de migración hacia la periferia y la movilidad ascendente que caracterizaron a los setenta. Sin embargo, si esto es así, la transición probablemente será más prolongada para la clase media-baja, debido al disparo del valor de los terrenos a inicio de los ochenta. Por otro lado, para la mayoría de los propietarios de su vivienda en la clase trabajadora en Portmore no hay a dónde ir. La propiedad de la vivienda es una de sus principales metas y obtenerla es un gran logro, pero para mantener y mejorar su inversión se requiere de considerable esfuerzo.

La interrelación entre la elección del lugar de residencia y los objetivos de movilidad social tienen importantes implicaciones sobre el desarrollo de la solidaridad y las actitudes de los residentes hacia la movilización comunitaria. Esto se puede expresar en el apoyo para la organización de la comunidad o la falta del mismo y la confianza en la actividad de los partidos políticos. Esta relación es abordada más adelante de manera más amplia. En el caso de los barrios pobres de nuestra muestra, el alto índice en el tiempo de residencia proporciona soporte a nuestro argumento de que esas son las personas que han sido dejadas atrás. El cuadro 2 muestra que el promedio en el número de años de residencia de las comunidades pobres era de 18,6 años, e incluso en algunas comunidades específi-

Cuadro 2

Indicadores de vivienda por área residencial

Indicadores vivienda	Area residencial		
	Media baja	Clase obrera	Pobre
Nº promedio de cuartos en la vivienda	3,5	3,0	2,7
Tamaño promedio de la vivienda	5,4	4,5	4,7
Número de personas por cuarto	1,5	1,4	1,7
Tenencia de la vivienda:			
Propietarios (%)	46,9	59,2	46,1
Arrendatarios (%)	36,7	21,1	30,9
Años promedio de residencia	9,7	11,6	18,7
Agua por tuberías (%)	97,6	95,1	76,5
Electricidad:			
acceso legal (%)	98,4	89,4	72,5
acceso ilegal (%)	1,2	6,3	11,7
Sistema de drenaje (%)	95,5	91,4	64,0

cas como Balmagie (Olimpic Way) se eleva hasta 20,7 años. Además, cerca de 5% de la muestra de entrevistados pobres admitió poseer ilegalmente la tierra. Dado que esos residentes de las comunidades más pobres se caracterizan también por su menor grado de educación y bajo nivel de ocupación, la probabilidad de moverse a un sitio mejor tiende a ser muy limitada.

Características sociales

El cuadro 3 presenta la distribución de la muestra para diversas variables sociodemográficas. Es evidente, según se desprende de esos resultados, que el bajo nivel educacional sirve para distinguir a los pobres de las comunidades tanto de clase media-baja como trabajadora. Mientras que solamente 10% de los entre-

Cuadro 3

Características sociales de los entrevistados por área residencial

Género	Area residencial Media-baja	Obrera	Pobre	Total
Hombre	50,0	53,7	51,8	51,9
Mujer	50,0	46,3	48,2	48,1
Edad:				
menos de 40	52,8	48,6	48,2	49,8
41 - 50	19,8	26,2	15,9	20,9
51 - 60	8,2	14,3	15,1	12,6
más de 61	19,4	10,8	20,7	16,7
Años de educación:				
menos de 9 años	38,0	41,3	58,4	45,7
10 - 12 años	29,1	26,9	31,4	29,0
más de 12 años	32,8	31,8	10,2	25,3
Status migratorio:				
Kingston	35,1	33,0	42,0	36,5
Parroquia rural	54,9	67,0	58,0	63,5
Estado civil:				
casado (%)	40,7	40,6	29,1	37,0
unión libre (%)	19,0	18,9	24,7	20,7
Nº de hijos promedio	2,90	3,36	3,43	3,21
Clase social subjetiva				
Alta o media	18,0	5,1	3,3	8,6
Obrera	61,1	49,8	34,3	48,4
Pobre	20,9	45,1	62,4	43,0
N	*248*	*286*	*251*	*785*

vistados en las áreas pobres reporta haber asistido a la escuela por más de 12 años, casi un tercio de la muestra en las comunidades de ingreso más alto han recibido más de 12 años de educación. Además se observa una fuerte correlación entre edad y educación (*gamma* = -0,63), los entrevistados más jóvenes reportan niveles de educación más altos. Entre los mayores de 40 años 69,6% no tenía más de 9 años de escolaridad, en contraste con 21,7% de los grupos más jóvenes que caían dentro de la categoría de bajo nivel de educación. Aunque las parroquias de Kingston y San Andrés tradicionalmente han sido el destino de muchos de los migrantes internos del país, es interesante notar que el nivel socioeconómico de esos migrantes no está significativamente asociado con el área de residencia. Mientras que una proporción ligeramente menor de residentes en las áreas pobres viene del campo, la diferencia no es tan grande y está estrechamente relacionada con la distribución de los residentes de mayor edad en esas áreas. A través de gran parte del análisis, el *status* de los migrantes no aparece significativamente asociado con otras variables, aunque es posible que el tiempo de residencia urbana pueda guardar alguna relación con otros resultados o actitudes de nuestros entrevistados.

El cuadro 3 muestra que no hay una relación significativa entre la clase social de los residentes y su *status* matrimonial, y sólo una débil relación con el número de hijos. Mientras que las familias de la clase trabajadora y pobre tienen en promedio un número mayor de hijos, el *status* matrimonial tiende a seguir el patrón del ciclo de vida que ha sido ampliamente documentado por los demógrafos caribeños. Con el incremento de edad, tanto los hombres como las mujeres tienden a moverse de las uniones libres a los matrimonios legales, o a separarse. Aunque el establecimiento más temprano de uniones legales es generalmente asociado con los niveles socioeconómicos más altos, en nuestra muestra de familias de clase media baja esta asociación no fue significativa.

Como señalamos anteriormente, el diseño de la muestra siguió el procedimiento de asignar áreas residenciales a las tres diferentes categorías de clase de acuerdo a factores físicos conocidos de cada área. La información proporcionada por los entrevistados sobre su educación y variables relacionadas, sirvió como verificación de la validez de esta forma de aproximación. Sin embargo, es también importante examinar el aspecto subjetivo de las percepciones de las clases sociales, tanto para determinar el grado de congruencia entre las mediciones objetivas y las subjetivas, como para ubicar las áreas en las cuales la identificación subjetiva de clase puede ser un predictor más importante de sus actitudes o comportamiento.

Algunos elementos para entender esta cuestión son provistos por el cuadro 4, donde se observa que hay una fuerte asociación (*gamma* = 0,46) entre las valoraciones subjetivas hechas por los entrevistados sobre su posición socioeconómica y su ubicación residencial. Es también significativo el hecho de que la gran mayoría de la población en las áreas medio-bajas y de clase trabajadora se describen así mismos como clase trabajadora, mientras que casi la mitad de la muestra de la población por debajo del nivel de clase trabajadora también elige para sí esta designación. Como veremos más adelante, esas valoraciones subjetivas de clase probaron estar más fuertemente relacionadas con sentimientos de insatisfacción que las medidas objetivas de su condición económica.

Conocimiento y apreciación de los barrios urbanos

Nuestros entrevistados tuvieron grandes dificultades para proporcionar respuestas correctas sobre el tamaño actual de la población de Kingston. Sin embargo, sus respuestas fueron generalmente correctas al señalar los barrios de ricos y pobres. Casi la mitad de la muestra (45,2%) estimó el tamaño de la población de Kingston muy por abajo de su verdadera dimensión, y no hubo evidencia de que una mayor educación contribuyera mucho a una mayor exactitud. En contraste, cuando se les pidió que dieran nombres de barrios de ricos, por lo menos 81,3% de la muestra fue capaz de nombrar correctamente tanto las áreas de clase media como las altas. Hubo además un acuerdo general al designar las áreas pobres, ya que 87,7% identificó correctamente los barrios pobres. Dado este alto nivel de percepción social, es fácil imaginar cómo los entrevistados etiquetaron sus propias comunidades. El cuadro 4 proporciona estas valoraciones y deja claro que hay un alto grado de congruencia entre la clasificación de la muestra de su propia comunidad y su posición de clase, ya sea que se mida objetivamente o subjetivamente.

La pregunta que surgió era si los residentes se sentían satisfechos en sus respectivas áreas, dada la categoría en la cual ubicaban sus vecindarios. Como era de esperar, los entrevistados de las comunidades pobres mostraron mucho menor satisfacción con su lugar de residencia (*gamma* = 0,28) a pesar de lo cual solamente un cuarto afirmó estar completamente infeliz de estar viviendo allí. En el otro extremo de la distribución, 72,2% de los residentes de las comunidades de ingresos medios reportaron estar satisfechos con su ubicación.

El trabajo en la ciudad

La composición del empleo urbano a principios de 1992 refleja la reestructuración del mercado de trabajo que se había iniciado en 1983 en respuesta a las medidas de ajuste estructural. El rasgo principal de este período fue la reducción del papel del gobierno en la creación del empleo y la progresiva desregulación de la economía. Esto se puede apreciar notando que mientras el sector público y los servicios sociales eran responsables de 18,0% del empleo en 1977, para 1989 esta participación había caído a 10,8%.

Después de 1985, el mercado de trabajo se movió hacia un sostenido período de expansión, con un incremento neto de 21.000 nuevos empleos anuales y una firme declinación en las tasas de desempleo abierto entre 1985 y 1991. Esta dramática expansión fue el resultado de dos movimientos convergentes –una reducción en los empleos más formales y protegidos, y un incremento en los del sector informal. Esta experiencia parece haber sido compartida por nuestra muestra urbana, aunque el peso del desempleo abierto recayó más fuertemente sobre los pobres. Este dato subraya las marginales e inestables oportunidades de empleo de muchos trabajadores urbanos, así como su fuerte dependencia del autoempleo.

Cuadro 4

Evaluación de la clase social de los barrios por área y evaluación subjetiva de clase social

	Evaluación de clase social del barrio			
	Alta o media %	Obrera %	Pobre %	Total %
Area residencial (a)				
Media baja	17,6	78,6	3,8	100 (238)*
Obrera	10,5	59,9	29,6	100 (277)
Pobre	4,1	31,7	64,2	100 (246)
Clase social subjetiva (b)				
Alta o media	28,8	51,2	20,0	100 (80)
Obrera	8,8	67,5	23,7	100 (421)
Pobre	1,2	17,1	81,7	100 (246)
Muestra total	10,6	56,6	32,7	100 (761)

(a) gamma = 0,60
(b) gamma = 0,66
* Frecuencias absolutas entre paréntesis.

Desempleo, ocupación e ingreso

Las tasas de desempleo fueron de 9,4% para los jefes de familia hombres, y 16,0% para las jefes de familia mujeres en la muestra. Esto puede ser comparado con el dato para el país de la encuesta nacional de empleo de octubre de 1991 que estimó el desempleo en tasas de 5% para los jefes de familia hombres y de 15% para mujeres. Las mayores tasas de desempleo para los hombres de la muestra son sin duda explicados por la mayor representación de los trabajadores de baja educación en el área de la encuesta. Las tasas de desempleo para hombres y mujeres en las tres clases sociales es presentada en el cuadro 5, y otra vez se hace evidente que la ubicación de las clases sociales más altas coincide con las mejores oportunidades en el mercado de trabajo.

El análisis de la distribución ocupacional de los trabajadores empleados en los tres tipos de áreas residenciales se facilita por el uso del sistema de clasificación ocupacional desarrollado por uno de los autores en estudios ocupacionales anteriores, el cual permite una clasificación de las ocupaciones de acuerdo al estrato social. En las áreas de clase media baja, más de la mitad (53%) de todos los jefes de familia empleados mantenían empleos como gerentes, profesionistas o trabajadores de cuello blanco. Esto comparado con 32,2% de los entrevistados en los vecindarios de clase trabajadora, y 28,5% de los trabajadores en las comunidades pobres. El cuadro 6 muestra que artesanos y operadores estaban más fuertemente representados entre las comunidades de clase media baja, mientras que los vendedores autoempleados, artesanos, servicios y trabajadores manuales no calificados, constituían la mayor parte de la población trabajadora en las áreas pobres.

El cuadro 7 provee información sobre la distribución del ingreso por género y lugar de residencia, revelando un amplio diferencial en ambos casos. Los ingresos de las mujeres trabajadoras caen mucho más abajo que el promedio de los hombres. En las áreas pobres, casi la mitad de los jefes de familia empleados reportaron ingresos mensuales que no fueron mayores de 50 dólares americanos (1.000 dólares jamaiquinos), mientras que cerca de un tercio (32,5%) de los jefes en las áreas de clase trabajadora caían dentro de este grupo. Dadas las altas tasas de inflación experimentadas durante el período de ajuste económico de los ochenta y principio de los noventa, es evidente que la presión sobre los ingresos de los entrevistados de nuestra muestra fue severa. Su propia valoración de estos cambios se presenta más adelante.

Autoempleo y seguro social

El mercado de trabajo jamaiquino tradicionalmente se ha caracterizado por sus altos niveles de autoempleo, tanto en las áreas urbanas como en las rurales. Durante el período de ajuste estructural, el autoempleo alcanzó su punto máximo en 1985 cuando 43,7% de la fuerza de trabajo empleada creó sus propios medios de supervivencia. A partir de 1985, este nivel ha declinado ligeramente, pero aún mantenía tasas altas de 38,1% en octubre de 1991. Para la fuerza de trabajo no agrícola en la región, el autoempleo en 1989 fue de 18,0% para los trabajadores masculinos y 26,6% para las mujeres. Ante la inexistencia de datos que se refieran específicamente al Area Metropolitana de Kingston, éste puede ser usado como una vara de medir contra la cual comparar los hallazgos de nuestra muestra urbana.

El autoempleo proporciona ingresos a 21,8% de los trabajadores hombres y a 30,7% de las empleadas mujeres en la muestra. Las mujeres están más frecuentemente involucradas en comercio, mientras que los hombres son con mayor frecuencia artesanos. Esta diferencia se refleja también en el hecho de que las trabajadoras por su cuenta tenían menores niveles de educación que su contraparte masculina, con 56,0% reportando 9 años o menos de educación en contraste con 48,8% de los hombres.

Como mostraremos en la próxima sección, no todas las actividades de autoempleo son necesariamente de baja productividad ni tomadas como único medio de supervivencia. Sin embargo, es claro que, por lo menos para los vendedores por su

Cuadro 5

Tasas de desempleo de jefes de hogar (hombres y mujeres) por área residencial

Area residencial	Jefes de hogar	
	Hombres	Mujeres
Media baja	3,8	13,0
Obrera	6,5	17,9
Pobre	16,4	16,9
Total	*9,4*	*16,0*

Cuadro 6

Distribución ocupacional de trabajadores empleados por área residencial

(En porcentajes)

Principales grupos	Total actualmente empleado			
	Media baja	Obrera	Pobre	Total
I Gerentes y profesionales	15,1	3,5	4,3	7,4
II Gerentes y profesionales de bajo nivel y trabajadores de cuello blanco	37,9	28,8	24,2	30,2
III Propietarios y vendedores autónomos	7,2	9,1	18,6	11,4
IVa Artesanos autónomos	13,3	14,1	14,9	14,1
IVb Artesanos y operadores asalariados	15,1	25,8	19,3	20,5
V Trabajadores de servicios y no calificados	11,4	18,6	18,7	16,3
Total	*100* *(166)**	*100* *(198)*	*100* *(161)*	*100* *(526)*

(a) *gamma* = 0,20

* Frecuencias absolutas entre paréntesis.

cuenta, ésta es predominantemente una actividad de refugio buscada cuando la posibilidad de otros empleos ha sido minada. Del cuadro 8 se desprende que las categorías de propietarios autoempleados y vendedores, sobresalen como las de más alta movilidad ya que sólo 62,5% de aquellos que estaban en ese momento trabajando en este campo dijeron que era su ocupación regular. El nuevo ingreso a esta categoría se nutre principalmente de los artesanos y los operadores, así como de las categorías de servicios y empleos no calificados. Significativamente, sin embargo, los profesionistas de nivel bajo y los empleados de confianza también se vuelven vendedores al quedar fuera de sus ocupaciones tradicionales. Ellos pueden ser parte de la clase media en descomposición, o importadores comerciales informales (ICI) los que, desde los setenta, constituyen un nuevo rasgo del mercado de trabajo jamaiquino.

Para poder comprender en dónde se ubican los trabajadores autoempleados de nuestra muestra en relación con los trabajadores asalariados, es necesario señalar brevemente los siguientes puntos:

1. Entre los trabajadores autoempleados, 49,9% tiene 9 años o menos de educación en comparación con 25,8% de los trabajadores asalariados.

2. La proporción de trabajadores autoempleados que han estado en esta actividad por más de 10 años es de 48,6% comparado con 30,2% de los trabajadores asalariados.

3. Cincuenta o más horas de trabajo por semana son reportadas por 46,0% de los autoempleados, en contraste con 20,2% de los asalariados. Por otro lado, 22,1% son trabajadores de medio tiempo en contraste con 8,5% de los asalariados.

La reducción del empleo en el sector público y la expansión del trabajo en el sector secundario ha disminuido el grado en el cual los trabajadores pueden esperar que sus oficios los provean de los beneficios básicos y de seguridad en el empleo. Esto se ve reforzado por el crecimiento de las pequeñas industrias que tradicionalmente han resistido la organización sindical. En la muestra, diversas

Cuadro 7

Distribución de ingreso mensual por género y área residencial

(En porcentajes)

Ingreso mensual (en dólares)	Género: Hombre	Género: Mujer	Area residencial: Media	Area residencial: Obrera	Area residencial: Pobre	Total
Menos de 50	23,2	43,9	18,7	32,5	48,1	32,4
51 - 100	29,4	25,8	25,3	27,3	30,3	27,6
101 - 200	32,0	24,7	34,3	31,8	18,7	28,4
Más de 200	15,4	5,6	21,7	8,4	3,9	11,6
Total	*100*	*100*	*100*	*100*	*100*	*100*
	(272)	*(198)*	*(166)*	*(154)*	*(155)*	*(475)*

* Frecuencias absolutas entre paréntesis.

Cuadro 8

Distribución ocupacional de trabajadores empleados por género y área residencial

Ocupación	Total actualmente empleado Ocupación regular					
	I Gerentes y profesionales	II Gerentes y prof. bajo nivel y emp. cuello blanco	III Propiet. y vend. autónomos	IV Artesan. y oper.	V Serv. y no cal.	Total
I Gerentes y profesionales	97,4	2,6	—	—	—	100
						(39)*
II Gerentes y profesionales de bajo nivel y trabajadores de cuello blanco	0,6	91,8	1,3	5,0	1,3	100
						(158)
III Propietarios y vendedores autónomos	—	5,3	62,5	16,1	16,1	100
					(56)	
IV Artesanos y operadores asalariados	—	1,1	—	97,2	1,7	100
					(181)	
V Trabajadores de servicios y no calificados	—	3,6	1,2	3,6	91,6	100
					(84)	

* Frecuencias absolutas entre paréntesis.

medidas de protección del trabajador fueron exploradas y algunos hallazgos son presentados en el cuadro 9. Tal como podría esperarse, el nivel de beneficios de los trabajadores declina firmemente conforme disminuye su *status* ocupacional, particularmente en lo que se refiere a vacaciones pagadas y participación en programas de retiro. Mientras que la mayor parte de los gerentes de nivel alto y los profesionistas gozaban de vacaciones pagadas, solamente 68,1% de los artesanos y operadores reportaron contar con ese derecho. De la misma manera, gerentes y profesionistas tenían el doble de probabilidad que los artesanos de contar con programas de retiro, mientras que los trabajadores en el sector servicios y los no calificados tenían los niveles más bajos. Dado que el país no tiene un sistema de seguro de desempleo, no fue posible medir esto para este caso. Sin embargo, la carencia de esta prestación social probablemente incremente el incentivo para incorporarse al autoempleo cuando el trabajo asalariado desaparece.

El sector de pequeña empresa

En este punto dejaremos por un momento el cuestionario para analizar los resultados del estudio en las pequeñas industrias urbanas en el sector de procesamiento de alimentos. La observación de estas empresas fue desarrollada, en parte, para examinar si las pequeñas empresas independientes están integradas dentro de los círculos de la acumulación capitalista formal de la economía jamaiquina y, en parte, para explorar el potencial de crecimiento del microempresariado. En particular, queríamos analizar el grado en el cual existían condiciones para la promoción de «distritos industriales» a la manera de los de Italia central, Hong Kong, y otras áreas de dinámica pequeña industria. Por esta razón, decidimos concentrarnos en empresas con cierto nivel de capitalización y conocimiento tecnológico antes que en el conjunto de actividades de autoempleo orientadas a la supervivencia.

Método

Para lograr este objetivo, estudiamos ocho de las trece firmas que comprende una rama particular de procesamiento de alimentos en Jamaica, la altamente rentable empresa de enlatado y exportación de aki (*Blighia sapida*) a Estados Unidos, Canadá y el Reino Unido. Durante los meses de febrero a julio de 1992, visitamos y observamos la operación de estas y otras plantas y entrevistamos a los propietarios de las mismas en discusiones abiertas. Estas abarcaron temas que iban desde el establecimiento de la empresa hasta las relaciones de colaboración que existían entre las firmas y otros actores económicos clave en el escenario jamaiquino. Cada propietario fue entrevistado en por lo menos dos ocasiones diferentes. El origen de este particular sector de procesamiento de alimentos se remonta a 1956, y es coincidente con el crecimiento de los migrantes jamaiquinos al Reino Unido. El aki, originario del oeste de Africa, es un platillo nacional de Jamaica y su exportación se ha convertido en un negocio de 5 millones de dólares al año. Como

Cuadro 9

Medidas seleccionadas de protección al trabajo por principales grupos ocupacionales

Principales grupos ocupacionales	Porcentaje con vacaciones pagadas	Porcentaje con programa de jubilación	Porcentaje que recibe bonos
Gerentes y profesionales (29)	96,6	79,3	31,0
Gerentes y profesionales de bajo nivel y trabajadores de cuello blanco (129)	86,8	65,9	32,8
Artesanos y operadores asalariados (91)	68,1	38,5	35,2
Servicios y trabajadores no calificados (55)	60,0	29,1	23,6
Total de trabajadores con ingresos (304)	*77,30*	*52,30*	*31,70*

* Frecuencias absolutas entre paréntesis.

el árbol no es cultivado en huertos, la cadena productiva corre desde su recolección legal e ilegal en el monte, pasando por su procesamiento regulado, hasta su exportación a los enclaves jamaiquinos en los tres países antes señalados. Hay una complicación adicional que hace de este un caso apropiado: los akis contienen hypoglicina y, desde 1972, su entrada a Estados Unidos ha sido prohibida por la Administración de Alimentos y Drogas de ese país. Aun así, es allí a donde finalmente va a dar la mayor parte de las exportaciones. Por consiguiente, ambos extremos de la cadena productiva, la recolección y la distribución, están inmersos en la informalidad por lo que sólo la parte central de la misma se encuentra bajo control formal (1).

Seis de las trece procesadoras de aki están localizadas en las parroquias de Santa Catarina y Clarendon, siendo esta última el principal centro de producción natural y procesamiento. Estas dos parroquias contiguas a Kingston y San Andrés en las secas costas del sur de Jamaica han experimentado, como señalamos antes, un significativo crecimiento en los últimos 20 años. Una pregunta interesante

1. El concepto de informalidad usado aquí sigue el formulado en los trabajos de Portes para referirse a las actividades económicas ilegales no criminales (Portes/Schauffler, 1993). Para un concepto diferente que enfatiza el nivel de calificación, el tamaño del establecimiento, y los resultados variables como factores clave, ver Anderson, 1987.

consiste en saber si el crecimiento del área se funda en un conjunto particular de fuerzas económicas y exactamente en cuáles. Mientras que el desarrollo extremadamente rápido de las áreas de Santa Catarina contiguas a San Andrés ha sido en gran medida como comunidad dormitorio, en respuesta a los elevados precios de los terrenos en el área de Kingston y San Andrés, el desarrollo menor del área de Clarendon y el oeste de Santa Catarina se asienta en una base diferente. Aquí, los elementos de un distrito económico relativamente diferenciado con su propia base económica han empezado a emerger.

Desde los setenta, una gran diversidad de actividades industriales y agroindustriales se ha esparcido en esta área para la cual la ciudad de May Pen constituye un centro de comercialización y transporte. En 1972, la Aluminium Company Associates (ALCOA) construyó aquí su principal planta de aluminio en la región de los viejos estados azucareros. En la última parte de los sesenta surgió un complejo de granjas avícolas descentralizadas e independientes que se agruparon en torno de la principal compañía productora de carne de pollo. Esta se ha convertido actualmente en un negocio de muchos millones de dólares integrada vertical y horizontalmente en las ramas de alimentos de animales, producción de carne de res y acuicultura. De acuerdo a datos oficiales, en 1990 había registradas 59 fábricas en Clarendon y 122 en Santa Catarina. En este contexto de lenta evolución de un distrito agroindustrial más diversificado, es donde el aki y la industria procesadora de alimentos se está desarrollando.

El sector procesador de alimentos

El sector procesador de alimentos en Jamaica está dominado por una de las cuatro más grandes compañías distribuidoras del país. Estas compañías distribuyen tanto en el mercado local como en el de exportación un amplio rango de productos alimenticios: jamón, gelatinas, jugos, frijoles y carne empacada. Originalmente, en los sesenta, desarrollaron operaciones de sustitución de importaciones. Durante algún tiempo estuvieron importando gran parte de sus productos y simplemente los reetiquetaban con sus propias marcas y los vendían en el mercado local. Con el crecimiento del comercio externo, la crisis de los setenta y las estrategias de desarrollo orientado a la exportación de los ochenta, se han visto obligadas a cambiar a operaciones con un alto grado de valor agregado local. Esto ha significado que estas cuatro grandes firmas acudan de manera creciente a fuentes locales para obtener sus productos, mismos que en muchas ocasiones ya han sido procesados y empacados por pequeñas empresas.

Las pequeñas firmas que abastecen a las grandes no mantienen una relación contractual con ellas. Como muchas otras en esta rama, ellas ocupan la zona poco clara de las «órdenes» en las cuales el espacio para la disputa es grande. Estas órdenes son colocadas generalmente a principios de la estación y se espera que continúen de estación en estación. En ellas se especifica la cantidad solicitada por el gran distribuidor y la fecha de envío.

En algunos casos, se acompañan de un adelanto sobre el precio que la pequeña firma usa para movilizar el aki desde otras partes de la cadena productiva. Aunque a algunos enlatadores no les gusta tomar estos adelantos porque eso los amarra a un distribuidor particular y a un precio definido, la mayoría de hecho los necesita para financiar una parte de sus operaciones por este medio, tales como las fases iniciales de la cadena de producción en las cuales tienen que negociar sobre la base de pagos en efectivo.

Fue en estas pequeñas empresas donde se llevaron a cabo las entrevistas. Dichas empresas representan el segundo nivel en la cadena de producción. Los propietarios de estas firmas tienen en general un buen nivel de educación –en un caso se encontró incluso un doctor en tecnología de alimentos– y su origen de clase es media o media baja. Estas firmas tienen un capital fijo de 500.000 a 1.000.000 de dólares; ventas anuales de 150.000 a 200.000 dólares; y entre 15 y 20 empleados permanentes en la planta y además entre 60 y 200 temporales durante la temporada de recolección de aki que es de junio a septiembre. Casi todas son empresas familiares, excepto en un caso, donde la firma es una cooperativa de 140 miembros registrada como una empresa de responsabilidad limitada. La mayoría de estas firmas se iniciaron en los últimos 15 años, aunque el procesamiento del aki se remonta en Jamaica por lo menos a 1956. El año de más alta producción fue sin duda 1985, cuando fueron exportadas cerca de 75.000 cajas (cada una con 24 latas de 540 gramos). En 1987, esta cifra cayó hasta 62.400 cajas exportadas. Posteriormente en 1990 debido al efecto de un huracán en 1988, las exportaciones bajaron hasta 36.640 cajas, pero se elevaron a 46.828 otra vez en 1991 (Robins, 1992; Sidrak/Stair, 1992). Cifras oficiales registran que 51% de las exportaciones van a Gran Bretaña, 45% a Canadá y apenas 3% a Estados Unidos; el resto va al Caribe. Sin embargo, se estima que sólo cerca de 20% de las exportaciones a Canadá permanecen en este país, el resto entra a Estados Unidos por tierra. Algunos empacadores creen que parte de las exportaciones a Gran Bretaña también encuentran forma de entrar a Estados Unidos.

Las operaciones de estas pequeñas enlatadoras incluyen la compra a camioneros o comerciantes; la revisión, clasificación y limpieza del aki; la colocación de los aki en rejillas al aire libre para secarlos; el acarreo de las cargas de aki dentro de la fábrica donde se remueve la carne del fruto de la vaina, se retira la semilla y se limpia la fruta. Posteriormente la fruta es introducida manualmente en una lata con salmuera y colocada en una banda corta. Esta banda traslada las latas abiertas a través de la así llamada «caja de escape» que parece ser un túnel de metal de cerca de 40 pies de largo. Aquí se inyecta vapor en el túnel para calentar las latas a la temperatura necesaria para ser selladas. Después de que las latas son selladas se colocan en una canasta de metal que puede contener más de 100 latas. Un gancho levanta estas canastas y las coloca en una banda donde las latas son selladas y horneadas a temperaturas de 240°F y sometidas a una presión de 10 lbs/pulgada cuadrada, durante 20 minutos. La canasta con las latas es entonces removida de la banda, enfriada y una muestra es enviada a la Oficina de Normas de Jamaica para su prueba y aprobación lo cual puede tomar hasta un mes. Después de la aprobación, las latas son enviadas a varios de los grandes distribuidores donde ya llevan la marca de la enlatadora o, en algunos casos, la distribuidora pone su propia marca.

Es común que una empresa empaque para más de un gran distribuidor; que un gran distribuidor tenga diferentes empacadores cuyos productos son etiquetados con su marca; así como que las pequeñas firmas envíen además sus productos al mercado con su propia marca. El etiquetado para las grandes firmas es generalmente realizado por las pequeñas firmas, pero algunas veces la grande hace sus propias etiquetas. Por tanto, «diferentes» marcas de aki pueden de hecho venir de una misma planta procesadora. No es claro cuál es el *status* legal de estas complejas prácticas de etiquetado y dónde dejan al consumidor en términos de calidad y consistencia del producto, ni de quién es la responsabilidad legal. Esta compleja situación probablemente refleja dos hechos: por un lado, los grandes distribuidores realmente han evolucionado desde un modo de sustitución de importaciones en donde sus propias actividades de procesamiento eran mínimas; por otro lado, no existen los huertos de aki y por tanto el manejo de la logística de recolección en un gran número de pequeñas granjas tiene solamente costos y no beneficios para las grandes firmas y por tanto no les resulta atractiva.

Esto da lugar a la pregunta de cómo los akis son adquiridos por las fábricas. Hay diversas formas que, para la mayoría de las pequeñas firmas, incluyen una corriente continua de vendedores ambulantes que caminan por las calles con una o dos cajas de akis. Sin embargo, el principal sistema de compra depende de un número regular de agentes que mantienen una relación poco rígida con varias pequeñas firmas. Estos agentes son generalmente camioneros locales que conocen muy bien los alrededores y que pueden contactar un buen número de subagentes en las aldeas. El arreglo común es que cada camionero al inicio de la estación reúna un grupo de piscadores.

Estos son muchachos adolescentes del área que conocen muy bien en dónde existen árboles silvestres de aki en la zona y en las colinas cercanas. Su trabajo consiste en dirigir al camionero a los terrenos en donde ellos saben que hay árboles silvestres para «asaltar». También viajan a los alrededores y van de casa en casa con el camionero, y ofrecen comprar aki fuera del árbol. Los piscadores son parte esencial de las operaciones del camionero que prefiere obtener el aki directamente en los árboles. Lo más importante de todo es que el precio es más bajo para los camioneros que los obtienen de esta manera. Este trabajo casual solo requiere «dar algo de dinero» al piscador, más que pagarle un salario. Esta es una cantidad (cercana a 1 dólar por día) que se fija mientras los piscadores están trayendo el aki. Además, granjeros que tienen árboles de aki pueden traer pequeñas cantidades del fruto y apilarlo en la puerta del camionero para incorporarlo a la pila general. El punto de vista común entre los enlatadores es que la mayor parte de los akis acopiados por los camioneros es gratis, recogida sin paga por los piscadores y que es un excelente negocio para los camioneros. La sospecha que mantienen las firmas sobre éstos es similar a su actitud hacia los grandes distribuidores. Como un propietario señala:

> Bien, tomemos por ejemplo un caso, nosotros tenemos a un amigo llamado Shaw que tiene un pequeño camión. Y él viene y nos ofrece la caja de aki a un precio determinado. Después se va por ahí, y acarrea gente para que los pisque, y les

ofrece una cierta cantidad de dinero por la caja y nos las trae y hace algo de dinero extra. El no tiene un contrato. Aunque yo no diría que no lo tiene, ya que nosotros tenemos un pequeño libro por triplicado donde escribimos que le dimos a él una orden para traer 500 cajas. No es un contrato, sólo una orden para traernos esa cantidad. Su margen es bueno, ¿sabes? Sí, es bueno, cerca de 10 dólares jamaiquinos por caja, sí señor. El puede pasar todo un día piscando. Nosotros le pagamos 60 dólares jamaiquinos por caja. Negocio redondo, sí señor, el hombre hace un montón de dinero, ¡sí señor! Una pequeña anciana tiene algunos akis, ella no sabe su valor, y para ella no tienen ningún uso en el árbol, y él viene y le ofrece un poco de dinero por ellos. ¡Claro que ella se los da!

Este no es todo el problema entre los agentes y las pequeñas firmas. Problemas más grandes surgen cuando los agentes intentan pasar, como con frecuencia hacen, akis no abiertos o en mal estado a las pequeñas firmas. Una de las prácticas reportadas que presenciamos es la de empacar akis buenos en la parte de arriba y en el fondo de la bolsa en que se carga la fruta, mientras que en medio se llena de akis malos. Cuando los akis son comprados, el agente los vuelca fuera de la bolsa de tal manera, que parece que la mayor parte de los akis son buenos. Un cuidadoso escrutinio realizado por el capataz y el propietario pueden mostrar la decepción. Como resultado de esta clase de problemas, muchas firmas no le pagan a los agentes inmediatamente sino que desparraman los akis en una rejilla etiquetada con el nombre del agente durante unos días hasta que aquellos akis que están malos o demasiado inmaduros para ser abiertos, se muestran. Entonces sólo se les paga por los akis buenos.

Fuentes de desconfianza

En gran medida, la actitud de las pequeñas firmas hacia las grandes ha sido caracterizada por la misma desconfianza que guardan hacia los agentes de quienes obtienen los akis. Esta desconfianza va incluso más lejos, ya que la mayor parte de las pequeñas firmas ha tenido malas experiencias con los exportadores. Estas historias, de las cuales cada propietario tiene una colección, generalmente se refieren a un comprador en el extranjero que ordena un lote de akis o de otra fruta enlatada, pagando por adelantado en moneda extranjera. Mientras que la orden es preparada, el comprador manda un mensaje urgente incrementando la orden sustancialmente y prometiendo pagar tan pronto como la mercancía sea recibida. La pequeña firma, entusiasmada ante el prospecto de un jugoso negocio con un aparentemente confiable comprador extranjero, se apresura a enviar la mercancía. Semanas y meses pasan y no escuchan nada del comprador. Los esfuerzos por contactarlo en su dirección prueban ser inútiles y la pequeña firma tiene que absorber la pérdida.

Lo más interesante es que a pesar de estas experiencias con los extranjeros, una y otra vez los informantes repetían que es a los jamaiquinos a los que más hay que temer en los negocios, no a los extranjeros. Las relaciones entre grandes y pequeñas empresas no agotan la desconfianza reportada, porque es claro que además existen grandes sospechas sobre las actividades de las pequeñas firmas entre sí. Son abundantes las quejas acerca de la mortal batalla de precios de una pequeña firma compitiendo contra otra en la compra del aki. Esto es especialmente cierto al principio de la estación cuando algunos enlatadores buscan ganar el paso a la competencia e incrementar la producción mientras los precios son altos. Los propietarios también se quejan de algunos competidores que rondan sus empresas para espiar sus actividades, para ver qué clase de provisiones de aki tienen, quiénes son sus proveedores y cuál es el precio.

La mayor sospecha, sin embargo, se relaciona con el tema de las drogas. Han sido muy publicitados casos en donde droga (tanto marihuana como cocaína) ha sido sacada de contrabando en latas y un cierto numero de propietarios, incluyendo dos de los casos tratados aquí, han sido objeto de cargos por delitos de contrabando de drogas. Los propietarios tienen muchas historias de ofertas de cuantiosas sumas de dinero hechas a ellos mismos o a sus capataces como soborno a cambio de adaptar sus plantas para las operaciones del contrabando de drogas. Todos los propietarios toman gran cuidado en inhabilitar sus selladoras en la noche, mantener una escrupulosa observación sobre sus etiquetas y latas y controlar el acceso a la planta. Especial cuidado tiene que ser tomado cuando un *trailer* está siendo cargado para asegurarse de que estrictas precauciones sean observadas.

Fuentes de confianza

Dado que parece existir una saturada atmósfera de sospechas, ¿en qué sentido es posible hablar de la existencia de confianza entre los pequeños empresarios? En primer lugar, a pesar de lo que la gente dice y de los muchos ejemplos que están listos a citar, las pequeñas firmas comparten entre ellas ciertos servicios. Por ejemplo, algunos casos fueron mencionados en donde una firma presta a otra latas cuando repentinamente le faltan. Hay otros casos menos frecuentes pero que también se registran, donde una empresa envía su producto para ser enlatado por otra firma cuando hay una avería en la selladora. Dos de las firmas estudiadas compartían los servicios de mantenimiento de la selladora y el entrenamiento inicial de su fuerza de trabajo; esto fue revelado de manera tan incidental que casi se nos escapa su importante significado. En este caso, el jefe de mecánicos de una de las pequeñas firmas, quien tiene considerable experiencia y conocimiento, entrena a los trabajadores de la otra planta en el uso del equipo. Además realiza visitas regulares para el mantenimiento de la máquina. Se comparten también las órdenes muy grandes cuando éstas exceden la capacidad de una sola firma para procesarla. Pero, como fue señalado por nuestros informantes, esta colaboración es insuficiente para encarar los retos que las procesadoras de alimentos enfrentan en el mundo moderno. Es interesante, por tanto, examinar otros ejemplos de confianza de un tipo más duradero, más acordes con el concepto de «capital social» desarrollado por Coleman (1989) y otros autores.

Extraordinarios ejemplos de profunda confianza son revelados por los propietarios cuando se refieren a la forma en que se iniciaron en el negocio. Frecuentemente el mayor obstáculo para estas pequeñas firmas es reunir el capital inicial para lanzarse al negocio. En este punto, contar con intensas relaciones de confianza ha probado ser decisivo en todos los casos estudiados. En un caso, el capital inicial fue reunido por todos los miembros de la familia quienes hipotecaron todos sus bienes para iniciar el negocio. Si uno se da cuenta de lo importante que es la propiedad de la vivienda para la mayoría de los jamaiquinos, se puede apreciar la profundidad del compromiso en estas relaciones. En este caso particular, el actual propietario acababa de quedarse fuera del negocio y su suegro acababa de morir, dejando a sus cuñados en serias dificultades financieras. Los tíos políticos del propietario y la hipoteca de todas las propiedades familiares habían ayudado a fundar el negocio.

En otro caso, el negocio fue financiado por el hijo adoptivo del fundador quien decidió vender su automóvil y dar el dinero para el establecimiento del negocio sin recibir acciones de la empresa a cambio. A él se había unido un hermano de iglesia del fundador quien puso algo de efectivo a través de su banco, también sin participación accionaria. Más de cuatro años después, todos los intentos de pagar a los acreedores habían sido firmemente rechazados. Otros propietarios nos dijeron haber recibido ayuda para adquirir el terreno, equipo, tecnología y mercados a través de redes similares de amigos cercanos o familiares.

Lo que es impactante de todo esto, es que este «capital social», crucial en todas las fases de la operación del negocio, no está ampliamente distribuido entre todos los miembros de una comunidad, ni una iglesia, ni un sólo grupo étnico. En este sentido, los jamaiquinos no tienen nada que ver con la clase de solidaridad étnica que los coreanos en Estados Unidos son capaces de crear. La red de lealtad es construida sobre la base del contacto personal, conocimiento y mutuas obligaciones y, consecuentemente, se extiende menos lejos. Los que es más, tiene su origen, no en los sectores industriales o en otros agrupamientos socioeconómicos, sino en las redes personales de la estructura familiar y de amistades.

Por tanto, no es de sus colegas procesadores de alimentos de donde las pequeñas firmas pueden esperar solidaridad, sino de su círculo de amigos, de los hermanos y hermanas de su iglesia, y de sus contactos personales. De esta gente se espera que tengan un desinteresado interés en la prosperidad de uno, en fomentarla y protegerla en los tiempos difíciles. De aquí se desprende la conclusión de que será difícil construir la clase de relaciones de cooperación que parecen haberse dado en Italia central (Capecchi, 1989), y que son tan necesarias en el sector procesador de alimentos. Las tradiciones de colaboración simplemente no están aquí, no hay tampoco ninguna comparable autoridad gubernamental local o regional capaz de encauzar y comprometer recursos en este proceso.

El proceso podría tomar tiempo y proceder paso a paso a través de una serie de medidas para construir la confianza, que avancen conforme la gente se llegue a conocer entre sí, aprendan a trabajar unos junto a otros y desarrollen exitosas áreas de colaboración que muestren ser mutuamente benéficas. En el último año se han hecho esfuerzos para formar una asociación de procesadores de alimentos. Estos no han tenido éxito, principalmente por la escasez del producto básico, especialmente de akis, lo que significa que los piscadores, camioneros, enlatadores y distribuidores están necesariamente ubicados en una relación en la cual su supervivencia depende de ganarles el paso a sus colegas. Es la ausencia de un firme y seguro abastecimiento de frutas de calidad cultivadas en huertas, más que una arraigada inhabilidad para colaborar, la causa del limitado desarrollo del sector. El reto será encontrar un método para resolver este problema que no elimine a los pequeños participantes, desde el granjero al enlatador.

Percepciones de la vida en la ciudad: satisfacción y responsabilidad por la pobreza

Dados los dramáticos cambios que ocurrieron en Jamaica durante la última década, y particularmente el último año, las preguntas acerca del nivel de satisfacción probablemente tocaron un área sensible. Si se recuerda la observación del Instituto de Planeación de Jamaica, es fácil entender por qué dos tercios de la muestra urbana dijo que el nivel de su satisfacción personal era menor que hace diez años. Además, cuando les pedimos evaluar la situación económica actual de su familia, 71% dijo que ésta había declinado, mientras que cerca de nueve décimos de la muestra (88,5%) dijo que, desde su punto de vista, la gente está mucho menos satisfecha con la vida en Kingston que hace diez años (ver cuadro 10).

Es importante señalar que los niveles de satisfacción personal así como el sentimiento de declinación económica de la familia varían con la clase social en direcciones previsibles. Por otro lado, hay un acuerdo casi unánime en todas las clases sociales, respecto al deterioro de las condiciones de la población en general. El cuadro 10 también permite hacer la comparación entre las medidas objetivas y subjetivas de clase social, donde se observa una fuerte asociación entre la identificación subjetiva de clase y los sentimientos de declinación de la familia. En general, los niveles de educación probaron no estar estrechamente relacionados con estas valoraciones sociales, hecho que puede ser explicado por la relativamente floja relación entre educación e ingreso de nuestra muestra, especialmente para las mujeres.

Dado que se espera que los pobres sean los más vulnerables bajo el ajuste estructural, considerable atención fue dada a explorar la percepción de los entrevistados sobre la situación actual de los pobres y las causas de su pobreza. Las respuestas están combinadas en el cuadro11 donde se muestra el acuerdo general entre todas las clases de que la posición de los pobres había empeorado durante los últimos diez años (83,3%), de que las razones de la pobreza eran principalmente de orden estructural más que debidas a factores individuales (79,8%), y de que se había incrementado la polarización espacial entre ricos y pobres (66,0%).

Las razones estructurales de la pobreza en las cuales la muestra está de acuerdo incluyen la falta de empleos, bajos salarios, el fracaso del gobierno, injusticia social, y explotación por parte de los ricos. Las razones individuales incluyeron pereza personal, dependencia de alcohol y drogas, demasiados niños, o mala suerte. En el cuadro 11, se puede ver que aquellos que vivían en comunidades de clase media-baja se inclinaron a dar más peso a las explicaciones individualistas

Cuadro 10

Evaluación de la situación social de diferentes grupos por clase social

(En porcentajes)

Indicadores de clase social	Satisfacción personal. Dicen estar menos satisfechos	Posición económica de la familia. Dicen estar peor	Satisfacción general de la población. Dicen estar menos satisfechos
Area residencial			
Clase media-baja (246)*	56,1	58,9	88,2
Clase obrera (284)	75,0	75,7	88,4
Pobre (248)	71,8	76,3	88,6
Clase social subjetiva			
Clase alta o media (65)	40,0	47,7	86,2
Clase obrera (369)	61,7	64,9	86,7
Pobre (327)	79,8	82,6	90,5
Años de educación			
Menos de 9 años (348)	71,7	75,9	90,5
10-12 años (225)	64,2	66,4	87,6
13 años o más (193)	64,4	66,5	86,6
Total de la muestra (778)	*67,7*	*71,0*	*88,5*

* Frecuencias absolutas entre paréntesis.

de la pobreza, ya que un poco más de un cuarto (28,6%) citó este tipo de razones, en contraste con 14,7% de los residentes de las comunidades pobres (gamma = -0,25).

En vista de estas valoraciones generales de la declinación personal y social, es útil analizar el grado en el cual los miembros de la comunidad se dirigen hacia las organizaciones políticas tradicionales como una solución a los problemas del país. Una apreciación de su comportamiento político y sus actitudes puede ser obtenida de los datos en los cuadros 12 y 13. A pesar de que casi la totalidad de la muestra se identificó a sí misma como miembro de un partido y no hay diferencias significativas en esta variable entre clases sociales o niveles de educación, solamente 47,2% dijo haber votado en las últimas elecciones locales (cuadro 12). La afiliación casi universal a un partido refleja un aspecto único del sistema político jamaiquino, dado que la afiliación en uno de los dos grandes partidos está ampliamente extendida en las áreas de bajos ingresos. Sin embargo, dicha afiliación no siempre se traduce en una militancia política, como se refleja en los bajos niveles de participación electoral.

Hay una congruencia general entre la proporción de los que indicaron que participaban en política y aquéllos que apoyaban las actividades políticas como el

Cuadro 11

Evaluación de la situación social de los pobres por clase social

(En porcentajes)

Indicadores de clase social	Situación de los pobres. Dicen está peor	Causas de la pobreza. Dan razones estructurales	Polarización espacial de las clases. Dicen hay más polarización
Area residencial			
Clase media-baja (246)*	84,1	71,4	55,5
Clase obrera (284)	85,2	82,2	70,4
Pobre (248)	79,8	85,3	71,1
Clase social subjetiva			
Clase alta o media (65)	75,4	73,0	58,5
Clase obrera (369)	82,7	84,4	65,0
Pobre (327)	86,2	86,8	68,1
Años de educación			
Menos de 9 años (348)	80,0	80,1	69,5
10-12 años (225)	84,0	79,5	65,0
13 años o más (193)	88,1	79,1	60,6
Total de la muestra (778)	*83,3*	*79,8*	*66,0*

* Frecuencias absolutas entre paréntesis.

mejor medio de influir sobre la forma en que es manejado el país. Sin embargo, como se muestra en el cuadro 13, cuando se pidió a los entrevistados escoger entre la actividad política de los partidos y los esfuerzos de movilización de la comunidad hubo mucho más fuerte apoyo a estos últimos. Esta respuesta fue evidente en todas las clases sociales quienes argumentaron en favor de dar mayor poder a las organizaciones populares. No hubo una variación significativa en las respuestas entre las clases sociales aunque hay muestras de que los entrevistados que sentían que la situación de su familia había mejorado tenían más probabilidad de manifestar un apoyo preferencial a las actividades políticas.

Aunque las respuestas en el cuadro 13 sugieren que debería haber un alto nivel de apoyo al desarrollo de los esfuerzos de movilización comunitaria, lo cierto es que el nivel de actividad organizativo descrito por los entrevistados en sus propios barrios era muy bajo. En la mayoría de los casos, las actividades se limitaban a clubes deportivos y asociaciones cívicas. Aunque nuestros datos pueden estar indicando un potencial de organización no realizado, es difícil saber si éste se puede traducir en una efectiva movilización popular y en acciones para la autogestión comunitaria.

Cuadro 12

Actividad política por clase social

(En porcentajes)

Indicadores de clase social	Afiliados a un partido	Votaron en las elecciones locales
Area residencial		
Clase media-baja (245)*	98,0	46,9
Clase obrera (283)	99,0	47,0
Pobre (247)	97,0	47,8
Clase social subjetiva		
Clase alta o media (65)	98,5	44,6
Clase obrera (370)	99,5	46,6
Pobre (325)	98,2	48,5
Años de educación		
Menos de 9 años (346)	97,5	52,2
10-12 años (225)	99,6	40,4
13 años o más (194)	98,0	44,6
Total de la muestra (775)	*98,1*	*47,2*

* Frecuencias absolutas entre paréntesis.

Discusión

Para determinar los efectos de la crisis de los ochenta en las familias urbanas en Jamaica, es necesario situarlas en el contexto de su experiencia durante los setenta. Mientras que la crisis creó la conciencia común del estrechamiento de sus horizontes, su ubicación particular dentro de la estructura social fue en gran medida el resultado de la movilidad social y geográfica que había sido estimulada a través de las políticas redistributivas de la década anterior. Es esta posición social, que configuró sus expectativas de movilidad, la que modera su decepción ante las nuevas limitaciones, y la que puede finalmente determinar su decisión de establecer estructuras alternativas para el desarrollo.

En retrospectiva, las personas que respondieron a esta encuesta pertenecen a varios mundos diferentes. Están los propietarios de su vivienda en los suburbios de clase media baja y trabajadora, cuyas afirmaciones sobre la declinación general de la economía estuvieron con frecuencia combinadas con un reconocimiento de que ellos mismos habían mejorado su suerte durante la última década. Sin duda, la adquisición de su propia casa contribuyó en gran parte a este sentimiento de satisfacción. Al mismo tiempo que admitían el papel de los factores estructurales como limitantes de las oportunidades para los pobres, tendían a reconocer las oportunidades para la iniciativa personal.

Cuadro 13

Actitudes hacia la movilización política o comunitaria por clase social

(En porcentajes)

Indicadores de clase social	En favor de la actividad política	En favor de la acción comunitaria	Apoyan dar más poder a org. barrial
Area residencial:			
Clase media-baja (245)*	48,0	82,5	87,7
Clase obrera (283)	33,9	85,5	85,2
Pobre (247)	46,7	85,9	91,4
Clase social subjetiva:			
Clase alta o media (65)	41,5	84,6	83,1
Clase obrera (370)	48,8	90,8	87,3
Pobre (325)	35,7	85,1	83,5
Años de educación:			
Menos de 9 años (346)	38,7	85,1	89,8
10-12 años (225)	45,0	87,2	85,3
13 años o más (194)	46,6	82,0	87,1
Cambio económico de la familia en los últimos diez años:			
Mejor (112)	54,1	88,4	91,1
Igual (100)	38,0	82,2	85,5
Peor (545)	41,7	84,6	87,3
Total de la muestra (775)	*42,3*	*87,9*	*84,7*

* Frecuencias absolutas entre paréntesis.

Por el otro lado, está también la gente de niveles intermedios. Estos son los empleados de oficina y los vendedores, las enfermeras y los artesanos, cuya decisión de vivir «del otro lado del agua» (en los suburbios de Portmore y sus alrededores) fue incitada por la disponibilidad de casas de renta más baja. Para estos grupos, el escenario de los ochenta no ofrecía promesas de mejoría y el rápido aumento de precios sirvió solamente para incrementar el deseo de buscar una alternativa de migración al extranjero. El apoyo hacia las actividades políticas parecía ser el más bajo entre este grupo, debido a que era difícil para ellos creer en la posibilidad de un cambio importante en el país.

Finalmente, estaban los dejados atrás. Separados de toda posibilidad de tener una vivienda adecuada y atrapados en sus empleos poco remunerados, tenían pocas esperanzas de mejorar fuera de la tradicional estructura clientelista de los partidos, y por tanto tendían a aferrarse a éstos a pesar del debilitamiento de su base. La pregunta básica que surge a raíz de estos resultados es cuándo el descontento o la decepción se convierten en ira colectiva, ¿y si es probable que esta ira pueda por sí misma llegar a ser una fuerza para la movilización de la comunidad en formas que se extiendan más allá del bloqueo de calles para protestar por frustraciones ocasionales. Si éste fuera el caso, ¿son las estructuras políticas existentes suficientemente flexibles para responder a las nuevas demandas de participación genuina en la comunidad?

En verdad, estas preguntas permanecen sin respuesta al final de nuestra encuesta y después de casi una década de medidas de ajuste estructural. La dificultad para discernir cualquier patrón claro está en sí misma relacionada con la presión desigual y las selectivas oportunidades de apertura que el proceso de ajuste ha traído. Puede ser simplemente demasiado pronto para discernir si el proceso de reestructuración traerá beneficios netos a la masa de jamaiquinos urbanos o si intensificará la ya desigual distribución de los privilegios económicos. Ciertamente, la década de los noventa deberá arrojar respuestas decisivas.

La traducción de este trabajo estuvo a cargo de María A. Pozas.

Bibliografía

Anderson, Patricia (1987) Informal Sector or Secondary Labor Market? Towards a Synthesis, en *Social and Economic Studies* 36.

Best, Michael H. (1990) *The New Competition: Institutions of Industrial Restructuring.* Polity Press. Cambridge.

Capecchi, Vittorio (1989) The Informal Economy and the Development of Flexible Specialization in Emilia-Romagna, en Portes, A./Castells, M./Benton, L. (eds.), *The Informal Economy: Studies in Advance and Less Developed Countries.* The Johns Hopkins University Press, Baltimore.

Censo de Población de Jamaica Reporte Preliminar, 1992 Instituto de Estadística de Jamaica. Kingston.

Coleman, James S. (1989) Social Capital in the Creation of Human Capital, en *American Journal of Sociology* 54, nº 5 (Oct.).

Higman, Barry (1976) *Slave Population and Economy in Jamaica 1807-1834.* Cambridge University Press. Cambridge.

Instituto de Estadística de Jamaica (1992) *Yearbook of Statistics 1991.* Kingston.

Portes, Alejandro/Guarnizo, Luis (1991) Tropical Capitalists: U.S.-Bound Inmigration and Small Enterprise Development in the Dominican Republic, en Díaz Briquets, S./ Weintraub, S. (eds.), *Migration, Remmitances, and Small Business Development, Mexico and Caribbean basin Countries,* Westview Press. Boulder.

Portes, Alejandro/Schauffler, Richard (1993) Competing Perspectives on the Latin American Informal Sector, en *Population and Development Review* 19 (March).

Portes, Alejandro/Zhou, Min (1992) Gaining the Upper Hand: Economic Mobility among Immigrant and Domestic Minorities, en *Ethnic and Racial Studies* 15 (October).

Roberts, G.W./Nam, V. E. (1989) *A Study of Internal Migration in Jamaica; a Demographic Analysis.* Caricom Secretariat. Georgetown.

Robins, Andrea (1992) The Ackee Issue (Actas de la Segunda Conferencia Anual de la Sociedad de Jamaica para Servicios Agrícolas), en *Jagrist* 4 (April).

Sabel, Charles F. (1989) Flexible Specialization and Re-emergence of Regional Economies, en Paul Hirst/Jonathan Zeitlin (eds.), *Industrial Structure and Policy in Britain and Her Competitors.* Berg. New York.

Sheperd, V. A. Pens and Penkeepers in Plantation Society: Aspects of Jamaican Social and Economic History, 1740-1845. Tesis doctoral inédita. Departamento de Historia, Cambridge University.

Sidrak, George/Stair, Marjorie (1992) Developing Techniques for Improving and Propagating Ackee, en *Jagrist* 4 (April).

Weir, C.C. (s/f) *History of the Jamaican Citrus Industry.* Citrus Growers Association. Kingston.

La lucha ante el cambio: política y economía de la pobreza urbana

Alejandro Portes
José Itzigsohn

Los artículos incluidos en este libro se dedicaron a explorar las actitutes de los pobladores urbanos en cada país, relacionadas con los cambios en la vida de la ciudad y la participación política. Se analizó además la actividad informal a través de estudios de caso que permitieron evaluar los cambios en la estructura de las oportunidades abiertas a los sectores populares en cada ciudad. El objetivo de este capítulo final es integrar los diferentes resultados y proporcionar una visión de conjunto de la situación en las ciudades del Caribe después de una década de cambio apuntalada por la crisis económica y la subsecuente transformación de los modelos de desarrollo.

No pretendemos revisar todos y cada uno de los resultados presentados en los capítulos anteriores. Nuestra meta, en cambio, es realizar un análisis comparativo de dos aspectos clave del comportamiento popular. El primero, el político, es observado en la participación en partidos establecidos y en organizaciones populares comunitarias. El segundo, el económico, es observado en la figura de los empresarios populares. Ambos factores son cruciales en la medida en que revelan aspectos clave de las relaciones de los grupos menos favorecidos con el Estado y con el mercado regulado. La comparación del comportamiento político se realiza a partir del análisis cuantitativo de los resultados de las encuestas en las cinco ciudades, en tanto que el económico se basa en la comparación cualitativa de los estudios de caso de los empresarios informales en cada ciudad. Estos análisis revelan interesantes convergencias y divergencias entre los cinco países y nos proporcionan una lección de importancia teórica general.

Participación política en la ciudad: ¿el partido o las organizaciones de base?

La emergencia en América Latina de los llamados «nuevos actores sociales» tomó por sorpresa tanto a los analistas como a los partidos políticos establecidos. Estos «nuevos actores» comprenden una amplia variedad de organizaciones comunitarias populares que han surgido espontáneamente de las necesidades de sus respectivas bases sociales y que, en su mayor parte, han evitado enredarse con las organizaciones políticas tradicionales. A pesar de su aversión hacia los «políticos de siempre», estas organizaciones de base han venido a jugar de manera creciente un importante papel tanto en los acontecimientos locales como en los nacionales a través de sus demandas organizadas, sus protestas en masa, y el apoyo electoral a figuras con inclinación popular (Jelin, 1985; Fals Borda, 1992).

En este capítulo se analiza el comportamiento político de los grupos populares en las ciudades del Caribe, su involucramiento con las «nuevas» organizaciones comunitarias y las actitudes que hacia ellas mantienen. Se contrasta además de manera explícita este modo de participación con la afiliación en partidos políticos tradicionales y se analizan los factores que llevan a una u otra forma de participación. La principal contribución del artículo es una forma de análisis que combina tanto variables de nivel individual como de nivel nacional (sistema político), como determinantes potenciales de las diferencias observadas en la participación o simpatía por las organizaciones comunitarias de base.

El cambio hacia estas innovadoras formas de participación empezó en la década de los setenta y alcanzó su momento culminante en los ochenta en respuesta al surgimiento de regímenes autoritarios fuertemente represivos seguidos por una severa caída en la economía. En América Latina, la crisis económica inducida por la deuda externa llevó a una interrupción y posteriormente a un revertimiento del desarrollo económico. Al iniciarse la década de los ochenta los países de esta región empezaron a registrar uno tras otro tasas negativas de crecimiento (Iglesias, 1985; Lagos/Tokman, 1983; ECLA, 1990; PREALC, 1990). Durante los setenta y los primeros años de la siguiente década la situación se vio agravada por la presencia de dictaduras militares en muchos países que bloquearon los canales institucionales para la expresión del descontento (Lehman, 1990; Tironi, 1986).

En respuesta, los pobladores de las zonas marginadas y otros grupos populares empezaron a crear sus propias organizaciones de base para sobrevivir y para la gradual expansión de espacios alternativos donde presentar sus demandas. Para evitar la represión, rechazaron resueltamente el contacto con los partidos políticos existentes y se concentraron en cambio alrededor de incuestionables demandas: educación y salud para los niños, atención a las madres, acceso a alimentos y productos de primera necesidad, albergue, y protección contra el crimen (Cardoso, 1983). A diferencia de los sindicatos, las organizaciones comunitarias no se organizaron alrededor de sus lugares de trabajo ya que muchos de sus miembros eran desempleados, sino que se organizaron en el lugar de residencia (Razeto, 1985; Schkolnik, 1986; Friedmann, 1989). Estos grupos vecinales –asociaciones de madres, centros juveniles, cooperativas de vivienda, cocinas comunales, y otros– mostraron ser tan exitosos que no solamente resistieron las dictaduras militares de los setenta, sino que contribuyeron efectivamente a su dimisión y entonces procedieron a expandirse de la ciudad hacia el nivel nacional (Campero, 1987; Hardy, 1987; Matos Mar, 1985).

La literatura en ciencias sociales sobre estos «nuevos actores» se divide entre los autores que vieron su crecimiento como signo de un cambio cualitativo en las relaciones entre la sociedad civil y el Estado, y aquellos que los percibieron sólo como una innovadora respuesta popular ante condiciones políticas inusualmente difíciles. Slater (1985), y Friedmann (1989) hicieron eco al optimismo de los científicos sociales, particularmente en Chile, quienes consideraron estos autónomos grupos comunitarios como los cimientos para la construcción de una sociedad verdaderamente democrática. Otros como Portes y Johns (1989), Eckstein (1989), y Cardoso (1992) fueron menos optimistas respecto a la capacidad transformadora de los movimientos populares y vieron su crecimiento como dependiente de los espacios de oportunidad creados por el sistema político dominante. A diferencia de los más entusiastas exponentes de la primera posición, quienes retrataron los movimientos basados en las comunidades como un nuevo fenómeno global que trascendía las diferencias nacionales, los autores de la segunda escuela consideraron la participación popular en estos movimientos como dependiente tanto de variables individuales como del sistema político nacional.

La emergencia de los nuevos actores sociales en América Latina y los debates teóricos y políticos que los rodean pueden sintetizarse en las siguientes cuatro preguntas que guiarán nuestro análisis:

1. ¿Cuál es el grado real de participación de los sectores urbanos populares en las nuevas organizaciones comunitarias de base *versus* los partidos políticos tradicionales?

2. ¿Cuáles son las actitudes de estos sectores populares hacia ambas formas de participación política?

3. ¿Hasta qué punto las actitudes y la participación política se ven influenciadas por variables de nivel individual, tales como educación, ocupación, edad y género?

4. ¿Hasta qué punto las actitudes y la participación política se ven influenciadas por las diferencias entre los sistemas políticos y el carácter del Estado nacional de los diferentes países?

Diferencias en el sistema político de los países

Los datos y los principios metodológicos que guían este estudio fueron descritos ampliamente en los capítulos anteriores. Las diferencias entre los países seleccionados también fueron discutidas en los capítulos 1 y 2. Sin embargo, es necesario enfatizar los contrastes entre sus sistemas políticos como necesaria introducción al análisis de las preguntas planteadas, particularmente para la discusión de la última:

– Costa Rica, según se vio en un capítulo previo, es uno de los países más democráticos en el continente donde el Estado garantiza los derechos humanos y civiles y estimula la participación de los ciudadanos en la política electoral a través de los partidos establecidos. Por otro lado, aunque no activamente impulsados por el Estado, florecen las comunidades de base como actores sociales y, dado que se consideran legales, tienen garantizado el acceso a las autoridades.

– Guatemala se ubica en el otro extremo con una historia de represión de las organizaciones populares que se remonta al derrocamiento, patrocinado por la CIA, del presidente electo Arbenz, en 1954. Desde entonces la vida política ha sido dominada por una alianza entre las fuerzas armadas y una élite económica atrincherada en el poder. Escuadrones paramilitares de la muerte fueron usados libremente para intimidar o eliminar a los oponentes del orden existente. Desde mediados de los ochenta, Guatemala atraviesa por un proceso de democratización, sin embargo, el país es todavía políticamente inestable.

– República Dominicana es una incipiente democracia con un fuerte régimen presidencial. Desde la invasión norteamericana al frustrado despegue nacionalista del país en 1964, la vida política en Dominicana ha estado dominada por la figura de Joaquín Balaguer, quien ha sido electo presidente repetidamente, aunque con frecuencia bajo sospecha de fraude. Desde los últimos años de los setenta, sin embargo, se ha permitido la competencia abierta de los partidos políticos, y se ha debilitado la influencia de los militares en el gobierno. Las organizaciones comunitarias de base son legales y rara vez el gobierno interviene en ellas (Lozano/ Duarte, 1992; Dore Cabral, 1985).

– El vecino Haití continúa su turbulenta vida política. Después de un breve hiato de democracia bajo el presidente Jean Bertrand Aristide, la alianza de las fuerzas armadas con la élite económica restauró su hegemonía haciendo uso de cualquier medio para mantenerse en el poder. También aquí fueron libremente utilizados escuadrones de la muerte para intimidar y deshacerse de sus oponentes. La campaña electoral de Aristide había ganado amplio apoyo popular y su posterior elección había estimulado las movilizaciones populares y la esperanza de transformar el viejo orden político. Después del golpe, los militares desarrollaron una campaña para desactivar las organizaciones de base (Manigat, 1992; Trouillot, 1990). La intervención armada de Estados Unidos finalmente abolió la dictadura y restauró a Aristide en el poder. Sin embargo, las instituciones del país son aún muy frágiles y su futuro democrático es todavía incierto.

– El sistema parlamentario de Jamaica es un legado del período colonial británico. En este país se ha desarrollado una sucesión ininterrumpida de administraciones elegidas democráticamente, pero las elecciones son frecuentemente marcadas por la violencia generalizada. Los dos partidos que se alternan en el poder –el Partido Laboral de Jamaica (JLP) y el Partido Nacional de la Gente (PNP)– cuentan con amplio apoyo popular. Durante la década de los setenta y principios de los ochenta, bandas armadas de ambos partidos escenificaron con frecuencia violentas confrontaciones en las zonas marginadas de Kingston y otras áreas urbanas lo que llevó a un clima de inestabilidad y temor generalizado (Gordon/Dixon, 1992).

El análisis que se desarrolla a continuación está basado en el total de las cinco muestras nacionales descritas en los capítulos anteriores. La muestra en conjunto consiste en 2.300 casos tomados de las cinco ciudades capitales. El cuestionario incluye preguntas sobre sexo, edad, estado civil, *status* migratorio, educación, ocupación, ingreso, y autoidentificación de clase que son utilizadas como predictores de la participación política. Los indicadores de la última incluyen afiliación a partidos políticos, participación en organizaciones comunitarias de base y actitudes hacia ambas formas de participación política.

Las formas de participación y sus determinantes

La tabulación preliminar de los resultados de las encuestas revela un interesante patrón de variación tanto entre las variables dependientes como entre los países.

El énfasis dado en los trabajos latinoamericanos a las organizaciones populares como la forma preferida de la expresión política popular, no es confirmado por estos resultados. Como muestra el cuadro 1, los miembros activos en cualquier clase de organización comunitaria representan una minúscula minoría, alrededor de 10% en la mayor parte de los países y en la muestra en su conjunto.

Por otro lado, la participación en los partidos políticos establecidos alcanza cerca de la mitad (47%) de la muestra combinada. Este dato se ve exagerado por los resultados de Kingston donde casi todos los entrevistados son miembros de uno de los dos principales partidos. Sin embargo, en las otras dos democracias —Costa Rica y República Dominicana— la participación en los partidos políticos excede también la participación en las organizaciones con base en las comunidades (1).

Hay notables diferencias entre estos países y los dos restantes. En Guatemala y Haití, ambos países gobernados por dictaduras militares o regímenes civiles controlados militarmente, la participación de los sectores populares en los partidos políticos es mínima. Esta ausencia de participación no se ve compensada por las organizaciones populares ya que la participación en las mismas es también muy baja. Este patrón general de desmovilización popular y apatía es también evidente en la preguntas sobre actitudes, especialmente en el caso de Guatemala.

Hay una inversión significativa entre el comportamiento político y las actitudes hacia los partidos y las organizaciones de base. Como se muestra en el cuadro 1, las mayorías en todos los partidos apoyan las organizaciones de base como «las organizaciones que realmente representan la voluntad popular» y consideran que se les debe investir con mayor poder. En cuatro de los cinco países y en el total de la muestra, esta postura es significativamente más alta que la de aquellos que apoyan a los partidos políticos. La única excepción es Haití, pero en este caso la diferencia entre las dos posiciones no es estadísticamente significativa (2).

La mayor simpatía por las comunidades de base entre nuestros entrevistados es aún más evidente en las dos últimas líneas del cuadro 1. Estas presentan la distribución de los resultados de una obligada respuesta a una pregunta de elección múltiple acerca de cómo cree que utilizan su tiempo libre los habitantes de los barrios populares. Con la excepción de Guatemala, la mayoría en todos los países eligió la opción de «uniéndose a una organización de base para mejorar el vecindario». Dos tercios del total de la muestra eligieron esta alternativa, mientras que

---

1. La pregunta sobre la afiliación a un partido político fue omitida en la encuesta en San José porque el momento de su aplicación coincidió con unas elecciones fuertemente competidas y el equipo de investigación local la consideró una pregunta demasiado delicada. Los resultados en el cuadro 1 son una estimación derivada de los resultados de la votación para los dos principales partidos –el Partido de Liberación Nacional (PLN) y el Partido de la Unidad Social Cristiana (PUSC)– en las elecciones primarias que tuvieron lugar en la primera mitad de junio de 1993. El porcentaje de votantes en las áreas populares fue estimado dividiendo el total de los votos por el número de votantes registrados en estas áreas.
2. El alto apoyo a los partidos políticos en Haití puede ser el resultado del momento en que se llevó a cabo la encuesta durante la presidencia de Aristide. Aristide fue electo con fuerte apoyo popular y su triunfo estimuló las esperanzas de que el involucramiento de la gente común en el sistema político podría ayudar a transformar el país. Tales esperanzas pueden haberse reflejado en las respuestas de los entrevistados a esta pregunta. Ver Manigat (en este libro) y Trouillot, 1990.

Cuadro 1

Participation and attitudes toward Party Politics and Community Grassroots Organizations in the Caribbean Basin, 1992

(In Percentages)

Variable	Country					
	Costa Rica	Dominican Republic	Guatemala	Haiti	Jamaica	Total
Belongs to a Political Party	(40,0)[1]	21,3	4,0	4,0	98,1	47,0[2]
Belongs to a Community Organization[3]	12,5	11,4	4,5	12,0	2,3	7,3
Supports Participation in Party Politics	58,5	59,8	21,3	60,7	41,4	46,6
Supports Community Grassroots Organizations	74,5	87,1	65,8	55,0	86,0	76,6
Believes Community Organizations can Accomplish:						
a. Nothing[4]	48,5	46,9	71,8	76,0	39,5	52,8
b. Something	28,3	36,2	21,0	21,3	44,1	32,9
c. A Great Deal	23,2	16,9	7,2	2,7	16,4	14,3
Best Use of Free Time is:						
a. To join a political party	7,5	12,9	3,3	8,0	6,8	7,5
b. To join a community organization	62,3	60,3	45,8	54,7	83,8	65,5
c. To remain at home	30,2	26,8	50,9	37,3	9,4	28,0
N[5]	400	403	400	300	792	2.295

1. Estimate based on other published sources.
2. Weighted average, excluding Costa Rica.
3. Missing cases classified as non-participants.
4. Includes «don't know» responses.
5. Missing data excluded.

menos de 10% optó por la respuesta «uniéndose a un partido para resolver los problemas de esta ciudad». Las muestras haitiana y guatemalteca mostraron la más alta proporción de entrevistados que eligieron la opción de haciendo-nada («se quedan en casa»). La apatía hacia la participación popular en estos países es también evidente en la distribución de las respuestas a otra pregunta que inquiría sobre qué tanto pueden lograr las organizaciones comunitarias para sus miembros. Cerca de 70% de los guatemaltecos y haitianos no creían o no sabían que las organizaciones comunitarias hubieran logrado o pudieran lograr algo. En tanto que en los tres países democráticos este tipo de respuesta fue elegida por menos del 50% (3).

Estos resultados preliminares muestran, primero, una notable diferencia entre las expectativas teóricas respecto al grado de involucramiento popular con los «nuevos actores sociales» y la participación real en este tipo de organizaciones. Segundo, éstos muestran una distancia igualmente notable entre el apoyo verbal a estos movimientos populares y la activa participación en los mismos. Tercero, estos patrones de comportamiento revelan una disparidad entre países que confirma las teorías existentes sobre los efectos de los sistemas políticos nacionales en las movilizaciones populares (Leeds, 1969; Portes/Walton, 1976). Sin embargo, esta última conclusión debe ser probada contra la posibilidad real de que las diferencias entre nuestras cuatro muestras sea un resultado espurio debido a las diferencias de edad, sexo, educación y perfil ocupacional. Examinemos estas alternativas.

A pesar de la diferencia entre las actitudes y el comportamiento, ambos factores no dejan de estar correlacionados. El cuadro 2 presenta los coeficientes de asociación entre la participación en partidos y en las organizaciones de base y los índices de las actitudes hacia las dos formas de activismo en el total de la muestra y en cada país en particular (4). Los resultados muestran una positiva y significativa asociación entre cada índice actitudinal y su respectivo comportamiento y, con la parcial excepción de Haití, una correlación más alta entre las actitudes y el comportamiento dentro de cada forma de participación política que entre ellas (5). Podemos interpretar estos resultados como confirmación de la consistencia interna de los datos más que como indicadores de una dirección causal. En una encuesta transversal como la presente, no es posible asegurar que la afirmación de opiniones «causen» comportamiento y no a la inversa. En vez de esto consideraremos las actitudes políticas y la participación como dos variables dependientes separadas y examinaremos su relación con los predictores individuales y entre los países.

El análisis multivariado nos permitirá examinar si las diferencias a nivel individual en el total de la muestra explican la variación observada en las actitudes políticas y en el comportamiento o si, al contrario, el contraste entre los sistemas políticos nacionales es el principal determinante de esta variación. Los datos relevantes son presentados en el cuadro 3, éstos consisten en una serie de regresiones logísticas de las cuatro variables dependientes con todos los predictores incluyendo las características individuales y la nacionalidad. Esta última variable se utiliza como representación de las diferencias en los sistemas políticos. Los coeficientes de las regresiones indican la variación neta (incremento-decremento)

---

3. Una prueba de significación de la diferencia entre las respuestas en Guatemala y Haití *versus* los otros países combinados arrojó una chi cuadrada con 3 grados de libertad, de 0,001 de significación.
4. Jamaica fue excluida de este análisis porque la afiliación a un partido es casi universal lo cual desvía los resultados de la muestra en su conjunto.
5. Fue conducido un análisis factorial y de conjuntos de los ítems actitudinales 3, 4, 5, y 6. El análisis revela una clara estructura dual con los ítems de «partidos políticos» agrupándose y cargándose en un solo factor y los de «grupos comunitarios» agrupándose en un segundo factor.

en el logaritmo de la probabilidad de apoyo o participación en las comunidades o los partidos políticos, asociada con una unidad de incremento en cada predictor, controlado por otros. Para ofrecer un sentido más claro del significado de estos resultados, las columnas marcadas con p presentan la variación neta en la probabilidad de apoyo o participación de cada efecto significativo. Los predictores significativos son definidos como aquellos que exceden al menos por el doble a sus errores *standard*.

Educación e ingreso entran dentro de esta ecuación como variables continuas con la educación medida en años cursados y el ingreso como el logaritmo del ingreso mensual en 1992 expresado en su equivalente en dólares. La ocupación es también incorporada como una variable continua, medida de acuerdo al Registro Internacional del Prestigio de las Ocupaciones de Treiman (1977). El tipo de ocupación es también incluido como una variable categórica. Los coeficientes asociados con ésta y otras variables categóricas en las ecuaciones representan efectos relativos ya sea al efecto total de la respectiva variable o a la omisión de su categoría. En el caso de la ocupación la categoría omitida es «empleadores»; para la identificación de clase, la omitida es «clase media»; y para el país es Guatemala (6). En los primeros dos casos, los efectos individuales son estimados en relación con el efecto total: para el país, se eligió hacer los efectos relativos a Guatemala (7).

El cuadro 3 revela un claro patrón en los resultados en donde las diferencias entre los países muestran ser inmensamente más poderosas como predictores de las actitudes y el comportamiento que las variables de carácter individual. Una vez que las diferencias nacionales son introducidas en las ecuaciones, ningún otro predictor mantiene un efecto significativo sobre la participación en las organizaciones comunitarias o la pertenencia a un partido. Las variables actitudinales muestran, sin embargo, la influencia de varias características individuales, pero en este caso los efectos no siguen un patrón definido; los individuos casados y aquellos que se identifican a sí mismos como pertenecientes a la clase trabajadora tienen significativamente mayor probabilidad de preferir a las organizaciones comunitarias; en tanto que los entrevistados, los hombres, los más educados, y los de mayor ingreso entre los entrevistados muestran mayor probabilidad de inclinarse hacia los partidos políticos.

El efecto combinado de estas tres variables individuales sobre la actitud hacia los partidos es muy fuerte. Por ejemplo, un hombre con un nivel de educación escolar de 12 años y un ingreso mensual de 400 dólares tiene 47% más de probabilidad de favorecer la participación en un partido que una mujer con 6 años de escolaridad y un ingreso mensual de 150 dólares (8). No obstante los efectos más

6. La estimación de los efectos de las variables categóricas requiere la exclusión de una categoría. De otro modo los resultados estarían sesgados.
7. Este modo de presentar los efectos de la nacionalidad no altera de manera sustantiva los resultados. Estos serían los mismos si se hubiera usado alternativamente el total de la variable contraste.
8. Las probabilidades fueron calculadas para la muestra de Guatemala como la categoría nacional omitida. La probabilidad real de favorecer la participación en un partido fue de 45,8% para el hombre hipotético y de 31,1% para la mujer.

Cuadro 2

Zero-order Correlations of Attitudes and Participation in Political Parties and Grassroots Community Organizations, 1992

Country	Membership in	Attitudes toward	
		Political Parties[1]	Community Organizations[2]
Costa Rica	Political Party	---	---[3]
	Community Organization	0,026	0,272 *
Guatemala	Political Party	0,375 **	0,049
	Community Organization	0,093	0,216 *
Dominican Republic	Political Party	0,303 **	0,029
	Community Organization	0,079	0,203 *
Haiti	Political Party	0,276 **	-0,019
	Community Organization	0,226 **	0,187 *
Total	Political Party	0,332 **	0,107**
	Community Organization	0,127 **	0,225**

* p < 0,01
** pp < 0,001

1. Summated index of positive responses to items 3 and 6a in Table 2.
2. Summated index of positive responses to items 4, 5 and 6b in Table 2. Item 5 was dichotomized as «nothing» *versus* «something/a greal deal».
3. Question about party membership omitted in the San José survey.

fuertes en estas ecuaciones continúan siendo los asociados con el país y siguen un patrón inequívoco. En comparación con los entrevistados guatemaltecos, todos los otros miembros de la muestra, excepto los jamaiquinos, poseen niveles significativamente más altos de participación en las organizaciones populares, y todos, excepto los haitianos, tienen significativamente mayor probabilidad de apoyar tales organizaciones. Los haitianos comparten con los guatemaltecos un nivel de participación en partidos significativamente inferior a los de los otros dos grupos nacionales de los cuales se tenía información disponible; pero los guatemaltecos se distinguen además por sus actitudes negativas hacia el sistema de partidos (9).

Estos resultados indican que la mayor parte de las características individuales deja de tener una asociación significativa con las actitudes y el comportamiento

9. Comparados con los guatemaltecos, los dominicanos y costarricenses tienen 32% más de probabilidad de apoyar la afiliación a los partidos, los haitianos 27%, y los jamaiquinos 21%. Los jamaquinos se agrupan en el nivel inferior de las diferencias actitudinales, pero su probabilidad de afiliación a un partido excede la de los guatemaltecos en un extraordinario 67%.

Cuadro 3

Logistic Regressions of Community and Political Participation by Selected Predictors, 1992

Predictor[1]	Community Organizations — Attitude Toward:			Participation In:		
	B[2]	S.E.[3]	ΔP[4]	B	S.E.	ΔP
Sex (Women)	0,148	0,121	–	-0,256	0,211	–
Age	-0,005	0,005	–	-0,008	0,008	–
Migrant	0,049	0,114	–	0,184	0,196	–
Married	0,400**	0,122	0,097	0,160	0,215	–
Years of Education	-0,017	0,015	–	0,047	0,025	–
Occupational Status	0,010	0,006	–	0,010	0,009	–
Type of Occupation:[5]						
Jobless	0,022	0,236	–	0,581	0,402	–
Informal Worker	0,252	0,237	–	0,308	0,405	–
Formal Worker	0,044	0,217	–	0,051	0,375	–
Self-Employed	-0,236	0,217	–	0,176	0,377	–
Income	0,169	0,107	–	-0,066	0,177	–
Class Identification:[5]						
Poor	0,162	0,164	–	0,495	0,271	–
Working-Class	0,455**	0,161	0,109	-0,291	0,255	–
Country:[5]						
Jamaica	1.892**	0,194	0,351	-0,923 *	0,439	-0,41
Costa Rica	0,530**	0,160	0,126	1.297**	0,318	0,147
Dominican Republic	0,998**	0,164	0,223	1.049**	0,320	0,108
Haiti	-0,150	0,197	–	0,886 *	0,373	0,085
Model Chi-Square		233.906**			83.146**	
Degrees of Freedom		17			17	

Cuadro 3 (cont.)

Predictor	Political Parties — Attitude Toward:			Participation In:		
	B	S.E.	ΔP	B	S.E.	ΔP
Sex (Women)	-0,228 *	0,104	-0,056	-0,256	0,234	–
Age	-0,004	0,004	–	-0,008	0,010	–
Migrant	-0,040	0,109	–	-0,487	0,258	–
Married	-0,122	0,114	–	-0,248	0,254	–
Years of Education	0,066**	0,015	0,016	0,030	0,029	–
Occupational Status	0,008	0,005	–	-0,009	0,011	–
Type of Occupation:						
Jobless	-0,115	0,228	–	0,051	0,504	–
Informal Worker	-0,357	0,223	–	-0,209	0,510	–
Formal Worker	-0,325	0,209	–	0,305	0,461	–
Self-Employed	-0,109	0,212	–	0,249	0,461	–
Income	0,301**	0,099	0,0007	0,076	0,205	–
Class Identification:						
Poor	-0,233	0,167	–	-0,147	0,315	–
Working-Class	.0,122	0,163	–	-0,381	0,316	–
Country:						
Jamaica	0,941**	0,183	0,207	8.291**	0,616	0,666
Costa Rica	1.679**	0,175	0,317			
Dominican Republic	1,681**	0,175	0,317	1.983**	0,332	0,451
Haiti	1,346**	0,209	0,274	0,456	0,451	
Model Chi-Square		231.364**			1342.423**	
Degrees of Freedom		17			16	

* $p < 0,05$; ** $p < 0,01$

1. Variable coded in agreement with their labels. Words in parentheses indicated higher-coded category. 2. Logistic regression coefficients. 3. Standard errors of regression. 4. Net probability of change in the dependent variable per unit change of each predictor, evaluated at the mean. 5. Effects of categorical variables are relative to an omitted category. See text.

políticos una vez que las diferencias entre países son tomadas en cuenta. Por tanto, la conclusión obvia es que los factores sistémicos asociados con la política nacional juegan un papel central en la definición de los patrones de la participación popular. Al interior del país las diferencias en el activismo político, analizadas en los capítulos previos, son todavía explicables a través de factores individuales. Sin embargo, dichas diferencias ocurren dentro de contextos nacionales donde el promedio y el comportamiento político esperado de los grupos populares varían considerablemente.

Una palabra más debe decirse acerca de la forma en que los sistemas políticos afectan las actitudes y la participación política. Ya en el cuadro 1 se mostró que los dominicanos, los costarricenses y los jamaiquinos comparten un patrón similar de participación más alta en los partidos políticos que en las organizaciones comunitarias pero, al mismo tiempo, mostraban un grado mayor de simpatía y apoyo hacia estas organizaciones que hacia los partidos políticos. Esto puede estar relacionado con el hecho de que en los sistemas democráticos la gente tiene acceso a los bienes públicos y privados a través de los sistemas de partido pero no se valúa la participación *per se*. El ejemplo más notorio es el caso de los jamaiquinos, donde niveles extremadamente altos de afiliación a un partido se encuentran aparejados con niveles extremadamente bajos de apoyo a esta forma de participación (4,4%). Esto puede ser explicado por la importancia fundamental de las relaciones clientelistas en el sistema político jamaiquino y el consecuente carácter instrumental de la participación de los grupos populares. Guatemala, como un ejemplo de un sistema político no democrático, muestra grados muy bajos de participación y apoyo a los partidos políticos lo que se explica por el hecho de que los sectores populares, bajo esas condiciones, no encuentran incentivos para participar o apoyar a los partidos políticos establecidos.

La economía informal: acumulación y subsistencia

La economía informal ha sido alternativamente descontada como actividad de último recurso de los marginados del empleo formal o alabada como la solución a los problemas de desempleo urbano en América Latina. Como se discutió en el primer capítulo, esta última posición fue fuertemente defendida por el economista peruano Hernando de Soto (1989) y posteriormente adoptada por la Agencia Norteamericana de Desarrollo Internacional a pesar de la escasa evidencia empírica que la sustenta. Los estudios de caso de los empresarios informales presentados en los cinco capítulos anteriores contienen importantes lecciones acerca del carácter y la promesa potencial de estas actividades. En este capítulo nos basaremos en ellos para realizar el análisis comparado del comportamiento económico popular. El propósito de este ejercicio no es documentar de nuevo el ingenio de los pobres, hecho bien establecido en previas investigaciones, sino explorar el potencial de crecimiento y acumulación de las empresas informales.

La economía informal no es homogénea. Al contrario, está compuesta de un conjunto de actividades económicas muy diversas. Los análisis estructuralistas en la materia han desarrollado una tipología que intenta capturar las principales clases de empresa informal. Esta tipología distingue entre actividades directas de subsistencia; actividades de producción y comercio subordinado a empresas en el sector formal; y conjuntos autónomos de pequeñas empresas con capacidad de crecimiento y adopción de tecnología. Son las empresas del último tipo las que proporcionan las bases para la implementación de políticas que apoyen el desarrollo de microempresarios. En América Latina, los primeros dos tipos predominaron durante el período de sustitución de importaciones en tanto que no se reportaron ejemplos del tercer tipo.

Hasta ahora nada como los «distritos industriales» de Italia central u otros lugares en Europa, compuestos de cooperativas autónomas de pequeñas empresas, ha sido descubierto en ninguna parte de esta región (Capecchi, 1989; Benería, 1989; Pérez-Sáinz, en este libro). En esta sección se explora el potencial para la emergencia de estos distritos con base en las lecciones obtenidas de nuestros casos de estudio y otros trabajos similares.

Heterogeneidad de la economía informal

Los estudios de los países proporcionan una muestra limitada de los tipos de actividad informal mencionados antes. Los zapateros en San José, los talleres de metales en Puerto Príncipe y los artesanos joyeros en Santo Domingo son ejemplos de actividades directas de subsistencia. Los productores de ropa en Santo Domingo y San Pedro Sacatepéquez (Guatemala) ofrecen una ilustración de actividades informales subordinadas a firmas capitalistas formales. Los enlatadores de fruta en Jamaica representan un ejemplo de pequeñas firmas con un cierto potencial de acumulación de capital y crecimiento. Una mirada más cercana a cada uno de éstos revela importantes pistas para entender las fuentes de la heterogeneidad y las limitaciones de las pequeñas firmas bajo el nuevo modelo de desarrollo.

Una comparación entre los artesanos joyeros en Santo Domingo, los zapateros en San José y los talleres de metales en Puerto Príncipe muestran la amplia variedad de actividades directas de subsistencia en que los grupos populares se encuentran involucrados. Los artesanos en Santo Domingo son pequeños productores o autoempleados que trabajan duro para lograr sus fines. Los dos empresarios entrevistados en Puerto Príncipe son ejemplos exitosos de supervivencia en una economía urbana altamente competitiva y en su mayoría informal. Ellos no están incluidos dentro del tercer tipo (crecimiento autónomo) por dos razones. Primero, su éxito no se basa en ninguna forma de inversión de capital o incremento de productividad, sino en la superexplotación de su fuerza de trabajo incluyendo trabajadores no pagados. Segundo, aunque éstos han sobrevivido hasta ahora, sabemos que su situación en el negocio es todavía muy precaria. El caso de los zapateros en San José representa una situación diferente. Mientras que una minoría entre ellos se las ha arreglado para invertir en maquinaria y expandir su producción, la mayor parte mantiene sus empresas en el nivel de reproducción simple. Estos no han tenido que luchar tan duro para sobrevivir como aquellos en Santo Domingo o Puerto Príncipe, pero tampoco representan exitosos ejemplos de empresariado informal.

Si miramos ahora los casos de producción informal subordinada, observamos de nuevo diferentes situaciones. Los productores de ropa en Santo Domingo representan un caso de pequeños productores subordinados al capital doméstico formal. Los productores de ropa en San Pedro Sacatepéquez están subordinados al capital comercial local en Ciudad de Guatemala, a ensambladores domésticos, y a una firma subcontratista norteamericana. Esta última conexión ha sido la más dinámica en términos tanto de expansión como de empleo e inversión en maquinaria. Sin embargo, al mismo tiempo las hace vulnerables por su dependencia a un comprador único. Finalmente, un estudio de caso posee características que reproducen aquellas de las más dinámicas empresas informales en otras partes del mundo, se trata de los procesadores de alimentos en Jamaica. Este caso ofrece una importante lección porque su dinamismo está asociado con una clase muy particular de exportación. Su crecimiento está asociado con la emergencia de comunidades de inmigrantes jamaiquinos principalmente en Estados Unidos, y la demanda de productos de su país de origen generada por estas comunidades.

Por tanto, incluso en nuestra pequeña muestra de actividades, el mundo de la informalidad muestra en sí mismo una gran complejidad. Estos estudios indican la presencia en el Caribe de nuevas formas de empresa informal, ya sea de firmas autónomas vinculadas a la migración o de productores vinculados a subcontratistas internacionales, que van más allá de las tradicionales actividades de subsistencia. Investigaciones previas han mostrado la existencia de vínculos productivos entre unidades económicas informales y grandes corporaciones a través de la mediación de firmas nacionales formales (Benería /Roldan, 1987). Lo novedoso de estos estudios de caso es que muestran la articulación de algunas actividades informales directamente dentro de una economía de exportación con su mercado final en Estados Unidos. Los hallazgos también indican que algunas actividades de subsistencia están vinculadas a mercados de consumidores de bajos ingresos, mientras que otras dependen de industrias globales tales como el turismo. Sobre todo, la pluralidad de las situaciones encontradas en la vida real están vinculadas no sólo a los recursos propios de los empresarios informales, sino también a las ventanas de oportunidades y las restricciones que éstos confrontan bajo la emergencia del modelo de desarrollo exportador. La heterogeneidad de las situaciones encontradas dentro y entre los países hace difícil hablar en términos generales del sector informal como se hacía comúnmente en el pasado.

Globalización y oportunidades para las firmas informales

Durante los últimos 15 años, aproximadamente, ha habido una gran transferencia de las operaciones de ensamblaje de Estados Unidos a las áreas periféricas que poseen mano de obra barata y abundante. Los países de Centroamérica y el Caribe han intentado vincularse a esta estrategia de globalización de las empresas en el mundo industrializado principalmente a través de la creación de zonas productoras de exportación. Nuestro estudio de caso guatemalteco sugiere, sin embargo, que el mismo proceso abre ventanas de oportunidad para ciertos empresarios informales. Los vínculos entre los subcontratistas internacionales y los productores de ropa de San Pedro Sacatepéquez han infundido un nuevo dinamismo a la economía de ese poblado. Se incrementó el empleo y se introdujeron nuevas máquinas con créditos proporcionados por los compradores norteamericanos. Es cierto que el modo de inserción de estos productores de ropa nativos es completamente dependiente.

El segundo elemento en la formación del nuevo sistema regional ha sido la gran movilización de mano de obra del Caribe hacia Estados Unidos. La penetración y remodelación previa de estos pequeños países por las instituciones económicas y políticas norteamericanas condujo con el tiempo a un flujo sostenido de mano de obra hacia el continente. Algunos de estos flujos fueron iniciados por reclutamiento deliberado, mientras que otros tuvieron orígenes políticos. En ambos casos, éstos se han sostenido y expandido en años recientes por la continua difusión de las expectativas de consumo de los países avanzados y por el reforzamiento de las redes sociales trasnacionales (Portes/Grosfoguel, 1994). Este desarrollo crea nuevos nichos de oportunidades para las pequeñas firmas en los países expulsores. Este proceso es ilustrado por las procesadoras jamaiquinas de alimentos. Aunque el aki es una fruta prohibida en Estados Unidos, miles de latas de aki encuentran su camino hacia las ciudades norteamericanas. Como señalan Gordon, Robotham y Anderson (en este libro), las firmas jamaiquinas no son en sí mismas informales, pero su acceso a la provisión y eventual mercado del producto en el exterior hace uso necesario de canales informales. Solamente a través de ellos los productores pueden ganar acceso a un lucrativo mercado de exportación.

La migración y la subcontratación internacional no son un fenómeno nuevo. Sin embargo, bajo el nuevo modelo de desarrollo han adquirido una novedosa importancia para las economías de los países subdesarrollados. Los resultados de estos casos de estudio sugieren que dichos fenómenos pueden ofrecer algunas de las mejores oportunidades para que las actividades informales de subsistencia se transformen en pequeñas firmas con cierta capacidad de acumulación y crecimiento.

Limitaciones al crecimiento de las actividades informales

En tanto que algunos negocios informales, particularmente aquellos vinculados al comercio de exportación, han ganado acceso a promisorios mercados, otros tropiezan constantemente con diferentes obstáculos. Para algunos practicantes en el campo de la promoción de microempresas, el problema de las pequeñas firmas es simplemente la carencia de acceso a capital. Por lo tanto, la provisión de circulante llevaría presumiblemente a la proliferación de dinámicas pequeñas empresas. Los casos de estudio revisados en las secciones precedentes revelan, sin embargo, cinco limitantes que obstaculizan el crecimiento de las actividades informales. El primero es la carencia real de capital. La mayoría de los negocios informales no tiene acceso a los sistemas formales de financiamiento. Estos tienen que confiar en redes informales o en agencias especializadas no gubernamentales. Así, los microempresarios haitianos excluidos de los canales formales de financiamiento hacen uso de asociaciones populares de crédito rotativo o *sols*, como se les llama localmente. El caso de los confeccionadores de ropa de Guatemala también ilustra este tipo de limitación: ellos tienen acceso a equipo moderno solamente si se mantienen trabajando para la misma firma norteamericana. Fuera de esta relación, carecen de fuentes locales de financiamiento tanto para la adquisición de equipo como para la introducción de diseños nuevos.

La segunda limitación es el mercado en el cual operan los productores informales. Muchos venden en competitivos mercados de consumidores de bajos ingresos donde hay pocas posibilidades de expansión, particularmente en tiempos de crisis económica cuando el ingreso de los sectores populares cae y se eleva el número de personas buscando ingresos por vía de la informalidad. El caso de los talleres de metales en Haití ilustra esta situación. Sin considerar la ingenuidad de los empresarios y la despiadada explotación de sus trabajadores, las limitaciones de un mercado muy pobre evita que sus empresas se conviertan en algo más que un precario medio de subsistencia.

Una tercera limitación emana del carácter exclusivo de algunos mercados. La situación de los joyeros artesanos en Santo Domingo es muy ilustrativa. La producción de joyas está vinculada a uno de los sectores de crecimiento más rápido de la economía de este país caribeño, es decir, al turismo. Sin embargo, los artesanos se mantienen con dificultades en el negocio. Estos deben vender su producción a un pequeño numero de tiendas de regalos, o a un intermediario que controla el mercado y establece precios bajos por su trabajo. De esta manera, la producción artesanal de alta calidad se mantiene sobre-remunerada y se evita que alcance su potencial empresarial. Esto sugiere la importancia de considerar no solamente el carácter de la producción informal sino además sus mercados. La carencia de mercados libres en muchos casos puede convertirse en una limitación más severa incluso que la falta de capital.

La cuarta limitación se refiere a la atomización social de las empresas informales. El aislamiento en el cual se llevan a cabo la mayor parte de estas actividades unido al uso exhaustivo del tiempo que las mismas demandan no constituye un terreno fértil para la emergencia de vínculos de cooperación y confianza. Los enlatadores jamaiquinos de fruta proporcionan un patético ejemplo de las limitaciones que impone la atomización. Aun cuando estas empresas son las más exitosas entre nuestros casos de estudio, los lazos de cooperación, decisivos para la transformación de las actividades informales en «distritos industriales» de especialización flexible (Capecchi, 1989), parecen estar ausentes hasta este momento entre dichos productores. Los intentos de organización de las empresas procesadoras de alimentos han tropezado con el escollo constituido por el inestable y caótico acceso a los proveedores de fruta y a los mercados, lo que coloca a los pequeños productores en una situación de despiadada competencia entre unos y otros. Este aislamiento obstaculiza sus oportunidades para tomar ventaja de nuevos mercados o de la innovación tecnológica y para evadir a las grandes compañías enlatadoras.

La última clase de limitación es, en algunos casos, la existencia de una «ética artesanal» que no permite a los productores informales adaptarse a las cambiantes condiciones del mercado. Esto es lo que ocurre con los zapateros en San José. Después de haber vivido un floreciente comercio hace veinte años, los zapateros enfrentan hoy condiciones externas que amenazan con relegarlos al olvido. En la medida en que Costa Rica se inserta en la economía global, los productores locales de bienes de consumo enfrentan una dura competencia de importaciones baratas. Sin embargo, la situación de los zapateros se ha vuelto aún más difícil por su reticencia a cambiar sus métodos tradicionales de producción. Este «orgullo de artesano» los condena a languidecer en las márgenes del mercado debido a que el poder adquisitivo de los consumidores domésticos es generalmente bajo por lo que se inclinan hacia las importaciones más baratas y a que la producción costarricense no es competitiva en los mercados extranjeros. En tales circunstancias, la intervención externa de agencias estatales u organizaciones privadas es esencial para reestructurar incentivos y proporcionar acceso al entrenamiento necesario para lidiar con las nuevas condiciones del mercado.

Las múltiples limitaciones enfrentadas por los negocios informales convierten cualquier solución basada en un solo aspecto –sea éste el sistema legal o acceso al capital– en soluciones que, en el mejor de los casos, serán parcialmente exitosas. Esta es presumiblemente la razón por la cual las iniciativas de políticas para apoyar la empresa informal han dado hasta ahora resultados limitados. La posibilidad de formas más integradas de intervención que consideren las múltiples barreras enfrentadas por las empresas informales merece atención adicional.

Políticas hacia el sector informal

Los programas de promoción de la microempresa han sido en años recientes piedra angular de las políticas sociales promovidas por los gobiernos del Caribe y las agencias internacionales como parte del nuevo modelo de desarrollo. El supuesto básico detrás de estos programas es que el apoyo al sector de microempresas informales ayudará a promover el empleo y a combatir la extensa pobreza causada por las políticas de ajuste estructural. Los esfuerzos públicos y privados para la promoción de microempresas se han dirigido a proporcionar préstamos y entrenamiento a los microempresarios. La mayoría de estas iniciativas asumen que los negocios del sector informal son productivos, susceptibles de nuevas inyecciones de capital que será bien empleado y capaces de retribuir los intereses de los préstamos. Esta visión está vinculada a la noción introducida por de Soto y algunas agencias internacionales tales como US AID. Aunque la visión corresponde en efecto a la situación de algunas actividades informales, éstas representan la excepción más que la regla.

Para los propósitos de las políticas sociales, la triple tipología de las empresas informales presentada al principio proporciona una guía de las distintas clases de limitaciones y oportunidades que requieren formas alternativas de intervención.

Primero, hay una minoría de empresas informales que han logrado crecer asegurando nichos de mercado y ascendiendo al nivel de empresas pequeñas o medianas. Estas son la representación excepcional de una «informalidad del crecimiento» en la región. Segundo, hay un gran sector de microempresas informales con bajos niveles de capacidad instalada que luchan por mantener un nicho en el mercado y padecen una permanente escasez de capital. Tercero, están las actividades de subsistencia operadas por pobres, generalmente autoempleados, que funcionan con un capital muy pequeño y aquellos cuya existencia está basada en la autoexplotación.

La mayoría de los sistemas de crédito privados y gubernamentales sirven al segundo nivel de empresas informales. Algunas instituciones ponen parte de su portafolio de inversiones en el primer grupo. Este último tipo de crédito es, por supuesto, relativamente seguro y más redituable y ayuda a las instituciones de crédito a alcanzar en cierta medida el autofinanciamiento (ADEMI, 1992; Castiglia, 1993). Tales programas «construyen sobre el éxito» y esencialmente ayudan a consolidar los logros de empresarios excepcionales. Estos, sin embargo, no responden a las necesidades y condiciones de la mayoría.

El crédito tiene un significado diferente para cada tipo de empresa informal. Los préstamos para las firmas en la capa superior pueden tener un efecto directo en la acumulación de capital y en la productividad al permitir la introducción de nuevas tecnologías. Estos pueden además proporcionar una inyección de capital para invertir que ayude a la expansión de la producción. Los préstamos para la segunda capa de firmas tienen el efecto de crear fuentes de sustento generalmente muy modestas, para gente en los límites de la supervivencia (Itzigsohn, 1994). Es importante anotar que el acceso al crédito no siempre es pura bendición, especialmente para las actividades más pobres. Mientras que tal asistencia puede ayudar a algunas empresas informales, puede hundir a otras, como lo muestran los artesanos de joyas de Santo Domingo. El problema en este caso es la carencia de acceso directo al mercado financiero. El incremento de su producción no necesariamente significa que serán capaces de recuperar el capital con rapidez suficiente para regresar el préstamo. Esto muestra la necesidad de avizorar políticas de intervención adecuadas a las diferentes necesidades y capacidades de los distintos tipos de empresa informal.

Redes sociales y capital social

Un consistente hallazgo de nuestros estudios de caso, así como de pasadas investigaciones en la economía informal en América Latina es la importancia de las redes sociales (Roberts, 1976; Benería, 1989). El microempresariado informal depende de redes personales para todo –desde el acceso a materia prima hasta el acceso a mercados para sus productos y servicios. Así, los confeccionadores de ropa guatemaltecos, aunque aislados en un poblado indio, fueron capaces de encontrar un nuevo mercado de exportación a través de las conexiones personales de un individuo. Los enlatadores de fruta en Jamaica también dependen de sus redes personales para obtener ayuda en la producción y la venta. Los microempresarios haitianos hacen uso de un parentesco ficticio para impulsar sus intereses y los confeccionadores de ropa dominicanos contactan sus conocidos de trabajos previos para expandir su distribución en el mercado. Sin estas redes sería casi imposible para la empresa informal sobrevivir, particularmente en ausencia de asistencia externa efectiva. Más aún, la dependencia de este sector de estructuras sociales preexistentes ilustra de nuevo la importancia de la inmersión de lo económico en lo social (*embeddedness*), enfatizada por Granovetter (1985).

Para los objetivos de este análisis, es posible distinguir dos diferentes fuentes de capital social construidas dentro de las redes de los empresarios informales. Estas han sido descritas extensamente por Lomnitz en el contexto de las «ciudades perdidas» en Ciudad de México y por Birbeck (1978) en su bien conocido estudio sobre el reciclaje informal en Cali, Colombia. Los intercambios basados en la reciprocidad involucran un flujo continuo de «favores» entre amigos y conocidos y la consecuente acumulación de obligaciones sociales que son solicitadas en tiempos de necesidad. El carácter indefinido de los favores recíprocos y la ausencia de un calendario fijo para la devolución de dichos favores dotan estos intercambios de su flexibilidad única y su adaptabilidad a las necesidades de los grupos de bajos ingresos (Portes/Sensenbrenner, 1993).

Menos común es el capital social basado en las obligaciones mutuas de comunidades solidarias y la confianza que genera la pertenencia a ellas. Las relaciones económicas de cooperación pueden ir mucho más lejos en esas situaciones porque los empresarios se embarcan en actividades económicas más riesgosas sin temor de ser estafados. La comunidad como un todo se convierte en el garante de la observancia de las obligaciones económicas, aspecto ausente en el simple intercambio diádico. Esta confianza es encontrada de manera consistente en las experiencias de los «distritos industriales» que han logrado superar las limitaciones múltiples que enfrentan las empresas del sector informal (Sabel/Piore, 1984; Capecchi, 1989; Stepick, 1989).

Entre nuestros estudios de caso, solamente en la comunidad indígena de San Pedro en Guatemala se manifiesta en cierta medida esta forma de solidaridad basada en su bagaje cultural común. Esto explica la obvia preferencia en la contratación de mujeres indias como trabajadoras en los talleres de confección y la expansión de los mismos dentro de los límites de la región. Sin embargo, como anota Pérez-Sáinz (en este libro), esta solidaridad ha sido insuficiente hasta ahora para superar las limitaciones del mercado bajo el cual operan los contratistas indios de confección de ropa. Los productores de joyas en Santo Domingo y los artesanos zapateros en San José también manifiestan algo parecido a un espíritu comunitario basado en su oficio común. No obstante, éste es claramente insuficiente para superar las fuerzas atomizadoras de que son objeto. El único caso que se aproxima a una potencial acumulación sostenida, es el de los enlatadores de fruta jamaiquinos, quienes dependen de la reciprocidad de intercambios que se limitan a sus parientes cercanos y, excepcionalmente, a los miembros de la misma iglesia. Como señalan Gordon, Anderson y Robotham (en este libro), es precisamente la ausencia de los lazos de una sólida comunidad y de la confianza que ésta podría generar, lo que impide que estos empresarios realicen un avance exitoso en el mercado. Ante la ausencia de éste, los pequeños empresarios siguen siendo controlados por las grandes compañías enlatadoras y los caprichos del mercado.

La mayoría de los programas existentes de promoción de la microempresa en los cinco países estudiados toma al empresario individual o a la firma como el blanco de sus acciones. Al hacerlo así, refuerzan las presiones atomizadoras a las cuales estas actividades se encuentran sujetas. El significado de las redes sociales y el capital social en este sector de la economía urbana sugiere una táctica diferente, aquella que construya sobre la base de las formas de cooperación y solidaridad comunitaria ya existentes. Los programas que excepcionalmente han seguido este curso han sido capaces de crear una doble dinámica en la cual la asistencia externa encaja con el potencial de colaboración sostenida entre los empresarios informales llevándolos a asociaciones más grandes que las que son posibles bajo la iniciativa individual o la simple reciprocidad (10).

Conclusión

En este capítulo, se revisaron dos importantes aspectos de la urbanización en la región del Caribe que se producen durante el cambio hacia el modelo de desarrollo orientado a las exportaciones. En el terreno de la política, nuestros datos sugieren que el grado de la participación política en las organizaciones comunitarias que proliferaron durante este período es más bien bajo. Sin duda, hay una amplia simpatía por sus metas, pero cuando llega el momento de convertir los sentimientos en acciones, son los partidos políticos tradicionales, más que los «nuevos» movimientos sociales quienes se llevan la mano.

Más significativo aún es el hallazgo de que las influencias de nivel-individual, tanto sobre la simpatía como sobre la participación en las organizaciones populares, no constituyen una secuencia causal distinta. Al contrario, el mismo conjunto general de características que incitan el apoyo a los partidos funcionan para las organizaciones populares, lo cual sugiere la existencia de un síndrome de participación más general. Los mejor educados más que los iletrados, los más ricos antes que los destituidos y aquellos que se ven a sí mismos como pertenecientes a la clase trabajadora más que los muy pobres se inclinan con más fuerza hacia ambas formas de participación.

El hallazgo clave de esta forma de análisis comparativo es, sin embargo, que cuando se introducen en el análisis las diferencias entre los sistemas políticos nacionales, éstas se convierten en el único determinante significativo de las diferencias en la participación política. Este resultado sugiere que lo que finalmente importa es la durabilidad y el carácter del «espacio» abierto por el sistema

---

10. Un caso a punto de formarse en San José es el de una organización llamada TURCASA, una cámara nacional de microempresarios que proporcionan servicios turísticos en Costa Rica. Esta organización fue promovida por una ONG –un agente externo– que reunió a un grupo de mujeres que ofrecen servicios informales de información turística y las organizó sobre la base de sus intereses y metas comunes (Itzsigsohn, 1994).

dominante a la participación popular. Los grupos de bajos ingresos son rápidos para apoderarse de esos espacios, pero caen en la indiferencia y la apatía cuando esas oportunidades se cierran debido a la represión sistemática. En el mismo sentido, la mejor caracterización de la acción política de los grupos populares de bajos ingresos es la adaptación racional a las estructuras existentes de poder, más que la radical confrontación o la creación de un orden cívico alternativo.

En lo que se refiere a las economías urbanas, nuestros hallazgos muestran la creciente importancia y heterogeneidad de las actividades informales. El nuevo modelo de desarrollo confronta a las empresas populares con cierto número de oportunidades y limitaciones. La integración más estrecha de las economías caribeñas con el mercado norteamericano ha abierto ventanas de oportunidad para la dinámica producción orientada hacia la exportación, incluyendo algunas empresas informales. Por otro lado, esta integración esta basada en la estática ventaja comparativa que ofrece la fuerza de trabajo barata la cual a su vez ha causado una seria erosión en los salarios y las condiciones del empleo. Algunas de las nuevas actividades informales que están emergiendo en esta situación tendrán éxito e impulsarán a sus propietarios dentro de los rangos de la clase media urbana. La mayoría, sin embargo, chocarán con las múltiples limitaciones que generan la carencia de acceso al capital y a los mercados y la atomización de los pequeños productores.

Por encima de todo, los cambios efectuados en estos pequeños países debidos a la cancelación del proyecto de desarrollo autónomo basado en la sustitución de importaciones y la nueva integración en la economía global, han sido profundos. Como se vio en el capítulo 2, la morfología de estas sociedades está cambiando con la rápida redistribución de la población urbana, el surgimiento de ciudades medias vinculadas a la nueva industria de exportación, y los nuevos patrones de poblamiento urbano por las clases sociales. Estos cambios observables se corresponden con cambios más profundos en la estructura social.

El nuevo modelo de desarrollo compele a vastos sectores de la población urbana a abandonar el viejo sueño del seguro empleo asalariado y a buscar nuevas alternativas económicas. La emigración, principalmente hacia Estados Unidos, se convierte de manera creciente en un medio común para la movilidad económica, mientras que las aventuras empresariales autónomas también se han convertido en lugar común entre aquellos dejados atrás. Como sugieren nuestros resultados y otros recientes estudios, las dos alternativas no están desconectadas. Emergentes comunidades expatriadas se han convertido en importantes mercados y fuente de capital para aventuras empresariales de pequeña y mediana escala en los países de origen (Glick-Schiller et al., 1992).

Un importante aspecto de estas transformadas estructuras sociales es el tamaño de la economía informal. Estas actividades ya no pueden seguir siendo conceptualizadas como vestigios de un pasado precapitalista esperando su incorporación dentro del capitalismo moderno. Al contrario, las actividades informales se han convertido ellas mismas en una nueva estapa del desarrollo del capitalismo en la región que combina la tecnología de fines del siglo veinte con condiciones de trabajo semejantes a las de principios de siglo. La diversidad de las empresas informales descubiertas en el curso de este proyecto refleja los recursos materiales y sociales que difrentes grupos pueden movilizar en el nuevo ilimitado mercado. La dura competencia que esto crea para las clases urbanas media y baja producirá sin lugar a dudas extraordinarios éxitos empresariales junto a una pobreza y sufrimiento exacerbados.

En el corto plazo al menos, estas condiciones de inestabilidad proporcionarán un terreno fértil para la movilización popular en defensa de los privilegios perdidos o en busca de alguna forma de protección frente al mercado. En este escenario es donde los hallazgos de los determinantes de la participación política popular se vuelven relevantes. Uno de los posibles efectos positivos de la creciente integración de las sociedades del Caribe dentro de la economía norteamericana es una mayor presión sobre las élites locales para la preservación de las instituciones democráticas. La consolidación de la democracia en estos países puede a su vez abrir los espacios políticos necesarios para la expresión del descontento de los grupos perdedores bajo el nuevo modelo de desarrollo. Como hemos visto, este espacio ha estado ausente o severamente restringido en el pasado. Su consolidación puede constituir el único medio de atenuar los costos de la transición económica y tal vez estimular el potencial de las organizaciones populares.

Bibliografía

ADEMI (Asociación para el Desarrollo de Microempresas) (1992) *Resumen Ejecutivo.* ADEMI. Santo Domingo.

Benería, Lourdes (1989) Subcontrating and Employment Dynamics in Mexico City, en A. Portes/M. Castells/L. A. Benton (eds.), *The Informal Economy: Studies in Advanced and Less Developed Countries.* The Johns Hopkins University Press. Baltimore.

Benería, Lourdes/Roldan, Marta I. (1987) *The Crossroads of Class and Gender: Homework, Subcontrating, and Household Dynamics in Mexico City.* University of Chicago Press. Chicago.

Birbeck, Chris (1978) Self-Employed Proletarians in an Informal Factory: The Case of Cali's Garbage Dump, en *World Development* 6 (sept./oct.).

Campero, Guillermo (1987) *Entre la sobrevivencia y la acción politica.* ILET. Santiago de Chile.

Capecchi, Vittorio (1989) The Informal Economy and the Development of Flexible Specialization, en Portes, M. Castells/L. A. Benton (eds.), *The Informal Economy: Studies in Advanced and Less Developed Countries.* The Johns Hopkins University Press. Baltimore.

Cardoso, Ruth C. L. (1983) Movimientos sociais no Brasil pos-64. Balancao critico, en B. Sorj/M. H. Tavares de Almeida (eds.), *Sociedade e politica no Brasil pos-64.* Brasiliense. São Paulo

Cardoso, Ruth C. L. (1992) Popular Movements in the Context of the Consolidation of Democracy in Brazil, en A. Escobar/S.E. Alvarez (eds.), *The Making of Social Movements in Latin America.* Westview Press. Boulder.

Castiglia, Miguel Angel (1993) El diseño de programas masivos de apoyo a la microempresa, en Y. Barrera/M.A. Castiglia/D. Kruijt/R. Menjívar/P.Pérez-Sáinz (eds.), *La economía de los pobres.* FLACSO. San José.

De Soto, Hernando (1989) *The Other Path.* Translated by June Abbot. Harper and Row. New York.

Dore Cabral, Carlos (1985) La distribución espacial de los movimientos sociales de abril del 84, en *Impacto Socialista* 1 (abril-mayo).

Eckstein, Susan (ed.) (1989) Power and Popular Protest in Latin America, en *Power and Popular Protest: Latin American Social Movements.* University of California Press. Berkeley.

ECLA (1990) *Transformación productiva con equidad.* CEPAL. Santiago de Chile.

Fals Borda, Orlando (1992) Social Movements and Political Power in Latin America, en Escobar, A./Alvarez, S.E. (eds.), *The Making of Social Movements in Latin American.* Westview Press. Boulder.

Friedmann, John (1989) The Latin American Barrio Movement as a Social Movement: Contribution to a Debate, en *International Journal of Urban an Regional Research 13.*

Glick Schiller, Nina/Basch, Linda/Blanc-Szanton, Cristina (1992) Towards a Transnationalization of Migration: Race, Class, Ethnicity, and Nationalism Reconsidered, en *The Annals of New York Academy of Sciences* 645. New York Academy of Sciences, New York.

Gordon, Derek/Dixon, Cheryl (1992) La urbanización en Kingston, Jamaica, en Portes/Lungo (eds.), *Urbanización en el Caribe,* FLACSO. San José.

Granovetticr, Mark (1985) Economic Action and Social Structure: The Problem of Embeddedness, en *American Journal of Sociology* 91.

Hardy, Clarisa (1987) Organizarse para vivir. Pobreza urbana y organización popular. Programa de Economía del Trabajo. Santiago de Chile.

Hope, Kempe R. (1991) A Promising Path?, en *Hemisphere 4* (fall).

Iglesias, Enrique (1985) The Latin American Economy during 1984: A Preliminary Overview, en *CEPAL Review* 35 (april).

Itzigsohn, José (1994) The State, the Informal Economy, and the Reproduction of the Labor Force. Ph.D. Dissertation. Department of Sociology. The Johns Hopkins University.

Jelin, Elizabeth (1985) *Los nuevos movimientos sociales* (2 vols.). Centro Editor de América Latina. Buenos Aires.

Jonas, Susanne (1991) *The Battle for Guatemala: Rebels, Death Squads, and U.S. Power.* Westview Press. Boulder.

Lagos, Ricardo/Tokman, Víctor (1983) Monetarismo global, empleo y estratificación social, en *El Trimestre Económico* 50 (july-sept.).

Leeds, Anthony (1969) The Significant Variables Determining the Character of Squatter Settlements, en *América Latina* 12 (july-sept.).

Lehman, David (1990) Democracy and Development in Latin America. Temple University Press. Philadelphia.

Lozano, Wilfredo/Duarte, Isis (1992) Proceso de urbanización, modelos de desarrollo y clases sociales en República Dominicana. 1960-1990, en Portes/Lungo (eds.) *Urbanización en el Caribe.* FLACSO. San José.

Manigat, Sabine (1992) La urbanización de Puerto Príncipe durante los años de la crisis, en Portes/Lungo (eds.), *Urbanización en el Caribe.* FLACSO. San José.

Matos Mar, José (1985) *Desborde popular y crisis del Estado.* Instituto de Estudios Peruanos. Lima.

Portes, Alejandro/Grosfoguel, Ramón (1994) Caribbean Diasporas: Migration and Ethnic Communities, en *Annals of the American Academy of Political and Social Sciences* 533 (may).

Portes, Alejandro/Johns, Michel (1989) Class Structures and Spatial Polarization: An Assessment of Recent Urban Trends in Latin America, en Canak, W. L. (ed.), *Lost Promises: Debt, Austerity, and Development in Latin America.* Westview Press. Boulder.
Portes, Alejandro/Sesenbrenner, Julia (1993) Embededness and Inmigration: Notes on the Social Determinants of Economic Action, en *American Journal of Sociology* 98 (may.)
Portes, Alejandro/Walton, John (1976) *Urban Latin America, the Political Condition from Above and Below.* University of Texas Press. Austin.
PREALC (1990) Empleo y equidad: el desafío de los 90. PREALC. Santiago de Chile.
Razeto, Luis (1985) *Las organizaciones populares. Más allá de la subsistencia.* Academia de Humanismo Cristiano. Santiago de Chile.
Roberts, Bryan R. (1976) The Provincial Urban Systemand the Proceess of Dependency, en Portes, A./Browning, H. (eds.), *Current Perspectives in Latin American Urban Research.* Institute of Latin American Studies of the University of Texas. Austin.
Sabel, Charles F. (1986) Changing Modes of Economic and their Implications for Industrialization in the Third World, en McPherson, M.S./Foxley, A./O'Donner, G. (eds.), en *Development, Democracy, and Trespassing: Essays in Honor of Albert O. Hirschman.* Notre Dame, Ind University Press.
Sabel, Charles F./Piore, Michael J. (1984) *The Second Industrial Divide: Possibilite for Prosperity.* Basic Books. New York.
Schkolnik, Mariana (1986) Sobrevivir en la población José M. Caro y en la Hermida. Programa de Economía del Trabajo. Santiago de Chile.
Slater, David (ed.) (1985) Social Movements and a Recasting of the Political, en Slater, D. (ed.), *New Social Movements and the State in Latin America.* CEDLA. Amsterdam.
Stepick, Alex (1989) Miami's Two Informal Sectors en Portes/Castells/Benton (eds.), *The Informal Economy: Studies in Advanced and Lees Developed Countries.* The Johns Hopkins University Press. Baltimore.
Tironi, Eugenio (1986) El Fantasma de los pobladores, en *Estudios Sociológicos* 4 (sept.-dic.).
Treiman, Donald J. (1977) *Ocupational Prestige in Comparative Perspective.* Academic Press. New York.
Trouillot, Michel Rolph (1990) *Haiti, State Against Nation.* Monthly Review Press. New York.

Autores

Patricia Anderson es profesora de Sociología e investigadora de la Universidad de las Indias Occidentales, Mona, Jamaica.

Carlos Dore Cabral es investigador de la Facultad Latinoamericana de Ciencias Sociales (FLACSO) en la República Dominicana y profesor de Sociología del Instituto Tecnológico de Santo Domingo.

Derek Gordon (fallecido) fue profesor de Sociología e investigador de la Universidad de las Indias Occidentales, Mona, Jamaica.

José Itzigsohn es profesor asistente de la Universidad de Brown, en Estados Unidos.

Wilfredo Lozano es profesor de Sociología de la Facultad Latinoamericana de Ciencias Sociales (FLACSO) en la República Dominicana y Secretario General de FLACSO.

Mario Lungo es profesor de Sociología e investigador de la Universidad Centroamericana José Simeon Cañas, en San Salvador, El Salvador.

Sabine Manigat fue rectora de la Universidad Nacional de Haití y actualmente es consultora internacional.

Juan Pablo Pérez Sainz es profesor e investigador de la Facultad Latinoamericana de Ciencias Sociales (FLACSO) en San José, Costa Rica.

Alejandro Portes es profesor de Sociología y de Relaciones Internacionales de la Universidad de Johns Hopkins, en Baltimore, Estados Unidos.

Don Robotham es antropólogo social y decano de la Facultad de Ciencias Sociales de la Universidad de las Indias Occidentales, Mona, Jamaica.

ESTE EJEMPLAR SE TERMINO DE IMPRIMIR
EN LOS TALLERES DE EDITORIAL TEXTO
AV. EL CORTIJO, QTA. MARISA, Nº 4
LOS ROSALES - CARACAS - VENEZUELA